L'Art Pratique
de la Créativité

Autres ouvrages de Julia Cameron, parus en traduction française :

La veine d'or, Éditions du Roseau, 1999.
Libérez votre créativité, Éditions Dangles, 1995.
L'argent apprivoisé, avec la collaboration de Mark Bryan, Éditions Dangles, 1994.

JULIA CAMERON

L'ART PRATIQUE
DE LA CRÉATIVITÉ

Le pèlerinage de l'être créateur

Traduit de l'anglais par
Annie J. Ollivier

Catalogage avant publication de la Bibliothèque nationale du Canada

Cameron, Julia
    L'art pratique de la créativité : le pèlerinage de l'être créateur
    Traduction de : Walking in this world.
    Comprend des réf. bibliogr.
    ISBN 2-89466-087-1
1. Créativité. 2. Création (Arts). 3. Réalisation de soi. 4. Créativité -
Problèmes et exercices. I. Titre.
BF408.C35142004   153.3'5   C2004-940153-X

Les Éditions du Roseau bénéficient du soutien financier des institutions
suivantes pour leurs activités d'édition :
• Gouvernement du Canada par l'entremise du Programme d'aide au
  développement de l'industrie de l'édition (PADIÉ)
• Société de développement des entreprises culturelles du Québec
  (SODEC)
• Programme de crédit d'impôt pour l'édition de livres du gouverne-
  ment du Québec

Conception graphique
de la page couverture : Carl Lemyre
Infographie : René Jacob, 15ᵉ avenue
Titre original : *Walking in this World : the Practical Art of Creativity*
                Jeremy P. Tarcher / Putnam
Copyright © 2002 Julia Cameron
Copyright © 2004 Éditions du Roseau, Montréal
                pour la traduction française
Tous droits de traduction, de reproduction
et d'adaptation réservés pour tous pays.
ISBN 2-89466-087-1
Dépôt légal : Bibliothèque nationale du Québec, 2004
              Bibliothèque nationale du Canada, 2004
Distribution : Diffusion Raffin
              29, rue Royal
              Le Gardeur (Québec)
              J5Z 4Z3
              Courriel : diffusionraffin@qc.aira.com
Site Internet : http://www.roseau.ca
Imprimé au Canada

Ce livre est dédié à Jeremy P. Tarcher, réviseur, éditeur et visionnaire.
Toute ma gratitude pour sa sagesse, sa clarté et sa finesse d'esprit.
Toute ma gratitude surtout pour l'amitié dont il me gratifie.

Remerciements

Sara Carder, pour son attention méticuleuse
Carolina Casperson, pour son regard confiant
Sonia Choquette, pour son optimisme visionnaire
Joel Fotinos, pour sa foi et sa vision
Kelly Groves, pour sa clarté et son enthousiasme
Linda Kahn, pour sa perception aiguisée
Bill Lavallee, pour son optimisme et sa force
Emma Lively, pour sa foi sans bornes
Larry Lonergan, pour son humour et son aide
Julianna McCarthy, pour son cœur d'artiste
Robert McDonald, pour son inspiration et son art
Bruce Pomahac, pour l'image de confiance qu'il me renvoie
Domenica Cameron-Scorsese, pour son amour et son discernement
Jeremy Tarcher, pour son amitié et son aide
Edmund Towle, pour sa sagesse colorée de bonne humeur
Claire Vaccaro, pour son sens de la beauté

Jérusalem marche en ce monde

Quel grand bonheur !
L'air est soyeux.
Il y a de la bonté dans le regard des étrangers.
Je ne saurais être plus heureux
si j'étais pain et que vous me mangiez.
La joie est dangereuse.
Elle m'emplit de ses secrets.
Mes veines résonnent d'un grand « Oui ».
Les efforts que je fais pour me cacher
sont aussi transparents que le verre.
Cela passera certainement,
les baisers doux comme le vent,
la musique dans la soupe,
les arbres qui rient quand je les appelle.

Tout est hosannah.
Tout est prière.
Jérusalem marche en ce monde.
Jérusalem marche en ce monde.

INTRODUCTION

C'est un jour sombre de décembre. Alors que je regarde le parc Riverside par ma fenêtre, j'aperçois une vieille femme et son compagnon qui se promènent sous les faibles rayons du soleil, bras dessus, bras dessous. Lentement et avec précaution, ils avancent sur le sentier pavé. De temps en temps, ils s'arrêtent pour observer les mouvements d'un écureuil qui se déplace en trottinant sur une branche d'arbre ou les ébats bruyants d'un geai bleu effronté qui descend brusquement en piqué devant eux pour venir quêter quelques miettes.

Une de mes façons préférées de parler avec mes amis est d'aller marcher avec eux. J'adore me sentir en contact avec eux et avec le monde autour de nous. J'adore voir mes pensées être interrompues par un corbeau qui plane dans le ciel et vient se poser sur un mur de pierre. J'adore le lent mouvement des feuilles d'automne, des flocons de neige, des pétales de fleurs de pommiers. La marche et la conversation rendent ma vie plus humaine, lui font goûter au réconfort de la vie de l'ancien temps, de la vie qui se déroule un pas à la fois. Ce genre de marche tranquille me rappelle la façon dont je dois vivre si je veux pouvoir savourer la vie qui m'a été donnée.

Dès que j'abandonne la rapidité et la pression, le geste de savourer la vie devient automatique et juste. Cette planète est belle et ses habitants aussi, pourvu que je prenne le temps de le remarquer. En ce moment, je partage ma vie entre le Nouveau Mexique et New York, entre les promenades dans le parc Riverside et celles sur une route de terre entourée de taillis de sauge, où il faut faire attention aux serpents à sonnettes pour qui la route est un dérangement, une interruption de leurs champs de sauge ondulante et de pins odorants.

C'est au cours de ces promenades que me viennent les meilleures idées. C'est en marchant que la clarté laborieuse émerge. C'est en marchant que j'éprouve une sensation de bien-être et d'unité avec tout. Et c'est pendant que je marche que je me trouve le plus dans un esprit de prière. À New York, je vis un peu en ermite, ne sortant qu'en fin d'après-midi pour me faire éblouir par les couchers de soleil dorés qui chamarrent le ciel urbain de leurs bandes multicolores. Lorsque je le peux, je vais marcher avec des amis. Je remarque toujours à quel point nos silences respectifs savent se fondre et combien nos conversations sonnent vraies et authentiques sans aucun effort. Je caresse l'espoir que la composition même de ce livre, posée, soignée, saura vous amener à faire de telles promenades. En allant lentement, nous traversons rapidement les multiples couches de défense et de dénégation pour enfin toucher le pouls de la créativité qui vibre en chacun de nous. Le Créateur a engendré ce monde pour nous éblouir et nous émouvoir. Lorsque nous ralentissons le rythme pour nous syntoniser sur le monde de la nature, l'émerveillement et l'émotion nous étreignent.

Il y a dix ans, j'ai écrit un livre intitulé *Libérez votre créativité*, où j'avançais que le déploiement de notre créativité correspond en fait au déploiement de notre spiritualité et que nous pouvions œuvrer – et marcher – main dans la main avec le Créateur. Dix ans ont passé et les outils proposés dans cet ouvrage me semblent encore tout à fait pertinents. Les deux outils fondamentaux que j'y présentais, les « Pages du matin » et les « Rendez-vous d'artiste », me servent encore, ainsi qu'à plus d'un million de lecteurs. En dix ans, rien n'a changé. La discipline reste la même. Mais j'y ai ajouté un autre outil, puissant et fondamental, la « Promenade hebdomadaire ».

Rien ne peut mettre davantage en évidence la beauté et la puissance du monde dans lequel nous vivons que la marche à

* * *

J'essaie de capter chaque phrase, chaque mot, que toi et moi prononçons...

TCHEKHOV

pied. Lorsque nous mettons nos corps en action, nous incarnons la vérité que, en tant qu'artiste, nous devons toujours avancer, aller plus loin, embrasser plus que notre lot quotidien. Une promenade hebdomadaire nous aide à acquérir cette vision élargie de la vie. Elle nous permet de trouver recul et réconfort. En étirant nos jambes, nous étirons également notre esprit et notre âme. Saint Augustin, lui aussi un grand marcheur, ne disait-il pas : « *Solvitur ambulando* », « c'est résolu par la marche. » Ce qui est résolu peut être aussi envahissant qu'une relation blessante ou aussi noble que la conception d'une nouvelle symphonie. Les idées nous viennent quand nous marchons, accompagnées de leur amie silencieuse, l'intuition. La marche nous fait passer du « quoi » au « pourquoi », d'ordinaire beaucoup plus insaisissable.

Peut-être vous sera-t-il utile de vous donner une idée de quoi est faite ma démarche créative quotidienne, que je qualifierais de « portative ». Celle-ci exige seulement du papier, un stylo et des chaussures.

Je me réveille le matin, tends la main vers mon stylo et mon journal (celui que je consacre aux Pages du matin), et me plonge corps et âme dans ce qui occupe ma vie dans le moment. Je note ce qui me rend agitée, irritable et enthousiaste, ce qui me semble être une corvée. Je laisse couler l'encre sur la page avec la même dévotion méthodique qu'applique une femme dans les hautes montagnes tibétaines pour laver des vêtements dans un torrent en les frappant sur des pierres. Il s'agit d'un rituel, d'une façon d'entamer la journée et d'une façon de me purifier à mes yeux et à ceux de Dieu. Je ne peux me jouer la comédie dans les Pages du matin : je suis tour à tour vraiment mesquine, peureuse ou aveugle aux miracles qui se produisent autour de moi. Pendant que j'écris, la lumière se fait – en même temps que le soleil point au-dessus des montagnes – et toujours plus m'est

* * *

Le temps n'est pas une ligne, mais une suite d'instants présents.

TAISEN DESHIMARU

révélé. Je comprends pourquoi j'ai peur, qui je devrais appeler pour m'excuser, ce que je dois faire pour que le cours de ma journée avance d'une coche. Tout comme les femmes battant leur linge dans les montagnes interrompent leur geste assez longtemps pour saisir l'instant où le soleil fait scintiller le flanc d'un sommet vertigineux, moi aussi, j'ai mes moments de révélation, mes incursions dans le « pourquoi » qui se trouve derrière le « quoi » des événements du moment. Mais, en général, les pages d'écriture font partie de la routine. Je les fais parce que je les fais. Je les fais parce qu'elles « marchent ». Elles servent à frotter les replis de ma conscience pour la rendre propre.

Une fois la semaine, je me lance dans une petite aventure, avec mon Rendez-vous d'artiste. Et quand je dis « petite », je veux vraiment dire « petite ». Je vais au magasin de tissus. À la boutique qui vend des boutons. J'éternue en entrant dans une librairie poussiéreuse qui vend des livres d'occasion. Je me rends dans la section des oiseaux d'une animalerie, où les moineaux mandarins, les inséparables et les perruches rivalisent pour avoir mon attention, sous le morne regard d'un perroquet cendré. Si j'ai de la chance, j'irai peut-être chez un marchand de tapis pour sentir l'étendue de l'éternité tissée nœud après nœud. Il se peut aussi que je me rende chez un horloger pour entendre le tic-tac rythmé des horloges, aussi régulier qu'un cœur de mère.

Quand j'ai mon Rendez-vous d'artiste, je me trouve un peu en dehors du courant du temps qui presse. Je me donne une heure, coupée totalement de la précipitation. J'ai ainsi l'occasion de m'émerveiller sur l'émergence de mon propre être. Je ne suis qu'une âme parmi tant d'autres âmes, une vie parmi une multitude de vies. Lorsque je me démarque du temps qui presse, de la course contre la montre, même si ce n'est que pour une heure, je me sens revenir à une échelle plus clémente. Je

* * *

Les idées arrivent de partout.

ALFRED HITCHCOCK

me dis : « Nous sommes tous dans le même bateau. » Et aussi :
« C'est beau. »

Aussi stressée et survoltée que tous ceux que j'ai connus, j'ai
dû apprendre à arrêter de courir. La marche ne m'est pas venue
aisément ni trop tôt. J'étais au milieu de la quarantaine lorsque
j'ai découvert le pouvoir de cet outil essentiel. Maintenant, si
c'est possible chaque jour mais au moins une fois par semaine,
je vais faire une longue promenade pour apaiser mon âme.

Dans les vies affairées que nous menons, nous pouvons
« coincer » ces promenades quelque part dans la journée, en descendant du métro un arrêt avant, en quittant la maison quelques
minutes plus tôt pour marcher au lieu de prendre un taxi pour
parcourir de petites distances. L'heure du repas de midi peut
devenir l'heure de la promenade. Ou encore, le début de la soirée peut être le moment propice pour vous promener. Les circonstances de la promenade comptent moins que le fait de
marcher. La marche permet aux intuitions de votre propre
maître intérieur d'entamer un dialogue avec le maître que vous
rencontrez dans ces pages.

Depuis la rédaction de *Libérez votre créativité*, j'ai entendu
raconter bien des histoires miraculeuses. Parfois, dans un restaurant ou dans une rue pleine de monde, quelqu'un m'arrête
et me dit que mon livre a changé sa vie. Je suis heureuse d'avoir
été un catalyseur, mais c'est tout ce que j'ai été. J'ai simplement
rédigé les préceptes de l'intervention divine dans nos vies, dès
que nous nous engageons dans notre créativité et, à travers cela,
envers notre Créateur. Essentiellement, ce que j'ai enseigné
dans ces lignes, c'est que nous sommes tous liés les uns aux
autres et que, lorsque nous le reconnaissons, nous joignons les
rangs d'une longue lignée réconfortante : le Créateur aime les
artistes et attend comme l'amoureux de répondre à l'amour que
nous lui offrons.

Peu importe ce que nous désignons sous le terme de Dieu.
Ce qui compte, c'est que nous l'invoquions. Il y a quelque
chose d'interactif, d'admiratif et de bienveillant qui gonfle les

voiles de nos rêves et adoucit notre atterrissage lorsque nos parachutes s'affaissent après une descente créative.

Ce quelque chose de créatif, le Créateur lui-même, prend intérêt à notre créativité, entre naturellement et inévitablement en jeu pour soutenir notre créativité, reconnaissant nos idées créatives comme ses propres rejetons.

Nous sommes toujours accompagnés en ce monde, et nos prières sont toujours entendues. Quelqu'un, quelque chose écoute avec le cœur le plus tendre qui soit. Lorsque nous nous ouvrons à notre vie intérieure, notre vie extérieure bascule. La vie des humains est transformée par une forme d'écoute attentionnée qui s'apparente à la promenade que nous faisons avec un ami cher qui écoute et qui dit: « Tu pourrais essayer.... Oh ! regarde le bel écureuil... »

Nous, les artistes, sommes encouragés, enjôlés, poussés par le Créateur parce que nous sommes sur la même longueur d'onde que lui. Je ne suis pas en train de dire que Dieu devient notre entraîneur personnel comme Burgess Meredith avec Rocky, mais l'image n'en est peut-être pas si éloignée. Dieu est le Grand artiste et chaque artiste le rencontre sous la ou les formes précises et nécessaires qui l'aideront à déployer au mieux sa propre créativité. La bienveillance commence à émerger, quand et où nous en avons besoin, et de la façon dont nous en avons besoin. Une femme se trouvera le professeur de chant qu'elle cherchait. Une autre découvrira la boutique qui lui fournira de magnifiques fils à tisser. Un homme obtiendra gratuitement les conseils d'un éditeur. Un autre dénichera un magasin de fournitures pour artistes qui a en stock les plus beaux taille-crayons allemands pour ses précieux outils de composition.

Il n'y a rien d'insignifiant, ni rien de trop beau. Lorsque nous marchons, rédigeons nos Pages du matin et nous aventu-

* * *

Dans la vie, c'est le travail qui est la séduction ultime.

PABLO PICASSO

rons une fois par semaine vers notre Rendez-vous d'artiste, nous commençons à avoir une petite idée de l'envergure et de la portée de Dieu, qui a un œil sur un détail et l'autre sur le vaste univers étoilé. Nous faisons partie de tout cela et, en tendant simplement la main pour établir un lien, nous devenons partenaires à part entière avec la vie.

En nous intériorisant, nous découvrons que nous ne sommes pas seuls. La solitude que nous avons peur de rencontrer dans l'art est en fait la solitude qui survient lorsque nous sommes coupés du lien qui nous unit à notre créativité et à notre Créateur. Lorsque nous faisons quelque chose de nos mains, nous rencontrons en réalité celui qui nous a faits. Et plus nous créons, plus il s'accomplit quelque chose par et en nous. « C'est le Père qui, demeurant en moi, accomplit ses propres œuvres. »

Au cours des siècles, les artistes ont toujours parlé de l'inspiration. Ils ont raconté les chuchotements qui leur parvenaient du divin lorsqu'ils voulaient bien tendre l'oreille. Après avoir syntonisé leur propre créativité sur celle de leur Créateur, les compositeurs se sont exclamés : « Les idées se sont mises à affluer immédiatement ! » Ce genre de choses nous arrive à tous. Avec l'écureuil qui trottine sur la branche ou le reflet rosé de l'arbre en fleur sur une pommette. C'est le monde invisible qui touche légèrement mais assurément du doigt le nôtre chaque fois que nous sommes disposés à être touchés.

Cet ouvrage, que j'ai intitulé *L'art pratique de la créativité*, se veut un pèlerinage paisible. Nous passerons d'une question à une autre, la marche accompagnant nos discussions sur les préoccupations profondes de nos âmes. Je dis «âmes» parce que la créativité est plus d'ordre spirituel qu'intellectuel. C'est une discipline spirituelle quotidienne et, comme toutes les voies spirituelles, elle est aussi bien mystérieuse que repérable.

* * *

Dans la vie, nos aspirations constituent nos choix.

SAMUEL JOHNSON

Ce livre veut démystifier les obstacles qui jonchent habituellement la voie de la créativité. Il s'arrête sur des problèmes que connaissent non seulement les débutants, mais aussi ceux qui sont plus avancés sur la voie de la créativité. Si, incontestablement, *Libérez votre créativité* a lancé bien des gens sur l'océan de la créativité, *L'art pratique de la créativité* veut donner aux aventuriers de la créativité les outils dont ils ont besoin, entre autres la clarté et l'encouragement. Une vie créative comble beaucoup mais s'avère certes difficile. C'est par le compagnonnage et le sentiment d'une foi partagée que cette difficulté est amoindrie.

Quand nous faisons un pas à la fois en ce monde, nous sommes accompagnés d'anges qu'en général nous ne voyons pas, mais que nous sentons par contre. Lorsque nous acceptons d'être guidés par le Divin, c'est-à-dire par l'écoute créative, le divin fait son apparition dans ce monde et dans nos cœurs trop mondains.

OUTILS DE BASE

Bien des gens ayant travaillé avec mes livres précédents, *Libérez votre créativité* et *La veine d'or*, connaissent déjà les outils de base de ma démarche créative. Les nouveaux venus auront besoin de s'y familiariser. Je suggère par conséquent à tous les lecteurs de prendre le temps de revoir les trois outils de base ou d'en prendre connaissance : les Pages du matin, le Rendez-vous d'artiste et la Promenade hebdomadaire. Vous devrez mettre les trois en pratique durant ce cours.

PREMIER OUTIL :
Les Pages du matin

Les Pages du matin sont l'outil premier permettant de retrouver la créativité et d'en maintenir l'assise. Ces trois pages d'écriture automatique rédigées avant le début de la journée servent à donner un ordre de priorité, à clarifier et à asseoir les activités de la journée. Relatant d'innombrables tracasseries, d'insignifiantes préoccupations et des plaintes continues, les Pages du matin évacuent le trop-plein de négativité encombrant le cerveau. Tout et n'importe quoi peut alimenter les Pages du matin. L'inquiétude ressentie au ton de voix de notre amoureux, le bruit particulier que fait la voiture, le moyen à trouver pour dénicher l'argent du loyer... Les réserves que nous éprouvons face à une amitié, les suppositions que nous émettons au sujet d'un éventuel emploi, un pense-bête pour nous souvenir d'acheter la litière du chat. Dans les Pages du matin, nous trouvons aussi, souvent à répétition, des remarques sur les habitudes qui nous poussent à trop manger, trop boire, trop penser et pas assez dormir, ces poisons procrastinateurs dont les artistes raffolent.

Cela fait vingt ans que je rédige mes Pages du matin. Elles ont été le témoin de ma vie à Chicago, au Nouveau Mexique, à New York et à Los Angeles. Elles m'ont servi de guide dans la rédaction de livres, dans la composition de pièces musicales, lors du décès de mon père, à l'occasion d'un divorce, à l'achat d'une maison et d'un cheval. Elles m'ont amenée à prendre des leçons de piano, à faire de l'exercice, à correspondre de façon soutenue avec un homme qui s'est révélé important dans ma vie, à faire des tartes, à relire et retravailler de vieux manuscrits. Il n'y a pas un angle de ma vie ni de ma conscience que les Pages du matin n'aient pas couvert. Elles époussettent chaque jour ma conscience et la préparent à accueillir le flot quotidien de nouvelles pensées.

Je rédige mes Pages du matin dans le journal que j'ai spécialement conçu à cet effet. Mais vous pourriez également vous servir d'un cahier à spirales à couverture glacée. Certaines personnes se servent de leur ordinateur pour rédiger leurs Pages du matin, bien que je recommande fortement de le faire à la main. En effet, la forme de mes lettres elle-même m'indique la forme et l'état de mes pensées. Bien entendu, les Pages du matin sont parfois difficiles à rédiger. Elles semblent empruntées, ennuyeuses, rebattues, répétitives ou tout bonnement déprimantes. Mais, j'ai appris à écrire malgré ces moments de résistance et à croire que les Pages du matin sont elles-mêmes leur propre remède. Je connais des gens qui sont trop affairés pour prendre le temps d'écrire les Pages du matin. Je compatis, mais je doute qu'ils ne soient jamais moins affairés sans elles.

C'est un paradoxe, mais pour moi les Pages du matin me prennent du temps en même temps qu'elles m'en donnent. En transférant nos « films » sur papier, c'est un peu comme si nous nous libérions pour enfin pouvoir passer à l'action. Tout à coup,

* * *

Nous devons être prêts à nous délester de la vie que nous avons planifiée pour avoir la vie qui nous attend.

JOSEPH CAMPBELL

la journée est remplie d'infimes petits choix et de minuscules ouvertures de temps pouvant être utilisées de façon consciente. Le simple fait d'avoir écrit « Je dois appeler Nathalie » nous incite à le faire dès qu'un moment se libère. Pendant que nous rédigeons nos Pages du matin, nous avons en général tendance à voir les choses de façon juste. Nous nous approprions nos journées, les problèmes et priorités des autres ne contrôlant plus notre vie. Nous nous soucions des autres, mais nous nous soucions de nous-mêmes également.

J'aime concevoir les Pages du matin comme un processus d'abstention, de retrait. Pas dans le sens habituel, où il y a abstinence de substance, mais plutôt dans celui où c'est *nous* qui nous abstenons du monde et nous retirons en nous pour rédiger les Pages du matin. Nous nous retirons en nous au cœur de nos véritables valeurs, perceptions et programmes de vie. La rédaction de ces pages prend environ trente minutes, habituellement le temps accordé à une méditation. J'en suis venue à considérer les Pages du matin comme une forme de méditation, une forme de méditation particulièrement puissante et libératrice pour la majorité des Occidentaux hyperactifs. Nos soucis, fantasmes, anxiétés, espoirs, rêves, préoccupations et convictions s'étalent librement sur la page, qui devient le miroir de notre conscience. Comme des nuages, nos pensées passent devant la montagne pendant que nous observons.

Quand j'ai commencé à rédiger mes Pages du matin, je vivais au pied du mont Taos, au Nouveau Mexique. J'étais au point mort dans ma vie, mon art et ma carrière. Un matin, l'idée m'est tout simplement venue d'écrire et, depuis, je n'ai jamais arrêté de le faire. Un jour à la fois, une page à la fois, mes trois pages quotidiennes ont su relancer carrière, vie et amour. Elles m'ont indiqué une voie là où il n'y en avait pas, voie que je suis maintenant en ayant confiance que, si je continue ainsi, la voie se poursuivra. Je vous demanderais donc de rédiger vos Pages du matin pour le temps que durera votre « travail » avec ce livre et, je l'espère, bien plus longtemps. Ces pages vous guideront vers le maître intérieur dont la pénétration d'esprit vous étonnera. Vous seul pouvez ouvrir tout grand la porte à votre maître intérieur. Je nourris l'espoir que vous le fassiez dorénavant.

DEUXIÈME OUTIL :
Le Rendez-vous d'artiste

Le deuxième outil est aussi la pierre angulaire du regain de la créativité. Il s'agit du Rendez-vous d'artiste. Fondé sur le sens de l'aventure et de l'autonomie, le Rendez-vous d'artiste est une « expédition » hebdomadaire d'une heure permettant de plonger dans quelque chose de festif ou d'intéressant sur le plan créatif. Les Pages du matin constituent une tâche que vous vous donnez, alors que le Rendez-vous d'artiste est un plaisir que vous vous accordez. Mais faites attention de ne pas commettre l'erreur de le sauter parce que vous le considérez comme « moins important ». L'expression « jeu de l'imagination » est bien ancrée dans le langage parce que l'art naît de l'imagination qui joue. L'artiste qui oublie comment jouer oublie rapidement comment travailler. Le saut dans l'inconnu, l'acte de foi sur un feuillet, sur une scène ou sur un chevalet deviennent plus difficile lorsqu'on ne s'y exerce pas.

En fin de compte, l'art est un processus qui se sert de l'imagerie. Nous allons puiser dans notre conscience pour y trouver les images et les événements que notre imagination utilisera à bon escient. Si nous n'y prêtons pas attention, nous épuisons facilement notre source intérieure, notre réservoir d'images. À force d'y puiser quoi dire, quoi faire ou quoi dessiner, les idées

* * *

Quel soulagement pour moi de savoir que je peux en vérité être créateur et heureux en même temps !

JAMES W. HALL

que nous y trouvons deviennent de plus en plus insaisissables et rien ne nous accroche plus.

Le fait de mettre consciemment à contribution le Rendez-vous d'artiste vous permet de remplir votre puits et de créer en vous une sensation de bien-être, surtout si vous travaillez d'arrache-pied. Les synchronicités – ce truc étrange qui veut que nous nous trouvions au bon endroit au bon moment – se multiplient de façon significative lorsque nous observons nos Rendez-vous d'artiste. Tout comme l'agitation claustrophobique et la fièvre de l'isolement assaillent la personne malade clouée trop longtemps au lit, l'artiste qui n'a pas de Rendez-vous d'artiste souffre d'un sentiment d'étouffement. Je le sais d'expérience, car j'ai souffert pendant longtemps d'une santé déficiente. Quand je reviens à mes Rendez-vous d'artiste, mon sentiment de bien-être augmente toujours et mon travail s'approfondit et prend de l'expansion.

Pendant toute la durée de ce cours et, j'ose l'espérer, pendant plus longtemps, il vous est demandé de sortir votre artiste intérieur une fois par semaine. Attendez-vous à de la résistance et à de l'autosabotage de votre part. Il vous arrivera probablement de planifier une sortie agréable et aventureuse, et de vous observer en train de saboter votre rendez-vous. Notre artiste intérieur est une créature instable et vulnérable, autant dans le besoin qu'un enfant du divorce. Il réclame tout votre temps et toute votre attention au moins une fois par semaine pour pouvoir vous faire part de ses rêves et de ses difficultés. Vue la souffrance latente, il ne faut donc pas s'étonner que nous évitions parfois ces rendez-vous. Soyez déterminé à résister à la résistance.

* * *

Une intuition, c'est la créativité qui essaie de vous passer un message.

FRANK CAPRA

TROISIÈME OUTIL :
La Promenade hebdomadaire

La grande majorité d'entre nous passons notre vie à courir, trop affairés et trop empressés pour nous rendre à pied où que ce soit. Assaillis par les problèmes et les difficultés, nous avons l'impression que la marche est une perte de temps frivole, un gaspillage de notre précieux temps. La question « Mais quand aller marcher ? » devient un problème supplémentaire, une question additionnelle qui vient s'ajouter à notre esprit occupé. Mais la vérité, c'est que la marche détient les solutions que nous cherchons.

C'est au cours d'une période où ma vie semblait sans dessein, tant sur le plan personnel que créatif, que j'ai découvert réconfort et sens dans la marche. À l'époque, je possédais une camionnette Chevrolet 1965 que j'avais surnommée « Louise ». Tous les après-midi, j'y faisais monter une demi-douzaine de chiens et enfilais une route de terre entourée de taillis de sauge. Un kilomètre ou deux plus loin, je garais la camionnette sur l'accotement et faisais signe d'un geste aux chiens qu'ils étaient libres de batifoler comme bon leur semblait, pourvu qu'ils restent à portée de voix. Puis, je me mettais à marcher. J'avais l'habitude de faire un circuit de quarante-cinq minutes. Je partais d'abord vers le sud et l'est au pied des montagnes, ensuite je me dirigeais vers le nord et l'ouest en direction du mont Taos. Pendant que je marchais, les émotions montaient. J'étais en train de faire le deuil d'un mariage et du décès de mon père, qui avait été pendant des années un grand compagnon dans la créativité. Tout en marchant, je demandais à être guidée. Des nuages passaient devant la montagne. Je les remarquais et notais aussi que je me sentais effectivement guidée, que je savais quoi écrire, comment l'écrire, que je devais l'écrire. Un jour à la fois, une promenade à la fois, et même un pas à la fois, ma vie triste

* * *

Ce que nous devons apprendre à faire, nous l'apprenons en le faisant.

ARISTOTE

et embrouillée s'est remise en ordre. Je dis « s'est remise en ordre » parce que tout ce que j'ai fait, c'est la traverser en marchant. Et depuis, je marche régulièrement.

La marche porte conseil, que ce soit pour rédiger une intrigue pointilleuse ou pour résoudre un conflit de personnalité. Les Amérindiens font des quêtes de vision et les Aborigènes australiens, des *walkabouts*, c'est-à-dire des voyages à pied dans le désert. Ces deux cultures savent que la marche clarifie l'esprit. Trop souvent dans notre société, nous prenons à tort la tête comme la source de la sagesse, au lieu de réaliser qu'elle est la source de notre mécontentement. Pendant toute la durée de ce cours, je vous demanderais donc de marcher au moins une fois par semaine pendant vingt minutes. Vous découvrirez que la marche focalise les pensées et suscite des révélations. Vous entrerez en communication avec le royaume des pensées et des idées magiques, bien connu des chamans et adeptes de la spiritualité. J'espère que l'habitude de marcher et de parler avec ceux que vous aimez pendant que vous marchez saura vous gagner.

COMMENT SE SERVIR DES OUTILS DE BASE

1. **Réglez votre réveille-matin pour qu'il sonne une demi-heure plus tôt que d'habitude. Levez-vous et rédigez trois pages en écriture automatique, sans relever le stylo.** Ne relisez pas vos pages et ne laissez personne les lire. Idéalement, vous devriez glisser ces pages dans une grande enveloppe de papier kraft ou les cacher quelque part. Bienvenue dans le monde des Pages du matin. Elles vous transformeront.

2. **Respectez votre Rendez-vous d'artiste.** Pour toute la durée de ce cours, vous donnerez chaque semaine rendez-vous à votre artiste intérieur. Par exemple, vous pourriez vous rendre à un magasin de jouets. Aux caisses, près de la sortie, vous trouverez des petits trucs amusants à acheter sur

l'impulsion du moment, entre autres des étoiles auto-col-
lantes, des crayons et stylos drôles, des bulles et des collants.
Faites un ou deux petits cadeaux à votre artiste. Pourquoi
ne pas acheter des étoiles dorées qui feront office de bons
points pour chaque jour où vous rédigez vos Pages du matin,
c'est-à-dire sept étoiles pour sept jours, espérons-le. Le
Rendez-vous d'artiste vise davantage le mystère que la maîtrise. Alors, faites quelque chose qui émerveille et séduit
l'artiste en vous.

3. **Faites votre Promenade hebdomadaire.** Enfilez les
    chaussettes et les chaussures de sport les plus confortables
    qui soient et partez vous promener pour une bonne ving-
    taine de minutes, dans un parc, sur une route de campagne
    ou un itinéraire urbain. L'endroit où vous marchez compte
    moins que le fait que vous marchiez. Allez suffisamment
    loin pendant assez longtemps pour que vous sentiez votre
    corps et votre esprit se « dénouer ». Vous découvrirez peut-
    être que vous aimez tellement la marche, que vous voudrez
    aller vous promener plus d'une fois par semaine. Ces pro-
    menades vous aideront sans aucun doute à assimiler le
    contenu de ce cours.

CONTRAT DE CRÉATIVITÉ

Je, soussigné(e), _____, m'engage à faire
régulièrement usage des trois outils de base. Pendant toute
la durée de ce cours, je rédigerai chaque jour mes Pages du
matin et, une fois par semaine, irai à mon Rendez-vous d'artiste et ferai ma Promenade hebdomadaire. De plus, je m'engage à prendre très bien soin de moi, à bien dormir, à bien me
nourrir et à côtoyer des gens qui me font du bien.

_____ (signature)

___Juillet 2004_____ (date)

Découverte de la notion
de point de départ

Avec cette semaine, s'amorce votre pèlerinage aux sources de la créativité. Le point de départ, c'est *vous*. Vous commencez là où vous en êtes, avec ce que vous êtes, en ce moment, ici même. Il se peut que vous soyez optimiste, sceptique, agité, méfiant ou encore tout cela à la fois. Les lectures et les exercices de la première semaine visent tous à pointer du doigt le « vous » que vous avez tendance à éluder. Lorsque nous mettons de côté notre créativité, nous nous mettons également de côté. Et lorsque nous allons à la rencontre de notre créativité, nous allons également à notre rencontre. Cette rencontre s'effectue dans le moment. C'est la propension à être nous-même qui donne le point de départ à notre originalité.

MISE EN ROUTE

Vous dites que vous voulez faire de l'art, que vous voulez vous y mettre ou continuer ? C'est très bien, car nous avons besoin d'un monde qui soit plus artistique. Nous avons donc besoin de vous et de la contribution que vous seul pouvez y apporter. Mais pour y arriver, il vous faut commencer quelque part. Et c'est là où le bât blesse.

« C'est trop tard. »

« Je ne suis pas assez bon. »

« Je n'y arriverai jamais. »

Nous avons tous nos peurs, qui sont aussi tangibles que le fauteuil dans lequel vous êtes assis. Et on peut faire avec la peur comme on fait avec un fauteuil, c'est-à-dire s'y vautrer ou s'en extirper. Parfois, nous avons besoin de nous lever, d'ignorer les raideurs de notre dos et de nos épaules et de tout simplement nous mettre à l'ouvrage. Il en va de même avec l'art.

Commencez là où vous en êtes, et avec *qui* vous êtes. Pour pouvoir atteindre votre but, il vous faut commencer quelque part. Et le meilleur endroit pour commencer, c'est précisément celui où vous vous trouvez. Cela est vrai que vous soyez un artiste en herbe ou un artiste de vaste expérience. En fait, les artistes chevronnés peuvent gaspiller beaucoup de temps et d'énergie à s'attarder sur leur renommée alors que, en vérité, ils ont toujours besoin de repartir à zéro.

L'écriture se moque bien du lieu où elle voit le jour, mais il lui importe que vous lui donniez le jour. C'est aussi le cas du dessin. J'ai vu un de mes amis gaspiller une année entière parce qu'il ne « pouvait pas travailler sans atelier ». Quand il se trouva finalement un atelier et se remit au travail, il réalisa quelques peintures de taille impressionnante, mais aussi un très grand nombre de petits dessins au fusain et au crayon qu'il aurait tout aussi bien pu exécuter sur une table basse, s'il l'avait voulu. En fait, il ne travailla pas, non parce qu'il n'avait pas de studio, mais parce qu'il ne travailla pas. Il y a de la place pour l'art dans n'importe quelle vie, qu'elle soit trop remplie ou trop vide. Nous sommes en réalité les « blocages » que nous percevons comme venant de l'extérieur.

Si vous débutez en musique et que vous voulez apprendre à jouer du piano, asseyez-vous devant un clavier et palpez-en

* * *

Toute témérité part de l'intérieur.

EUDORA WELTY

les touches. Superbe! Le lendemain, recommencez. Cinq minutes par jour valent mieux que pas de minutes du tout. Cinq minutes pourraient devenir dix, tout comme une accolade réservée peut se transformer en une étreinte passionnée. Faire de l'art, c'est faire l'amour avec la vie. Nous nous ouvrons à l'art de la même façon que nous nous ouvrons à l'amour.

Au lieu de penser à maîtriser une certaine forme d'art, penser plutôt à l'embrasser, à la courtiser, à l'explorer peu à peu, comme pour la séduire. Combien d'entre nous se sont brûlés dans des relations en voulant aller trop vite? Combien d'entre nous se sont brûlés dans des démarches créatives en se donnant des buts beaucoup trop difficiles à atteindre? La plupart d'entre nous.

Réaliser une œuvre d'envergure, c'est un peu comme conduire d'une côte à l'autre des États-Unis, de New York à Los Angeles. Tout d'abord, il vous faut monter dans la voiture. Ensuite, vous devez démarrer et amorcer votre voyage, sinon vous ne vous rendrez jamais à votre point de destination. Une nuit au New Jersey est tout de même une nuit passée de l'autre côté de l'Hudson, une nuit sur votre itinéraire. Un petit départ, c'est justement un départ. Au lieu de mettre l'accent sur de grandes «enjambées», qui nous terrifient parce qu'elles nous semblent bien trop grandes, il vaut mieux se concentrer sur le premier petit pas à faire, et ensuite sur le prochain petit pas. «Mon Dieu, vous direz-vous en haussant les sourcils, il n'y a rien de très stimulant à ça!» Mais, en y pensant bien, les premiers pas qu'un bébé fait sont pourtant très prenants.

Aujourd'hui, il y avait dans ma boîte à lettres une grande enveloppe provenant d'un ami, un conteur-né qui a passé des années à vouloir écrire et à ne jamais écrire. En juin dernier, au cours d'une journée tout à fait ordinaire, Larry a posé un geste

* * *

La réalisation du Soi est seulement possible si l'on est productif, si l'on donne le jour à son propre potentiel.

GOETHE

absolument extraordinaire pour lui-même : il a pris un stylo et s'est mis à écrire. Je tiens maintenant dans ma main une épaisse liasse d'histoires. Il lui suffisait de s'y mettre. Et de s'y remettre le lendemain.

Souvent, lorsque nous aspirons à une vie plus créative, nous mettons en marche la cassette « grand théâtre ». Sur un air qui déraille un peu dans notre tête, nous jouons le scénario qui consiste à quitter ceux que nous aimons pour aller nous isoler dans un lieu exotique et désert, où nous serons des artistes avec un grand A. Quand j'entends ce genre de choses, je me dis : « Bon, bon. Allez-y. » L'expérience m'a enseigné que mon artiste intérieur donne son meilleur quand les enjeux sont plus modestes. Lorsque le théâtre se joue sur ma page, les pages s'accumulent.

J'ai horreur de dire cela, mais faire de l'art s'apparente un peu à faire un régime. Il faut commencer un jour, et ce que vous faites ce jour-là en détermine la réussite ou l'échec. Je ne peux pas écrire de livre en un jour, mais je peux par contre rédiger une page. Je ne peux pas devenir une pianiste accomplie, mais je peux travailler au clavier pendant quinze minutes. Aujourd'hui, vous ne ferez pas d'exposition solo à Soho, mais vous pouvez dessiner votre vieux fauteuil de cuir fané avec votre épagneul étalé dessus ou la courbe du bras de votre bien-aimé(e). Vous *pouvez* commencer.

La créativité, c'est l'inspiration associée à l'initiative. C'est un acte de foi. Dans cette expression, le terme « acte » revêt autant d'importance que celui de la foi, nécessaire qu'elle est pour passer à l'acte.

Lorsque nous n'agissons pas dans le sens de nos rêves, nous ne faisons que « rêver ». Les rêves sont comme des feux follets. Mais le fait d'y croire dur comme fer, d'avoir la ferme intention

* * *

C'est dans les rêves que la responsabilité voit le jour.

WILLIAM BUTLER YEATS

de concrétiser nos rêves leur confère une réalité quasiment « métallique ». Nos rêves se réalisent quand nous leur sommes fidèles. Dans le terme « réalité », il y a le mot réel. Nous commençons à rendre nos rêves réels lorsque nous les projetons par l'intention. Quand nous passons du mode « J'aimerais » au mode « Je vais », nous délaissons le rôle de victime pour endosser celui d'aventurier. Quand nous savons que nous « voulons », nous marions la puissance de notre volonté à celle des événements à venir. Dans ce sens, ce que nous « voulons faire » devient ce qui « adviendra ». Pour nous le prouver, nous avons besoin de jumeler la grandeur de notre rêve avec la prochaine petite chose à faire, réalisable et concrète. En faisant un tel petit pas, les grandes étapes se rapprochent de nous d'un cran, tout en perdant un peu de leur caractère démesuré. En continuant à faire de tels petits pas et en réduisant peu à peu l'envergure de ce que nous qualifions volontiers de « risques énormes », lorsque le risque sera finalement devant nous, il deviendra tout bonnement la prochaine étape à franchir, petite, réalisable, significative, et non pas mélodramatique. Nous sommes nombreux à hésiter, car nous estimons que pour entreprendre une œuvre de créativité nous devons précisément savoir comment la mener à terme et, en plus, comment la faire accepter en ce monde. En fait, nous demandons une garantie de réussite avant d'avoir franchi le pas le plus important pour justement assurer cette réussite, c'est-à-dire l'engagement.

Lorsque nous comprenons que nous désirons réaliser quelque chose – un livre, une pièce, un dessin, un poème, une peinture –, nous aspirons à ce que ce désir s'accomplisse. Nous aspirons à faire de l'art autant que nous pouvons aspirer à faire l'amour. Tout commence avec un désir, auquel doit s'ajouter un passage à l'acte pour que des choses puissent être conçues.

Malgré la réputation bien méritée qu'a notre société d'encourager la gratification instantanée, elle ne nous encourage cependant pas à passer à l'acte de façon déterminée en fonction de nos désirs de créativité. Autrement dit, la société nous apprend à ne pas nous engager dans l'art ou d'engager l'art dans notre vie.

Lorsque le réalisateur Martin Ritt me dit : « L'intellectualisation est l'ennemie de l'art », il voulait intimer les artistes à suivre le slogan de Nike « *Just do it.* » (Faites-le, un point c'est tout !) Il ne voulait pas dire que l'intellect empêchait le processus créatif, mais plutôt nous inciter à employer notre matière grise pour effectivement faire de l'art, et non pas pour penser à faire de l'art. Ce n'est pas la pensée qui tue l'art, c'est l'excès de pensée.

Lorsque vous vous mettez à *conceptualiser* la réalisation d'un projet, vous pouvez à loisir comprendre ce qu'est l'excès de pensée. Imaginez le projet que vous désirez réaliser comme « la flèche du désir ». Imaginez-vous, arc en mains, en train de vous concentrer sur le centre de la cible, de bander votre arc... et puis de vous mettre à penser à ce que vous êtes en train de faire, de vous inquiéter et de vous demander si vous êtes en train de viser juste ou si vous devriez rajuster le tir un peu vers le haut ou vers le bas. Votre bras commence alors à fatiguer et votre mire à trembler. Si vous réussissez finalement à décocher votre flèche, celle-ci ne part pas avec confiance ni force. Le résultat est directement proportionnel au questionnement. Autrement dit, vous avez confondu le début d'une chose avec sa finalité. Vous avez voulu une finalité qui se mérite avec le temps, qui ne s'obtient pas d'avance comme une garantie. Vous avez nié le processus de faire de l'art parce que vous êtes trop axé sur le produit final : Est-ce que j'atteindrai le centre de la cible ? Nous oublions que l'intention est ce qui donne la direction. Si nous visons avec l'œil du cœur en nous disant que c'est la chose que nous désirons faire, alors nous visons juste et bien. Le mot désir, terme galvaudé, est en fait la meilleure boussole pour notre créativité. Les cavaliers du Grand Prix, qui sautent des obstacles d'une hauteur terrifiante, disent qu'ils « projettent leur cœur » par-dessus l'obstacle afin que leur cheval saute derrière lui pour le rattraper. Nous devons faire la même chose.

* * *

L'action parle d'elle-même.

WILLIAM SHAKESPEARE

Nous faisons tellement d'histoires avec la notion d'artiste, que nous oublions de nous poser la plus simple et la plus évidente des questions : Est-ce que je veux faire ça ? Si la réponse est « Oui », alors il faut passer à l'action et décocher la flèche.

✗ Nous ne sommes jamais seuls dans nos démarches. Peut-être avons-nous l'impression d'être le Fou du tarot qui se lance avec insouciance dans le vide, mais telle n'est pas la réalité. Le Créateur est un artiste qui œuvre de concert avec d'autres artistes. À partir du moment où nous nous ouvrons à faire de l'art, nous nous ouvrons également à notre Créateur. Ce partenariat est automatique.

Joseph Campbell explique cela en disant que l'on rencontre « un millier de mains imperceptibles qui nous aident ». Je vois ces mains comme un réseau invisible qui aide toute démarche créative à se concrétiser. C'est comme lorsqu'on fait basculer le premier domino d'une série : il y a une réaction spirituelle en chaîne qui s'enclenche dès que nous passons à l'action sur un acte de foi. Quelque chose ou quelqu'un passe à l'action en retour.

❀ C'est lorsque nous décochons la flèche du désir, lorsque nous entamons réellement la réalisation d'un projet, que nous déclenchons le processus qui viendra soutenir notre rêve. Nous sommes ce qui met les choses en route. Et les gens et les événements entrent en résonance avec notre ardente résolution. Comme l'énergie attire l'énergie, notre flèche est la camionnette lancée à vive allure qui entraîne les chiens à sa poursuite. Quand nous générons énergie et enthousiasme, les autres se lancent à notre poursuite. « Construisez-le et ils viendront. » (*Field of Dreams*)

L'énergie créative est de l'énergie. Nous la gaspillons lorsque nous nous laissons préoccuper par la notion de création

* * *

On n'a jamais rien réalisé de grandiose sans enthousiasme.

RALPH WALDO EMERSON

au lieu de créer. Quand nous hésitons, nous laissons de l'air s'échapper de nos pneus, et notre camionnette ne peut pas rouler à tombeau ouvert sur la route ou ne sortira peut-être jamais de l'entrée. Notre idée de projet s'essouffle et tombe à plat.

Cela veut-il dire que nous devrions partir sur les chapeaux de roue ? Non. Mais cela veut dire par contre qu'une fois que nous avons un vrai désir, nous devons passer à l'acte. C'est ce passage à l'acte, cette avancée sur un acte de foi, qui déplace des montagnes et érige des carrières.

Le livre que vous tenez actuellement entre les mains est un livre que j'ai écrit tour à tour sur Riverside Drive, à Manhattan, en haut dans ma chambre au nord du Nouveau Mexique, dans ma voiture et dans des haltes routières alors que je traversais les États-Unis. Rien de tout cela ne correspond aux histoires que je me raconte quand il s'agit de définir ce qu'est un véritable écrivain. Dans ces histoires-là, je suis ou bien en Australie, en train de marcher sur la plage et de prier pour recevoir l'inspiration, ou de geler dans une cabane de bois près de Yosemite à ne rien faire tout l'hiver, si ce n'est de frissonner et d'écrire. Lorsque nous abordons la créativité ainsi, c'est un peu comme si nous marchions sur le feu ou que nous faisions un saut en *bungee*, des choses absolument terrifiantes que je ne voudrais pas essayer dans les minutes qui viennent, à moins d'avoir rédigé mon testament ! L'ironie, c'est que les histoires que nous nous racontons font partie de ce que nous créons, alors qu'elles n'ont presque aucune incidence quant à la façon dont nous créons. Même les artistes les plus célèbres qui ont mené des vies torturées par les histoires qu'ils se racontaient, avaient des habitudes de travail sans rapport aucun avec ces histoires. Hemingway rédigeait cinq cents mots par jour, avec ou sans femme. Le compositeur Richard Rodgers composait chaque

* * *

Je m'attends à ce que des heures de bon travail industrieux se soldent par des résultats probants.

RAINER MARIA RILKE

matin entre neuf heures et neuf heures trente. Son collègue, Oscar Hammerstein, se levait à six heures du matin et, comme un fonctionnaire, travaillait toute la journée dans sa ferme à Doylestown, en Pennsylvanie. Insensibles à la célébrité et à toutes ces histoires, ils produisaient de façon régulière et prodigieuse. Cela indique donc que nous avançons beaucoup plus, créativement parlant, lorsque nous poursuivons quotidiennement les petits gestes qui font partie de notre vie actuelle.

La grande difficulté dans tout début, c'est que nous avons la perception que « la route sera longue ». Nous avons donc dissocié l'art du processus pour en faire un produit. « Il me reste encore tout ce chemin à parcourir avant d'atteindre mon but », nous disons-nous. De telles pensées nous dissocient non seulement de nous-mêmes, mais de Dieu. Quand nous avons peur de commencer, c'est toujours parce que nous avons peur de nous retrouver seuls, tout petits, comme David aux pieds de Goliath. Mais nous ne sommes pas seuls.

Dieu est présent partout. Le geste artistique est la voie qui nous met directement en contact avec lui. Nous n'avons même pas besoin de voyager physiquement ou astralement pour connaître la grâce de la création dans la grâce de notre propre créativité.

Selon Goethe, « Quoi que vous pensiez ou croyiez pouvoir faire, vous devez l'entreprendre immédiatement parce qu'il y a de la magie, de la grâce et de la puissance dans le geste posé. » Ce n'était pas une banalité, mais le compte rendu d'une expérience spirituelle vécue, expérience que chacun de nous peut connaître chaque fois que nous acceptons d'être un débutant, chaque fois que nous pourfendons notre attitude d'adulte distant et fuyant, et que nous recherchons activement la main du Créateur en tendant la nôtre pour recommencer à zéro.

Si nous arrêtions de regarder les films qui passent dans notre tête, accompagnés de trames sonores à faire peur, et que nous commencions à écouter des refrains comme « Sifflez donc en travaillant... », nous avancerions certainement un peu plus. Nous devons revenir à la réalité. Pour avoir de l'art, il faut faire de l'art,

Qu'est-ce que je veux ?
(✗ Je veux être heureuse)

rien de plus compliqué que ça. Puccini a peut-être écrit *Madame Butterfly*, mais cela ne l'empêchait pas de fredonner lorsqu'il marchait dans une rue ensoleillée. Ni de manger des pâtes ou de passer du temps avec ses amis pour tergiverser sur des commérages colportés par les villageois. Le grand art est réalisé par des gens qui ont des amis et qui éprouvent le besoin de manger beaucoup plus qu'un léger bouillon.

EXERCICE
Après tout, pourquoi pas !

Nous éprouvons souvent un sentiment d'impuissance parce que nous ne savons pas distinguer le geste concret à poser pour modifier l'impression que nous avons d'être coincés. Dans des moments pareils, il vaut mieux ne pas fonctionner de façon trop linéaire. Parfois, il suffit de mettre un peu de jus de coude dans n'importe quelle voie créative. Immanquablement, le moindre geste créatif nous tirera de la position de victime. Soudain, nous réalisons que nous avons le choix, que diverses options sont possibles et que notre passivité se résume tout bonnement à une paresse entêtée, une sorte de caprice qui dit: «Si je ne peux pas améliorer telle ou telle chose maintenant, alors je ne ferai rien.» Au lieu de piquer une crise de ce genre, essayez plutôt ce qui suit.

Prenez un crayon et inscrivez les chiffres de un à vingt sous forme de liste verticale. Énumérez-y vingt petites choses créatives que vous pourriez entreprendre. Par exemple:

1. Peindre le rebord de la fenêtre de la cuisine.
2. Accrocher un rideau de dentelle à la porte de ma chambre.
3. Transplanter la primevère dans un pot plus grand.
4. Changer le rideau de douche de la salle de bain du rez-de-chaussée.

5. Acheter des albums et mettre toutes les photos de mon chien dans l'un d'eux.

6. Envoyer à ma sœur la recette de *fudge* qu'elle m'a demandée.

7. Envoyer du *fudge* à ma sœur.

8. Acheter des chaussettes rouges.

9. Les porter pour aller à l'église.

10. Créer un dossier sur mon ordinateur pour y classer les poèmes que j'affectionne.

11. Envoyer un beau poème à chacun de mes amis.

12. Prendre des photos de ma vie actuelle et les envoyer à ma grand-mère.

13. Attribuer à un objet le sobriquet spécial d'« Incubateur divin » pour couver mes rêves et espoirs.

14. Attribuer à un autre objet le sobriquet de « Panier du diable ! » pour y jeter le ressentiment, les agacements et les peurs.

15. Organiser une soirée pyjama et demander à chacun des invités d'amener une bonne histoire de fantômes.

16. Faire une chaudronnée de soupe.

17. Donner les vêtements que je n'aime pas.

18. Acheter un lecteur de CD pour ma voiture et des tas de disques compacts.

19. Aller dans une grande parfumerie et m'acheter un superbe parfum.

20. Emmener une amie âgée visiter un bel aquarium.

ENGAGEMENT

Très souvent, sous prétexte de professionnalisme, nous devenons trop occupés pour faire de l'art pour l'amour de l'art. Nous nous donnons à un horaire consacré à la carrière et à la profession, et nous nous disons que nous n'avons d'énergie pour rien d'autre. C'est faux. Quand nous pratiquons l'art que nous aimons, cela nous donne temps et énergie pour poursuivre nos activités professionnelles. Pourquoi ? Parce que nous nous sentons plus vivants et que cette vitalité est une énergie affirmative qui fait place à ses propres désirs.

Lorsque nous disons : « Je veux énoncer mes vraies valeurs, je veux exprimer mon essence », le verbe « vouloir » joue le rôle de catalyseur. Quand nous *voulons*, nous *pouvons*. Dans ce sens, nous prédisons notre futur et nous lui donnons simultanément forme. Tout est énergie. Les idées sont simplement de l'énergie organisée, une sorte de moule dans lequel une énergie plus solide peut être coulée. Un livre commence par une idée. Il en va de même pour un mouvement social ou un édifice. Nous projetons nos rêves et nos désirs au-devant de nous et ils acquièrent de la substance à mesure que nous nous rapprochons d'eux. Nous cocréons notre vie, chose qui est autant une responsabilité qu'un privilège. La symphonie se déploie à travers et au-devant du compositeur. Alors que ce dernier se dirige vers elle, elle se rapproche de lui. Dans un sens, nous, les artistes, faisons deux choses en même temps : nous lançons une balle d'énergie créative et nous l'attrapons.

Engagez-vous à faire quelque chose que vous aimez et vous verrez que l'aide nécessaire sous toutes ses formes arrive à point nommé. Il faut par contre que vous la saisissiez quand elle arrive. Un studio gratuit pour enregistrer de la musique.

* * *

Suivez votre béatitude.

JOSEPH CAMPBELL

L'utilisation d'une banque de données. Des costumes arrivés comme par miracle du grenier de votre tante. Une salle nouvellement rénovée de l'église paroissiale cherchant à servir une cause valable, comme votre compagnie de théâtre en herbe. Notre énergie créative appelle une réponse créative.

Engagez-vous à jouer la musique que vous aimez et la musique de la vie deviendra plus belle. Tout comme faire l'amour avec l'être aimé peut littéralement créer de l'amour, faire de l'art peut littéralement faire de la vie une forme d'art. L'art de vivre de façon créative, tout comme l'art d'être acteur, consiste en une réceptivité qui se perpétue instant après instant, en une harmonieuse propension à s'appuyer sur la structure mélodieuse en plein épanouissement de l'existence, un peu comme le font les musiciens d'un grand ensemble de cordes pour créer une musique de chambre. Il se dégage de ceux qui créent par amour, à l'instar des adeptes qui suivent leur tradition spirituelle avec une assiduité passionnée, un je-ne-sais-quoi d'indéfinissable qui est attirant et qui leur attire le bien.

Quand nous faisons de l'art pour l'amour de l'art, nous gagnons éventuellement de l'argent. L'argent est énergie et il emprunte la voie que nous traçons pour lui. Lorsque nous nous engageons à faire quelque chose, l'argent qui nous permettra de le faire suit, car l'intention d'engagement attire ce dont elle a besoin. C'est une loi spirituelle, et non pas ce que l'on nous apprend à croire. L'argent est vraiment une forme codifiée de pouvoir. Souvent, nous pensons avoir besoin d'un tel montant d'argent pour pouvoir accéder à tel lieu, alors que ce dont nous avons vraiment besoin, c'est du lieu lui-même. L'intention crée le pouvoir, souvent sous la forme d'argent, parfois sous la forme de disponibilité. L'art amène l'abondance sous diverses formes. Même si l'argent n'arrive pas immédiatement, les ouvertures, elles, se multiplient. Il en ira de même pour les coïncidences et

* * *

Changez tout, sauf vos amours.

VOLTAIRE

synchronicités bienveillantes qui viendront enrichir notre vie et notre art si nous leur en donnons l'occasion. La clé, c'est la réceptivité. Et cette clé permet d'ouvrir le coffre aux trésors.

La foi déplace les montagnes, et lorsque nous considérons l'art comme un acte de foi, nous sommes à même de constater que, lorsque nous nous donnons à notre art, les montagnes se déplacent pour dégager le chemin. En nous donnant au « quoi », nous déclenchons le « comment ». Alors, l'argent fait son apparition sous forme d'un bonus inattendu, d'un emploi à la pige lucratif, d'un héritage surprise, d'une subvention ou encore d'une bourse accordée par votre entreprise. Quand nous investissons de l'énergie dans nos rêves, les autres y investissent souvent de l'argent. Un jeune pianiste de talent reçoit un appui financier inattendu d'un an de la part d'un couple âgé de sa ville natale qui mise sur lui et son talent. Un jeune acteur vivant isolé dans son coin reçoit l'argent pour défrayer le voyage qui lui permettra d'aller passer une audition au conservatoire qui l'a choisi et lui offre une bourse d'étude. Lorsque nous nous engageons envers nos rêves, quelque chose de bienveillant nous revient automatiquement. Nous pouvons compter sur les coïncidences pour nous aider. En tant qu'artiste faisant affaire avec un autre artiste, nous pouvons en toute sécurité avoir foi en l'intérêt du Créateur envers nos entreprises créatives.

L'art est donc une question d'engagement. Et l'engagement plaît au Créateur. Lorsque nous montrons que nous avons la foi nécessaire pour créer notre art, le Créateur fait preuve d'intérêt à notre égard et nous accorde un appui tangible pour nous aider à accomplir ce que nous avons entrepris. Nous recevons des appuis sous toutes sortes de formes.

Un compositeur qui travaille le plus souvent à la pige pour d'autres musiciens avait enregistré un petit morceau de sa créa-

* * *

Combien de fois les événements se produisent par un pur hasard que nous n'osions même pas espérer ?

TERENCE

tion qu'il considérait comme une prière musicale. C'était un morceau musical simple et court. Si simple et si court que le compositeur en question le répéta et l'enregistra quatre fois de suite, car selon lui cet enregistrement de vingt minutes pouvait l'aider à méditer. «C'est juste quelque chose que j'ai créé pour moi, pour ma propre démarche spirituelle.»

Alors qu'il passait quelques jours chez un ami, compositeur lui aussi, et qu'il lui faisait jouer le morceau en question, on sonna à la porte. C'était le directeur d'une grosse compagnie de disques qui venait faire un tour. «C'est quoi ce morceau?» demanda-t-il immédiatement.

«Juste un petit morceau que j'ai créé pour moi, pour m'exprimer.»

«Vous voulez dire une prière?»

«Oui, quelque chose du genre.»

«Je viens juste d'être nommé directeur d'une nouvelle branche, celle de la musique spirituelle contemporaine. Pensez-vous que vous pourriez faire un disque complet à partir de ce morceau?»

«Je pense que c'est possible.»

Ce petit enregistrement donna naissance à un superbe disque. Et ce disque donna une nouvelle orientation à la carrière de ce compositeur. Il se mit à travailler avec de grandes chorales et à composer de la musique pour des voix. Cette nouvelle orientation s'avéra profondément satisfaisante pour lui.

«J'avais toujours aimé les chorales et l'idée d'un oratorio moderne exprimant nos valeurs spirituelles venait répondre à ma prière, prière exaucée à peine l'avais-je énoncée.»

* * *

Être ce que nous sommes et devenir ce que nous sommes capables de devenir est la seule finalité de la vie.

ROBERT LOUIS STEVENSON

Il se pourrait bien que le « soi » dans « expression de soi » ne soit pas uniquement la voix du soi individuel et fini, mais également celle du Soi supérieur, de cette force supérieure dont nous sommes simultanément l'objet et la substance. Lorsque nous exprimons notre créativité, nous sommes un instrument pour le Créateur, qui explore, exprime et répand sa divine nature et la nôtre. Nous sommes des oiseaux chanteurs. Quand l'un d'entre nous chante sa vraie nature, les autres entonnent à sa suite ; c'est contagieux. Il semble y avoir une infaillibilité à la loi qui veut que, lorsque quelqu'un cherche à exprimer ce qu'il aspire ardemment à dire, il y ait toujours quelqu'un d'autre ou quelque chose qui aspire à précisément entendre ce que nous exprimons. Nous ne vivons ni ne créons dans l'isolement. Chacun de nous fait partie d'un grand tout et, lorsque nous acceptons de nous exprimer, nous acceptons d'exprimer le Soi supérieur qui nous transcende tous.

EXERCICE

Exprimez-vous

Prenez un crayon et inscrivez les chiffres de un à dix sous forme de liste verticale. Énumérez-y dix adjectifs positifs pour vous décrire. Par exemple :

1. Ingénieux
2. Original
3. Loufoque
4. Industrieux
5. Humoristique
6. Articulé
7. Novateur
8. Généreux
9. Enthousiaste
10. Dynamique

Reprenez maintenant le crayon en main et rédigez une petite annonce en employant les termes que vous avez inscrits sur votre liste pour créer une image positive et frappante de ce qui fait de vous quelqu'un d'unique. Par exemple :

Faites appel aux intuitions percutantes d'un guide ingénieux, humoristique, créatif et novateur.

Il est bon de noter ici que le but de l'exercice n'est pas la transformation personnelle, mais l'acceptation de soi. Si vous êtes une personne intense, alors qu'il en soit ainsi. Certains aiment les gens intenses. Si votre humour irrévérencieux offense les gens trop sérieux, il sera certainement apprécié par d'autres. Quand nous affirmons nos caractéristiques au lieu de les nier, nous commençons enfin à avoir une idée beaucoup plus précise des gens qui apprécient ces traits.

LA NEIGE

Une belle neige floconneuse tombe devant ma fenêtre. Les arbres noirs comme de l'encre du parc Riverside ne sont que des traits dessinés. Le ciel est gris et lumineux. C'est une journée pour manger de la soupe et faire du tricot, en autant que ces choses se pratiquent encore. C'est certainement une journée pour se tricoter l'âme.

Nous vivons tous à la va-comme-je-te-pousse et un jour semblable arrive comme un soulagement, alors que la neige assourdit le rythme incessant du refrain qui nous incite à en faire toujours plus. C'est un peu comme un mauvais rhume qui nous force à rester alité et à reprendre contact avec nous-mêmes.

* * *

La plus belle chose que nous puissions expérimenter est le mystère.

ALBERT EINSTEIN

Plus que rafales mais moins que tempête, les flocons tombent serrés, chacun à leur vitesse, comme les plumes d'un oreiller céleste qui vient d'être secoué. Les royaumes supérieurs semblent très près de nous dans une tempête de neige.

Quand j'étais petite fille, la fenêtre de ma chambre donnait sur l'entrée et le toit du garage était doté d'un projecteur pour l'éclairer. Chaque fois qu'il neigeait, je m'allongeais sur mon lit et regardais les flocons tomber en tourbillon ou se faire soulever comme un jupon par le vent. J'ai grandi à Libertyville, en Illinois, dans une maison de campagne faite de bois jaune et de pierres des champs. C'était en quelque sorte un petit cottage avec des rallonges, rempli de petites pièces et de recoins bizarres, autant d'endroits pour laisser libre cours à l'imagination ou regarder la neige tomber par la fenêtre.

Nous avons tous besoin d'une fenêtre pour laisser libre cours à notre imagination. Nous avons besoin d'un temps et d'un lieu pour regarder par la fenêtre la neige tomber. Il est facile de comprendre, par une journée comme aujourd'hui, alors qu'un grand corbeau noir de jais bat des ailes parmi les branches dénudées, comment Edgar Poe a pu écrire son livre *Le corbeau* à quelques rues d'ici, en observant il y a plus d'un siècle la même neige et un oiseau noir. Les artistes ont toujours regardé par les fenêtres et dans leurs âmes. Il y a quelque chose, quand on fixe vers l'extérieur, qui nous amène à regarder à l'intérieur. Nous l'oublions trop facilement.

Trop souvent, nous nous faisons violence pour affronter un monde rude et difficile, alors que nous pourrions nous adoucir et adoucir le monde en ralentissant tout simplement.

Nous nous faisons du souci au lieu de digérer. Nous nous tracassons au lieu de réfléchir. Même les équipes de football ont des temps d'arrêt, alors que c'est si difficile pour nous, artistes,

* * *

Le génie, en vérité, ne désigne rien d'autre que la faculté à percevoir de façon « extra-ordinaire ».

WILLIAM JAMES

d'en faire autant. Nous avons souvent l'impression d'aspirer à faire tellement de choses et d'avoir si peu de temps pour les réaliser. Nous pourrions nous inspirer des « pauses » qui figurent entre les enfilades de notes d'une composition musicale. Sans cette pause, le torrent de notes peut devenir agaçant. Sans un temps d'arrêt dans notre vie, le torrent de nos activités et de nos pensées peut devenir lui aussi exaspérant.

Même Dieu s'est reposé le septième jour. Même les vagues prennent un temps d'arrêt. Même les géants du monde des affaires verrouillent la porte de leur bureau pour jouer en secret à leurs jeux préférés. Notre langage concernant la créativité le sait bien puisque nous disons qu'il faut « jouer avec les idées ». Mais nous travaillons toujours trop, ne jouons pas assez et nous étonnons d'être aussi épuisés.

Un de mes amis, un grand chanteur, travaille dans deux facultés de musique et fait des tournées dans le monde entier. Parfois, sa belle voix, un instrument de beauté aussi ample et pénétrant que de grands orgues, arrive à mes oreilles défaite par la fatigue. La grande force de mon ami devient son talon d'Achille parce qu'il oublie de se reposer.

Nous, les artistes, qui devons composer avec le brouhaha des affaires, avons oublié que le terme « pause » est d'ordre musical et que, pour entendre la musique de notre vie comme autre chose que le battement du tambour effréné qui poussait les hommes vers des batailles sanglantes, il nous faut peut-être nous *reposer*.

L'ego déteste se reposer. L'ego ne veut pas laisser Dieu, ni le sommeil, réparer le manque de soins. L'ego voudrait s'occuper de tout lui-même, merci beaucoup. En tant qu'artistes, nous devons faire honneur à notre âme, pas à notre ego, car elle a besoin de repos. C'est une chose que ma mère, artiste elle-même, avait bien comprise.

Nous devons, comme artistes, trouver des fenêtres qui donnent sur le monde de l'émerveillement, nous devons trouver ce qui peut ouvrir la lucarne de notre imagination pour permettre au souffle des mondes plus vastes d'entrer dans notre vie trop hermétique. Votre fenêtre à vous se trouve peut-être dans un recoin mansardé de votre librairie préférée. Là, sous les combles, parmi les gros volumes poussiéreux, vous pourriez regarder du haut de la fenêtre et avoir le sentiment qu'un monde entier d'écrivains regardent avec vous par-dessus votre épaule. Ou encore, vous pourriez surprendre votre imagination en train de monter sur un tapis de Perse et vous sentir transporté aux siècles d'antan pendant que vous flânez dans un magasin de tapis orientaux ou que vous faites défiler de la main des tapis aux motifs complexes qui ressemblent à des vitraux colorés tissés. Paradoxalement, une horlogerie pourrait vous faire glisser hors du temps alors que vous vous trouvez parmi une petite forêt d'horloges à pendule qui font tic-tac et qui carillonnent, et de coucous qui s'ouvrent comme par magie.

Pour Allison, c'était toujours une visite au grand magasin de plantes vertes qui lui procurait l'imagination lui permettant de respirer. Quelque chose dans l'air tropical humide, dans les couleurs vives et éclatantes, évoquait pour elle des mondes spéciaux. Carolina aimait les boutiques de vêtements anciens. En prenant en main une robe *vintage*, elle se sentait transportée dans un monde plus clément. Pour David, le monde des modèles réduits de voitures anciennes allumait le petit garçon explorateur qu'est son artiste intérieur. Il adore les carrosseries arrondies et brillantes aux lignes pures qui ressemblent à des insectes géants. Juste le fait d'apercevoir à la volée un modèle dans une vitrine lui donne le frisson. Quant à Edward, ce sont les magasins où on trouve des modèles réduits de trains ainsi que de beaux jouets qui allument son imagination, ces neveux lui servant d'excuse pour y aller.

L'imagination n'est pas linéaire. Elle a besoin de dépasser les limites du temps et de l'espace. C'est pour cette raison que

* * *

Nous sommes les enfants de notre paysage. Ce dernier nous dicte notre conduite et même nos pensées en fonction de la mesure avec laquelle nous y réagissons.

LAWRENCE DURRELL

le monde des affiches de vieux films enthousiasme tant Michael. C'est pour cette raison que Lorraine aime tellement aller fouiner dans les grands magasins de tissu du quartier Loop de Chicago et dans ceux encore plus grands près du quartier grec. « Je peux créer ce qui me chante », dit-elle transportée, et bien qu'elle ne choisisse peut-être qu'une gabardine bleu marine pour une robe de bureau classique, elle a tout de même fait glisser ses doigts le long d'un taffetas bruissant qu'elle aurait porté à un bal du début du XIXe siècle.

Pour chacun de nous, la sécurité et le repos se présentent sous une multitude de formes très personnelles. Mon amie d'enfance, Carolina, vient juste de m'envoyer une chemise de nuit longue et ancienne qui me fait sentir aimée. De mon côté, je me sens en sécurité quand je fais des tartes, tradition familiale oblige. Quand je prépare des soupes de légumes, autre tradition familiale, je rends service à mon âme agitée, urbanisée et professionnalisée, qui s'apaise et se calme. Quand elle était à bout, ma mère, Dorothy, se mettait au piano et jouait le *Danube bleu* jusqu'à ce que le rythme à trois temps calme son âme.

Jeanne, une amie aux prises avec les affres d'un divorce inattendu et bouleversant, était très agitée et fonctionnait à l'adrénaline. Ayant peur de sombrer financièrement, elle avait besoin de toujours plus d'heures dans sa journée pour frénétiquement faire tout ce qu'elle estimait devoir faire. Une vieille amie avisée qui connaissait le passe-temps délaissé de Jeanne, la broderie, et qui savait également qu'une telle activité méditative aiderait Jeanne à se nourrir à même ses ressources créatives, lui suggéra de se remettre à la broderie. Ce qu'elle fit. Elle retrouva alors optimisme et recul. Un point à la fois, elle put

* * *

La joie ne peut nous être révélée visiblement que lorsqu'elle a été transformée à l'intérieur.

RAINER MARIA RILKE

ainsi raccommoder son cœur et sa vie. En ralentissant, elle accéléra sa guérison et retrouva sa créativité.

J'écris avec une machine à écrire mécanique et regarde de temps en temps la neige qui tombe par la fenêtre où j'ai accroché un rideau de dentelle blanche. Cette dentelle me rappelle l'amour que ma mère portait à la neige. C'est peut-être parce qu'elle avait grandi dans une maison rudimentaire de bois entourée de champs de culture tout à fait plats que ma mère aimait les journées enneigées. La neige amenait de la magie dans un tel paysage, car on ne pouvait plus voir ni la grange voisine ni le silo se trouvant à quinze kilomètres. On se retrouvait dans le pays enchanté qui devait exister avant que les colons ne détruisent les forêts de feuillus, composées notamment d'érables et de chênes. Avant qu'on voie trop loin et pas assez. L'hiver, ma mère nous faisait asseoir à la table familiale et nous apprenait à découper des flocons de neige dans du papier rigide blanc que nous avions plié. Nous collions les flocons aux vitres pour avoir le plaisir de la neige au cours des journées sombres et courtes. Me rappelant de me reposer, la neige me rappelle aussi que ma mère repose en paix maintenant.

Parfois, le dimanche à Manhattan, mon amie musicienne, Emma Lively, et moi nous rendons dans une minuscule église où on chante des hymnes protestants du dix-neuvième siècle empreints d'images littéraires rassurantes et inspirantes. « Dieu est un roc, un havre, un port, un sanctuaire, une forteresse. » Mais par-dessus tout, Dieu est un lieu de repos et de sécurité.

* * *

L'emploi juste de l'imagination, c'est de donner de la beauté au monde... le don de l'imagination sert à recouvrir le monde banal et ordinaire d'un voile de beauté et à le faire vibrer de notre sentiment esthétique.

LIN YÜ-T'ANG

EXERCICE
Ne faites rien

Cet exercice vous demande de ne rien faire pendant quinze bonnes minutes. Voici comment vous y préparer. Tout d'abord, dénichez une musique qui soit aussi bien apaisante qu'inspirante. Ensuite, allongez-vous sur le dos, bras confortablement détendus. Fermez les yeux et laissez votre imagination vous parler. Suivez le fil de vos pensées, peu importe où celles-ci vous conduisent : dans le passé, le futur ou dans un certain présent que vous n'avez pas pleinement pu investir parce que vous étiez trop affairé. Écoutez la musique et observez vos pensées défiler. Répétez-vous doucement la phrase suivante : « Je me suffis... Je me suffis... » Arrêtez de vouloir être plus que ce que vous êtes et appréciez ce que vous êtes.

VÉRIFICATION

1. **Combien de fois cette semaine avez-vous rédigé vos Pages du matin?** Si vous avez sauté un matin, pour quelle raison l'avez-vous fait? Quel genre d'expérience avez-vous vécu en écrivant ces pages? Sentez-vous plus de clarté? Une plus vaste palette d'émotions? Une plus grande impression de détachement, de finalité et de calme? Quelque chose vous a-t-il surpris? Voyez-vous un scénario répétitif qui demande à être examiné?

2. **Avez-vous été à votre Rendez-vous d'artiste cette semaine?** Avez-vous ressenti une amélioration de votre bien-être? Qu'avez-vous fait et qu'est-ce que cela vous a fait? Rappelez-vous que les Rendez-vous d'artiste sont difficiles et qu'il faudra peut-être vous pousser un peu pour les respecter.

3. **Avez-vous fait votre Promenade hebdomadaire?** Quelle impression cela vous a-t-il fait? Quelles émotions ou intuitions ont fait surface en vous? Avez-vous pu aller vous

promener plus d'une fois ? De quelle façon cette promenade a-t-elle modifié votre optimisme et votre perspective des choses ?

4. **Y a-t-il eu d'autres questions cette semaine qui vous ont paru significatives dans la découverte de ce que vous êtes ?** Décrivez-les.

Découverte de la notion de proportion

Avec cette semaine commence un processus continu de définition personnelle. À mesure que vous redéfinissez les frontières en fonction desquelles vous avez vécu jusqu'à maintenant, vous prenez de l'expansion. Lorsque nous revenons à nous, nous rencontrons parfois des résistances de la part de nos proches. Le thème et les exercices de cette semaine visent à renforcer un sens de soi réaliste face aux difficultés et aux mésestimations.

IDENTITÉ

Nous sommes tous créatifs. Certains d'entre nous se le voient confirmer par les autres, mais peu d'entre nous se voient confirmer la mesure de leur créativité. Par contre, ce que nous recevons pour la plupart, ce sont des conseils fondés sur l'inquiétude : « Si tu penses faire carrière dans les arts, tu ferais mieux de prévoir quelque chose sur quoi pouvoir te rabattre au besoin. » Croyez-vous qu'on nous donnerait un tel conseil si nous exprimions le souhait de faire carrière dans la finance ?

On pourrait prétendre que, en tant que personnes et artistes, nous sommes ce que nous sommes. Cependant, nous devenons également nous-mêmes, complètement nous-mêmes, lorsqu'on nous reflète ce qu'il y a de plus grand en nous. Il me vient à l'esprit une scène de la version de Walt Disney de *Cendrillon* où l'héroïne se voit dans sa robe pour la première fois et réalise qu'elle est une véritable beauté. C'est comme la scène où le jeune héros enfile pour la première fois son uniforme militaire et devient vraiment qui il est. Il se produit un déclic magique quand le miroir nous renvoie l'image que nous sommes ce que nous avons rêvé d'être.

Trop souvent, les miroirs nous manquent ainsi que les moments de transformation qui pourraient les accompagner. Il n'y a pas de baguette magique pour nous transformer en ce que nous rêvons d'être.

À l'instar de Rumpelstiltskin, l'artiste doit le plus souvent se définir lui-même. « Je suis artiste, réalisateur, compositeur, peintre, sculpteur, acteur », quelque chose que le monde extérieur n'a pas encore reconnu. Souvent étayée de maigres ressources, l'identité d'un artiste tient à une intuition entêtée, enracinée en nous, à une certitude « irréaliste » persistante face à des situations parfois difficiles et intimidantes, des amis quelquefois dubitatifs et mesquins, ainsi que des moments de consternation et même d'aridité sur le plan de la créativité. Le compositeur en herbe compose, l'écrivain en herbe écrit, l'artiste-peintre peint, poussés qu'ils sont par une pulsion intérieure.

Les artistes se retrouvent souvent dans la position du vilain petit canard. Comme la famille où nous sommes nés nous considère comme quelqu'un de bizarre, nous finissons par le croire. Parfois, notre famille nous appuie, mais c'est notre culture globalement qui nous décrie. Notre désir de faire des choses et de faire quelque chose de nous-mêmes dans le

* * *

C'est mère Nature qui crée les artistes pour nous, bien que ce soit l'art qui leur enseigne le mode d'expression voulu.

OSCAR WILDE

domaine des arts nous est souvent renvoyé sous la forme de cette remarque : « Pour qui est-ce que tu te prends ? » Je qualifie cela de monde de fou, de monde où les aspirations de notre âme nous sont renvoyées de façon déformée et déformante, et que des remarques comme les suivantes font paraître égoïstes et irréalistes : « Ne t'enfle pas la tête ! », « Pour qui te prends-tu ? » Souvent, nous ne connaissons pas vraiment la réponse à cette question. Nous savons quelque chose qui ressemble à : « Je pense que je pourrais être... » Lorsque nous sommes entourés de gens qui ne peuvent pas nous voir ou ne peuvent pas reconnaître ce qu'ils voient, l'image que nous avons de nous-mêmes se brouille. Nous ressentons un certain doute en même temps qu'une profonde intuition persistante, que nous écartons en la qualifiant de stupide. Une partie de nous sait que nous sommes plus que ce que les autres voient et une autre partie de nous a peur que nous soyons moins que ce que nous espérons être. Cette friction intérieure est douloureuse.

Nous les artistes, quand les chaussures ne nous vont pas, nous essayons tout de même de marcher avec elles. Si on nous dit qu'elles nous vont, il se peut fort bien que nous mettions notre imagination à l'œuvre pour nous *convaincre* qu'elles nous vont. Il se peut aussi que nous allions jusqu'à nous dire que l'inconfort et la souffrance que ces mauvaises chaussures (et une mauvaise identité personnelle) nous causent soient juste notre ego ou même encore mieux, de la prétention. Pour nombre d'entre nous, se reconnaître comme artiste s'apparente à une sortie de placard. « Je pense que je suis, je pense que je pourrais être, je m'identifie vraiment avec... Oh ! Mon dieu, je pense que je suis. » Comme tout processus de révélation, celui-ci est turbulent.

Si nous avons été élevés pour avoir « officiellement du talent » dans un domaine et pas dans un autre, nous resterons

* * *

Un gramme d'action vaut mieux qu'une tonne de théorie.

FRIEDRICH ENGELS

sourds et aveugles à toute aide qui essaie de nous pousser à prendre de l'expansion. « Tu as un tel don pour la musique ! », disaient souvent les gens à Julius. Mais lui ne pouvait pas entendre cela. Selon lui, c'était son frère pianiste concertiste et sa jeune sœur cantatrice qui avaient du talent en musique. « Je suis celui qui apprécie, disait-il. Tout le monde a besoin d'une audience. » Pendant vingt ans, les compliments sur son don musical sont tombés dans l'oreille d'un sourd. Il écrivait des paroles de chanson pour aider ses amis paroliers. Lorsque ces derniers lui disaient qu'il avait vraiment l'oreille musicale, il ignorait leur commentaire, malgré l'évidence de plus en plus flagrante que l'élément musical voulait se manifester sans cesse dans sa vie. Bizarrement, ce fut un voyage à l'étranger, c'est-à-dire dans un pays où personne ne connaissait sa célèbre famille ni son dilemme, qui poussa Julius à finalement composer des chansons. Des vacances estivales en Europe se transformèrent en odyssée musicale.

« Il y avait de la musique dans l'air. Partout, je vous jure. » raconta Julius à son retour. Éloigné du rôle qu'il jouait dans sa famille, Julius se mit à griffonner des airs, à les chantonner dans un magnétophone, à les transcrire de façon rudimentaire sur du papier avec portées musicales pour enfants. Il ne se considérait ni compositeur, ni parolier, ni même musicien, mais se disait heureux. « Peut-être ai-je un peu le don de la musique », finit-il par concéder. Depuis, il n'a pas arrêté de composer et d'apprendre à faire de la musique. Au moment où j'écris ces lignes, il vient de commencer des leçons de piano. Et quand son professeur lui dit que son talent pourrait le mener loin, il ne fait plus la sourde oreille ni ne réfute la remarque. Il dit simplement merci et continue d'explorer son talent musical récemment reconnu.

* * *

Je suis née à l'âge de douze ans sur un terrain de la Metro-Goldwyn-Mayer.

JUDY GARLAND

On pourrait prétendre que les artistes viennent souvent au monde comme tels dans des circonstances qui voilent cette identité. Il est rare que l'on se fasse artiste. Souvent, on réalise qu'on est artiste à la façon d'un conte de fées, en jetant un regard dans un miroir lézardé sur l'image d'une créature qu'on ne soupçonnait même pas. Seul un passionné en reconnaît un autre. C'est souvent un artiste plus âgé qui dira : « Voici ce que tu es ou ce que tu pourrais être. »

Nous avons tous besoin de miroirs qui croient en nous, de miroirs qui nous reflètent notre créativité grandeur nature avec exactitude. De tels miroirs nous renvoient des possibilités, pas des improbabilités. Ils ignorent ce qui joue contre nous. Ces miroirs sont des gens assez solides et assez spirituellement évolués pour ne pas se sentir menacés par l'envergure et le panache d'un autre artiste en train de déployer ses ailes. Alors que j'avais vingt-deux ans et que j'étais une artiste en herbe, le grand agent littéraire Sterling Lord accepta de me représenter. La même année, William McPherson, qui remporta plus tard le prix Pulitzer, m'engagea pour que j'écrive dans le quotidien *The Washington Post*. Ces deux hommes avaient vu quelque chose. Tous les artistes racontent des histoires comme la mienne, des histoires d'artistes plus vieux qui ont mystérieusement misé sur eux.

Les artistes sont souvent reconnaissants et redevables à ceux qui les aident à reconnaître les choses qu'ils savent déjà. Un altiste sans débouché rencontre un vieux compositeur qui suggère une association d'affinités pour faire des arrangements musicaux. Alors, une carrière dans les arrangements musicaux voit le jour. Un professeur de chant dit à une jeune pianiste de ne plus chanter mais de jouer du piano. Le propriétaire d'un magasin de photographie dit à la femme d'un fermier : « Vous avez vraiment l'œil. Je me demande ce que vous pourriez faire avec un vrai appareil photo. » Réponse : devenir photographe. Au fil du temps, cette réponse, à l'instar de la pellicule, se développera lorsqu'elle aura été exposée aux encouragements appropriés.

Parfois, l'encouragement survient de façon inattendue, avec l'intérêt momentané que nous accordent un voisin, un commis dans un magasin de fournitures artistiques, une vieille tante. Parfois, nous tombons sur un article de magazine, un livre, une émission radiophonique d'une demi-heure qui parle d'un domaine qui nous intéresse, une vidéo ou un site Internet qui se spécialise dans notre champ d'intérêts. Il nous arrive aussi de faire l'expérience d'un phénomène que je qualifie de « soutien intérieur ». Il s'agit d'une conviction persistante et personnelle qui nous dit que nous sommes destinés à être, faire ou essayer quelque chose, même s'il n'y a en apparence aucun soutien extérieur.

Richard Rodgers grandit avec un père médecin et un frère qui étudiait la médecine. Lorsque ses intérêts personnels le guidèrent directement vers les rampes de Broadway, sa famille l'encouragea du mieux qu'elle put. Rodgers se souvient être allé, en matinée, aux spectacles de music-hall de Jerome Kern, sachant qu'il devait devenir compositeur. Le comment de la chose appartenait au domaine de l'inconnu. Il essaya l'école « régulière ». Quand il s'avéra que ce genre d'établissement ne réussissait pas à retenir son intérêt, il alla à l'institut Juilliard, où il fut la seule personne à étudier tout en étant également compositeur à Broadway.

« Tout le monde était très gentil », dit-il. Ses camarades de classe, qui suivaient une orientation classique, le considéraient avec affection et curiosité. Ne partageaient-ils pas tous l'amour de la musique, après tout ? Mais, à part ça, il était livré à lui-même, faisant son chemin grâce aux amis de son frère, ses collègues de classe et un certain coup de chance, mis sur son chemin par un ami de la famille. Il n'avait pas d'itinéraire tracé pour le guider. Des années plus tard, il fit remarquer qu'il traça sa voie justement en la dessinant lui-même. Cette envie intérieure qui pousse absolument à faire quelque chose quoi qu'il arrive est la boussole qui permet à l'artiste de trouver son chemin.

Les artistes créent des itinéraires parce qu'ils les trouvent rarement tout faits. La carrière d'un artiste ne ressemble pas à l'avancement linéaire régulier qu'un spécialiste du domaine bancaire connaît dans sa trajectoire professionnelle. L'art n'est pas linéaire, pas plus que ne l'est la vie d'un artiste. Il n'existe aucun itinéraire assuré. On ne devient pas romancier en passant de A à B, pour arriver à C. On devient romancier parce qu'on a été enseignant, journaliste et grand-mère. On ne devient pas compositeur en fréquentant une école de musique. Bien sûr, ce genre d'école fera de vous un théoricien fantastique, un structuraliste passionné ou un critique chevronné. Mais un compositeur ? Certainement pas, car le compositeur est fait par la musique elle-même.

Parfois, dans les affres d'une transformation de l'identité, nous disons de désespoir : « Quelquefois, je ne sais plus qui je suis. » Et nous avons raison de le dire. Nous sentons avec pertinence qu'une partie ou des parties de nous n'ont pas été reconnues ni entendues. Nous sommes bien plus diversifiés et riches intérieurement que nous le pensons. Nous sommes bien plus grands et colorés, bien plus puissants et complexes, bien plus profonds et vastes que nous le concédons.

Il en va ainsi des artistes. Le peintre devient potier dans une crise d'ennui, pour se découvrir une passion insoupçonnée. C'est l'acteur qui devient réalisateur, l'écrivain qui devient acteur. Rien de tout cela n'est prévu, rien de tout cela n'est attendu. Pourtant, en rétrospective, le tracé de ce qui pourrait être qualifié de « destinée » est souvent clair. « Voici ce que je suis. Voici ce que je suis censé faire. »

C'est un des mystérieux bonheurs de la créativité dans la vie que de pouvoir entendre, quand nous sommes prêt à l'écouter, la « petite voix tranquille » qui prend de l'assurance. Tout dans la vie est interrelié et la prière d'un artiste à Omaha est la même

* * *

La curiosité est une des caractéristiques permanentes et certaines d'un intellect vigoureux.

SAMUEL JOHNSON

que celle d'un artiste à Manhattan. Tous les artistes prient pour devenir ce qu'ils sont et ils le deviennent.

Cole Porter est né en Indiana, état qui n'est ni le berceau des compositeurs ni la Mecque de la musique, même s'il accueille actuellement une superbe école de musique. À son époque, il n'avait que le noble encouragement de sa mère comme atout. Dès sa naissance, Porter fut un citoyen du monde, digne de ce nom. Il savait parce qu'il écoutait ce qu'il « savait ». Étant donné que l'art commence dans le cœur, c'est en écoutant attentivement les désirs de notre cœur que nous pouvons non seulement être amenés à créer l'art dont nous rêvons, mais aussi à le faire sur une échelle significative. Comme le fermier dans le film américain *Field of Dreams* (*Champs de rêves*), nous devons faire preuve de suffisamment de confiance pour « le » bâtir, cet art – peu importe ce que c'est –, et espérer qu'« ils » viendront.

Ce « ils » est différent pour chacun de nous. Pour certains, il s'agira de la bienveillante reconnaissance d'un conjoint ou d'un voisin. Pour d'autres, d'une bourse d'études à l'étranger. Pour d'autres encore, de sa photo publiée dans le journal local. Pour d'autres, l'occasion de chanter en solo à la messe de Noël. Une loi spirituelle veut qu'aucun art ne puisse fleurir sans qu'un artiste ne fleurisse lui aussi. Comme la rose sauvage, on nous remarquera au bord d'une route du Nebraska ou bien au moment où nous virevoltons devant le papier peint marqué par le temps d'une maison de campagne. L'art appelle l'art. Quand nous disons « Je suis... », ceux qui nous entourent prennent la parole. Certains diront « J'ai toujours su que tu étais... ». D'autres diront : « Moi aussi, je suis... »

Les mystiques entendent des voix. En général, la question « Entendez-vous des voix ? » sert à distinguer les fous des gens

* * *

Alors que je cherchais le jardin de ma mère, guidée par son amour de la beauté et son respect de la force, j'ai découvert mon propre jardin.

ALICE WALKER

sains d'esprit. Pourtant, nous les artistes, nous entendons des voix, surtout lorsque nous cherchons à être guidés. Quelque chose nous accompagne. Quelque chose nous pousse. Quelque chose nous presse. Quelque chose nous *appelle*.

Les synchronicités abondent, ces rencontres fortuites entre un besoin intérieur et une circonstance extérieure empreinte de grâce. Nous sommes poussés à reconnaître notre voie. Et plus nous sommes disposés à demander quelle est notre véritable identité créative, plus l'aide qui nous est accordée devient claire et évidente.

Alors que j'étais une jeune auteure sans expérience et que je me trouvais un jour à garder des enfants chez moi, le téléphone sonna et un collègue de l'école secondaire me demanda si j'étais intéressée par un emploi au quotidien *The Washington Post*, qui consistait à dépouiller le courrier. J'allai passer l'entrevue. L'homme m'engagea tout en me prévenant : « J'espère que vous ne pensez pas être un écrivain. » Je lui rétorquai : « Mais je suis écrivain ! J'espère que vous ne pensez pas que je suis journaliste. » Il m'embaucha et, finalement, il s'avéra que nous avions tous les deux raison. Je suis devenue une journaliste hors pair, écrivant des articles pour lui et m'occupant de la chronique des arts au *Washington Post*.

Cela ne veut pas dire que nous faisons toujours confiance à notre guide ni que nous y croyons en tout temps. Cela veut simplement dire que nous sommes guidés. Le Créateur nous a créés pour que nous soyons créatifs à notre tour. Pendant que nous cherchons à aller dans le sens de cette intention, la petite voix tranquille propre à tous les itinéraires spirituels se fait de plus en plus présente. Et lorsque nous plongeons « en nous-mêmes », quelque chose ou quelqu'un vient à notre rencontre et rompt le silence quant à notre identité.

« Je ne sais pas où j'ai trouvé la force de caractère pour croire en moi, dira un artiste. C'était un pur acte de foi. » Et pourtant, la foi n'est pas aveugle. Elle voit loin, même quand nous prétendons trébucher dans la soi-disant obscurité. Elle nous guide pas à pas, intuition après intuition, vers ce que nous devenons.

Il en va de même pour notre art. En tant qu'artistes, nous qualifions souvent nos créations de « progéniture cérébrale », mais nous oublions que nos idées et nos rêves nous façonnent totalement. Nous sommes habités par une plus grande portion de vie que nous le réalisons. Même au moment où nous doutons de notre identité, c'est elle-même qui nous guide, qui nous pousse dans la bonne voie. Même si nous doutons de notre viabilité créative, nous viendrons au monde puisque nos rêves et nos désirs nous poussent sans cesse de l'avant. Quelque chose de plus grand et de plus subtil que ce que nous connaissons nous enjoint à devenir plus grands et plus subtils que ce que nous n'osons. Alors, nous faisons acte de foi, connaissons le doute et observons avec émerveillement nos rêves nous faire avancer comme s'ils savaient où aller d'eux-mêmes. Parfois, nos rêves semblent avoir vu le jour malgré nous.

Quand nous osons faire de notre progéniture cérébrale une réalité, nos rêves se concrétisent. Ce ne sont cependant pas tous les rêves qui deviennent vrais. Par contre, il y a de la vérité dans tous nos rêves. Puisque le Créateur nous a créés, nous sommes nous-mêmes des œuvres d'art. En essayant d'exprimer l'art qui réside en nous, nous exprimons le divin qui est aussi en nous. C'est peut-être pour cette raison que tant d'histoires d'artistes abondent en coïncidences miraculeuses et intuitions inspirées. L'art est peut-être la forme la plus pure de prière. Faire de l'art peut littéralement être le chemin qui nous conduit à « notre créateur ». Dans l'acte de créer, le Créateur se révèle à nous, en même temps que nous nous révélons à nous-mêmes comme partie intégrante de l'étincelle divine qui nous a créés. C'est dans ce lien d'artiste à artiste, de Créateur à créateur, que le sens le plus pur de notre identité émerge. Nous pratiquons notre art non seulement pour faire notre chemin dans le monde, mais aussi pour faire quelque chose de nous. Souvent, ce quelque

* * *

La logique pure est la mort de l'esprit.

ANTOINE DE SAINT-EXUPÉRY

chose est une personne dotée d'un sens de dignité inébranlable. Nous avons répondu « Oui » à l'appel de notre véritable nom.

EXERCICE
Cernez votre identité

Prenez un crayon et répondez aux questions suivantes en remplissant les espaces vides aussi rapidement que vous le pouvez.

1. Quand j'étais enfant, je rêvais de devenir _____ .

2. Dans mon enfance, on a encouragé mon intérêt pour l'art. Lequel? _____.

3. Dans mon enfance, on a découragé mon intérêt pour l'art. Lequel? _____.

4. Si on m'avait davantage encouragé, j'aurais probablement essayé _____.

5. Le professeur qui m'a aidé à voir mes talents était _____.

6. L'ami d'enfance qui m'a aidé à voir mes talents était _____.

7. Si je devais vivre une autre vie, la forme d'art que j'explorerais le plus tôt possible serait _____.

8. La raison pour laquelle je considère qu'il est trop tard dans cette vie, c'est que _____.

9. Le geste que je peux poser actuellement pour aller dans le sens de mon rêve d'enfance est de _____.

10. Je m'engage face à ce rêve en _____.

Pour nombre d'entre nous, de telles questions suscitent de la tristesse. Prévoyez une heure entière pour emmener l'adulte que vous êtes faire une promenade de découverte. Ne soyez pas étonné si beaucoup d'émotions et d'intuitions font surface au cours de ce Rendez-vous d'artiste. Pour plusieurs d'entre nous, nos artistes attendent depuis des années de pouvoir s'exprimer.

PRENDRE DE L'EXPANSION

Un des problèmes centraux inhérent à l'expansion de la créativité est la pertinence de l'autoévaluation. Comment savoir l'expansion que nous pouvons prendre si nous ne connaissons pas nos dimensions? Craignant de paraître prétentieux et égoïste, nous nous demandons rarement si nous nous limitons trop ou si nous sommes trop petits par rapport à ce que nous sommes réellement. L'expansion peut effrayer et la croissance, nous sembler étrange, inadéquate même.

La plupart d'entre nous connaissent l'histoire des trois aveugles à qui l'on demande de décrire un éléphant. L'un d'eux tâte la trompe de ses mains et dit: «C'est long, élancé et ça ondule comme un serpent.»

Le deuxième aveugle tâte une patte et dit: «C'est rond et robuste, un peu comme un arbre.»

Le troisième tâte le flanc de l'éléphant et dit: «Un éléphant, ça ressemble à un mur...»

Bien entendu, l'éléphant, c'est tout cela en même temps et beaucoup plus, car la totalité est plus grande que toutes les parties.

En tant qu'artistes, nous nous trouvons souvent dans la peau de l'éléphant: nous sommes des créatures imposantes et complexes, mal connues de nous-mêmes et des autres. Comme Alice après avoir mangé le champignon, nous ressentons les modifications de «dimensions» comme des événements hallucino-

* * *

Le génie est principalement une question d'énergie.

MATTHEW ARNOLD

gènes. Un jour, nous avons l'impression d'être très grands et très avertis. Le lendemain, nous estimons que la dimension supérieure de la veille n'était que présomption et que nous sommes en fait beaucoup plus petits et fragiles que nous ne le pensions. Quand nous passons d'une dimension à une autre, nous traversons des souffrances, qui proviennent en grande partie des tiraillements propres à une crise d'identité. Nous avons beau faire appel à la prière, nous découvrons qu'elle n'y peut rien, que Dieu lui-même semble être en train de nous forger une nouvelle identité. Plus nous prions pour que cette identité disparaisse, plus elle s'intensifie.

À l'âge de quarante-cinq ans, après avoir été au service de l'écriture pendant vingt-cinq ans, j'ai soudain commencé à entendre la mélodie. Elle a commencé à s'infiltrer en moi comme le fait le son d'un orgue dans une petite chapelle. Cela m'a fait peur. Après tout, je « savais » que j'étais une auteure, mais une musicienne ? C'était trop beau, même en rêves !

Lorsque nous changeons de dimensions, nous nous demandons quelle sorte d'animal nous sommes en train de devenir. Et habituellement, nous demandons aux autres de nous aider à le comprendre. C'est là que les problèmes commencent. Souvent, nos amis ne sauront reconnaître que notre trompe ou notre patte. Autrement dit, ce qu'ils nous renvoient peut n'être que la partie de notre artiste intérieur que cet ami peut accepter ou voir.

De cette façon, par inadvertance, nous nous retrouvons souvent miniaturisés et fragmentés. Quand nous changeons, nous nous sentons souvent « éclatés ». C'est pour cette raison que nous avons besoin des autres pour nous aider à conserver une vue d'ensemble mieux définie de tout l'animal créatif que nous sommes. Et il se peut fort bien que cet animal soit, eh oui, un éléphant !

* * *

Il vaut mieux poser certaines questions que de connaître toutes les réponses.

JAMES THURBER

Naturellement, les amis peuvent avoir tendance à renforcer le «vous» qu'ils voient. Ils peuvent aussi vouloir s'accrocher au «vous» qui ne les menace pas, qui les rassure quant à leurs propres dimensions et importance. Il ne s'agit pas à proprement parler de rivalité, mais simplement du fait qu'ils sont habitués à penser à vous d'une certaine façon. Pour eux, vous êtes un scénariste, pas un réalisateur. Et ils sont habitués à penser à eux par rapport à vous d'une façon précise. Quand vous commencez à prendre de l'ampleur, tout le monde peut avoir peur. Vos amis s'inquiètent d'être abandonnés et vous vous inquiétez d'être prétentieux. Il est difficile de dire à soi et aux autres: «En réalité, je pense que je pourrais bien être un éléphant. Je pense que je pourrais être bien plus grand que je ne le pensais. Mais ne vous inquiétez pas, les éléphants sont de loyaux animaux.» Le plus souvent, cependant, nous manquons de loyauté envers les nouveaux aspects de nous-mêmes qui voient le jour et nous nous laissons détourner de nos envolées créatives. Comme Dumbo, nous pouvons laisser les autres nous faire sentir honteux de nos magnifiques oreilles nouvellement découvertes.

Certains de nos amis peuvent avoir tendance à vouloir nous ramener à nos dimensions précédentes. Ils se font les porte-parole de nos doutes incessants. «Tu es un dramaturge parfait. Pourquoi voudrais-tu écrire un scénario de film?» Il nous arrive parfois de rappeler délibérément ce genre d'amis parce que nous savons que leur négativité nous ramènera à nos dimensions et formes d'antan, toutes confortables qu'elles sont. Le problème, c'est que nous avons changé de dimensions et de forme.

La difficulté, quand il s'agit de changer de dimensions de façon créative, c'est que nous voulons garder nos vieux amis mais pas notre vieille identité. Nous pouvons certes conserver les amis qui sont ouverts à voir davantage l'éléphant. Par contre,

* * *

Tout début est fragile et tendre. C'est pourquoi nous devons faire preuve de clairvoyance dans ces moments-là.

MONTAIGNE

il se pourrait que certains de nos amis puissent, du moins temporairement, être déclarés *persona non grata*, parce qu'ils ne voient que la patte de l'éléphant. Les doutes qu'ils émettent quant à nos nouvelles dimensions représentent un poison pour l'éléphant en herbe en train de voir le jour en nous. La solution, c'est de se dénicher de nouveaux amis qui peuvent voir, reconnaître et encourager ce que nous sommes en train de devenir. « Tiens, un éléphant ! Viens donc par ici ! »

Quand je me suis mise à composer de la musique, je me suis dit que je devenais folle. Et c'est aussi ce que se disaient un grand nombre de mes amis. Je n'étais plus la Julia que nous connaissions tous. Suivre la muse de l'écriture était une chose. Suivre celle de la musique, une tout autre chose.

« Tu es faite pour écrire des *livres* », insista un ami.

« Vous avez un grand talent pour la musique », me dit, Dieu merci, un nouvel ami compositeur. Il peut s'avérer difficile pour nous de croire en la partie nouvellement naissante de notre identité créative. Nous, plus que nos amis, avons peut-être peur d'agir follement. Un nouveau talent peut sembler trop beau pour être vrai. Alors suivra une attaque débilitante de modestie : « Pour qui est-ce que je me prends ? » Notre comportement peut sembler hors normes, surtout si le nouveau talent est resté caché pendant des années.

Croire que les artistes sont fous et agir en conséquence fait partie de nos traditions culturelles. Il ne faut pas s'étonner que nous ayons parfois l'impression de l'être ! Il se peut fort bien que lorsque nous semblons le plus fou, nous soyons en fait le plus sain. Michel-Ange a dû paraître bien bizarre allongé sur le dos sur son échafaudage près du plafond de la chapelle Sixtine. La transpiration, le plâtre et la peinture maculant son visage, il

* * *

Si une plante ne peut vivre selon ce que sa nature lui dicte, elle succombera. Il en va de même pour l'humain.

HENRY DAVID THOREAU

n'a peut-être pas tout le temps joui de la certitude confortable qu'il était en train de peindre un chef-d'œuvre. Ficelé à une planche et le bras endolori d'avoir à peindre dans une position de contorsionniste, il s'est peut-être lui aussi demandé «Mais qu'est-ce que je fais là ? »

Mais qu'est-ce que nous sommes donc en train de faire ? Et qui sommes-nous donc vraiment ? C'est ce que nous nous efforçons de découvrir. Et pour cela, nous faisons parfois appel aux autres en le leur demandant. Souvent, des artistes plus âgés et plus expérimentés nous diront : «Bien sûr que vous êtes une actrice ! » ou «Bien sûr que vous êtes un écrivain ! » Il leur est facile de détecter la nature de notre identité parce qu'elle entre en résonance avec la leur. Ils ont déjà vu des éléphants en herbe. Peut-être ne savons-nous pas ce que nous sommes, mais eux le savent.

Je compte dorénavant parmi mes amis un grand nombre de musiciens qui me considèrent tout bonnement comme une musicienne. Un d'entre eux, qui a travaillé avec moi sur deux comédies musicales, m'a côtoyée pendant deux ans avant de réaliser que j'écrivais également des livres. Alors, quand un récent talent vous fait connaître sous un jour nouveau, rappelez-vous qu'un éléphant a non seulement la mémoire longue, mais également une longue vie. De nombreux arts différents peuvent donc vous habiter dans une seule et même vie.

Nelson Mandela a fait un jour la remarque que nous ne rendons service à personne en «cachant» notre lumière et en prétendant que nous sommes «plus petits que la réalité». Pourtant, sous couvert de modestie, nous essayons souvent de nous minimiser et nous y réussissons. Lorsque la force de la créativité émerge en nous et nous demande de prendre de l'expansion, nous préférons nous rétracter parce que c'est plus confortable. En réalité, ça ne l'est pas. Nous sommes des êtres spirituels et quand nos esprits prennent de l'expansion, nous devons aussi en prendre. Il n'y a rien d'agréable à rester dans des identités révolues. La loi spirituelle veut que nous coopérions pendant que le Créateur explore, expérimente et grandit sans cesse par ses créations, sinon nous tomberons dans les affres du « mal-aise spirituel ». Certes, nous pouvons faire semblant d'être petits, mais si l'univers a de grands projets pour nous, il vaut mieux collaborer que lui offrir de la résistance. La créativité est la nature même de Dieu et la nôtre. Lorsque nous acceptons finalement de devenir aussi vaste que ce que nous avons été destinés à être, de grands événements peuvent arriver dans notre vie et celle d'innombrables autres personnes. Dans un sens, nous n'avons pas notre mot à dire quant à la dimension selon laquelle le Créateur nous crée. Nous travaillons à créer de l'art et nous sommes les œuvres d'art du Créateur. Peut-être ne devrions-nous pas nous mêler de tout cela.

EXERCICE
Changez de dimension

Bien que nous soyons nombreux à avoir réalisé de belles choses, que nous occupions des emplois exigeants et ayons des *curriculum vitæ* où le professionnalisme est à l'honneur, nous nous heurtons soudainement à une modestie paralysante quand vient le temps de tenir compte de nos rêves. Ils sont trop grands et trop beaux pour être vrais. Nous doutons donc de notre capacité à les mettre en œuvre. Servez-vous de ce jeu-questionnaire pour rapetisser vos doutes plutôt que vous-même.

Prenez un crayon et terminez les phrases suivantes aussi rapidement que vous le pouvez.

1. Si j'accepte de l'admettre, je pense que j'ai un talent caché pour _la Cuisine_ .
2. Si je n'avais pas peur, j'essaierais _la Couture_ .

* * *

Tout resplendit dans le travail.

VIRGILE

3. Si j'étais mon meilleur ami, je m'encouragerais réellement en me voyant essayer _l'Écriture_ .

4. Le compliment que j'ai reçu et qui m'a semblé trop beau pour être vrai est _l'enseignement/la vente_

5. Si je passais à l'action suite à ce compliment, j'accepterais de _me vendre_ .

6. La meilleure personne pour encourager mon identité cachée est _Moi-même_ .

7. La personne à qui je choisirais de ne *pas* raconter mon rêve est _Ma mère_ .

8. Le pas réaliste le plus minime que je puisse faire pour aller dans le sens de mon rêve est de _Y Croire_ .

9. Le plus grand pas que je pourrais faire pour aller dans le sens de mon rêve est de _Planifier_.

10. Le pas que je suis capable de faire et qui me semble juste est de _travailler_ .

Nous sommes parfois si préoccupés par les événements, si perdus dans les besoins et les attentes des autres, et dans nos propres sentiments de responsabilité excessive, que nous nous sentons totalement égarés et errons dans les obscures forêts de notre propre vie, aussi malheureux et vulnérables qu'Hansel et Gretel. Où suis-je ? Qui suis-je ? nous demandons-nous angoissés et souvent en colère. La rédaction d'une liste de souhaits nous aide à nous rappeler qui nous sommes et à poser de petits gestes concrets et créatifs qui viennent renforcer cette identité.

Sur une feuille de papier, numérotez verticalement les chiffres de 1 à 20. En écrivant très rapidement, finissez la phrase « J'aimerais » vingt fois. Vos souhaits peuvent aller du plus petit au plus grand, de simples petits réconforts que vous pouvez

* * *

De nombreuses petites choses en font de grandes.

GEOFFREY CHAUCER

vous procurer vous-même aux objectifs d'envergure que vous aimeriez réaliser plus tard. Cet exercice ne manque jamais de faire ressortir de petites démarches réalistes à entreprendre et, encore plus important, de vous inciter à revoir vos positions sur la direction de vos véritables désirs. Voici de quoi peut avoir l'air une liste de souhaits :

1. J'aimerais avoir une meilleure santé.

2. J'aimerais avoir un parfum qui me plaise vraiment.

3. J'aimerais pouvoir voir ma fille.

4. J'aimerais que les ouvriers arrivent à l'heure ou du moins appellent s'ils doivent être en retard.

5. J'aimerais avoir une paire de beaux pantalons de marche.

Très souvent, chaque souhait correspond à un geste à poser. Par exemple :

1. Meilleure santé : marcher plus et prévoir une visite chez le médecin. Faire tester la densité des os.

2. Parfum : aller dans un magasin à rayons et en « essayer » quelques-uns.

3. Voir ma fille : organiser une rencontre chez vous de façon formelle. L'appeler et l'inviter. Ne pas vous contenter de dire qu'elle vous manque.

4. Ouvriers : les appeler et leur demander où ils sont et quand ils arrivent.

5. Pantalons : aller faire les magasins même si vous n'aimez pas ça. Essayer de trouver une couturière dans votre quartier si les magasins et les catalogues ne donnent rien.

Une liste de souhaits nous fait souvent réaliser que nous avons besoin effectivement de passer à l'action pour que l'optimisme nous revienne. Quand nous le faisons, nous nous sentons habituellement moins dépassés par les besoins et les désirs des autres.

Parfois, pour « incarner » la connaissance, nous devons littéralement faire appel à notre corps. Recueillez mentalement l'information contenue dans votre liste et allez vous promener avec elle dans l'esprit. Permettez-vous de marcher en imagination vers une identité nouvelle et élargie. C'est souvent dans le corps physique que nous apprenons en premier lieu à confortablement habiter un soi plus grand.

TRANSFORMATION

L'art n'est pas linéaire, pas plus que la vie d'artiste. Nous avons cependant tendance à l'oublier. Nous essayons de « planifier » notre vie et notre carrière... comme si c'était possible. Nous essayons également de planifier notre évolution. Ce qui veut dire que la transformation nous prend donc par surprise. L'idée que nous pouvons contrôler notre chemin de vie nous est vendue par la publicité, les livres et les experts qui nous assurent que nous pouvons apprendre à contrôler l'incontrôlable. « Reprenez votre pouvoir », nous répètent les manchettes de magazines. Les ateliers et les conférences vous promettent d'atteindre le même but illusoire. Et pourtant, l'expérience nous dit que la vie, en particulier la vie dans les arts, a autant à voir avec le mystère qu'avec la maîtrise. Pour réussir, nous devons apprendre à suivre non pas le meneur, mais plutôt ce qui nous mène intérieurement, « l'inspiration » dont parlent les artistes depuis les temps immémoriaux. « Quelque chose » nous pousse à faire de l'art et nous devons y faire confiance.

Étant donné que nous ne pouvons pas voir ce vers quoi nous nous dirigeons réellement et que nous ne croyons pas que l'univers a un plan quelconque pour nous, aucun plan qui nous convienne, notre imagination s'affole, comme un oiseau prisonnier

* * *

Tourner les yeux vers le ciel est un acte de création.

VICTOR HUGO

de la cage des circonstances de notre vie. Nous voulons la liberté – et nous l'aurons – mais nous devons la trouver en douceur et en restant terre-à-terre.

« J'ai déjà réussi », nous dirons-nous avec raison. Il se peut que nous ayons passé des années et dépensé une énergie considérable pour atteindre le sommet de notre profession, pour nous retrouver en fin de compte touchés par une crise d'agitation intérieure et par la conviction désagréable, inébranlable et inopportune que notre vie ne nous convient plus et que nous devons essayer d'en changer. Tentés de tout « balancer », nous nous imaginons partir pour le sud de la France ou le nord de l'Afrique. Nous nous disons peut-être : « Que ce serait bon de ne jamais avoir à refaire telle ou telle chose », c'est-à-dire une activité pour laquelle nous sommes bien payés et reconnus. Notre niche professionnelle est peut-être tellement parfaite, si juste et tellement bien ficelée, que nous ne pouvons absolument pas entrevoir comment effectuer un quelconque changement sans venir totalement bouleverser la vie que nous avons si soigneusement bâtie.

Une loi spirituelle veut que, lorsque nous sommes prêts à nous transformer, la transformation se produit. Nous sommes tous des conducteurs prêts à recevoir la grande énergie créative qui cherche à s'exprimer en nous et par nous. Quand nous aspirons à devenir différents, ce n'est pas uniquement le fruit de l'agitation de l'ego. C'est une réaction appropriée à l'énergie créative en nous qui cherche une nouvelle façon de s'exprimer. Nous sommes tous des créateurs et des créations. Alors que l'agitation s'empare de nous parce que nous voulons faire quelque chose de nouveau, il se peut fort bien que le Créateur lui aussi s'agite et veuille faire quelque chose de nouveau avec nous. Nous ne cédons pas à la démesure, mais plutôt à l'humi-

* * *

Tout est art dans la vie. Pas seulement la médecine, le génie et la peinture. La vie elle-même est un art.

ERICH FROMM

lité. Lorsque nous renonçons à ce que l'ego ait le contrôle total, nous amorçons avec douceur et calme une série de changements que nous décidons mais que nous ressentons comme l'œuvre du Créateur à travers nous. Lorsque nous suivons notre guide intérieur, une direction émerge.

Si vous envisagez de prendre des cours de yoga, ne soyez pas surpris de recevoir un dépliant vous en proposant. Si vous vous intéressez à la France mais avez peur de prendre trop de poids là-bas, ne soyez pas surpris de remarquer soudainement une publicité proposant un voyage à bicyclette dans ce pays. Quand un souhait, un rêve ou un but devient clair dans votre esprit, vous remarquerez que vous attirez à vous, de façon magnétique, l'information, les gens et les situations. On pourrait résumer ce genre de phénomène par la phrase suivante : « Faites un pas vers Dieu et vous découvrirez que Dieu a fait mille pas dans votre direction. »

Qu'on les qualifie « d'ouverture d'esprit » ou « de propension à être un éternel débutant », la réceptivité et l'ouverture sont le propre de tous les grands artistes. Lorsque nous entretenons consciemment ces qualités en nous, nous avons l'occasion d'évoluer et de nous transformer, peut-être pas de façon radicale, mais peu à peu. Le moindre petit changement peut être accompagné de remous intérieurs. « Qu'est-ce qui se passe ? Qu'est-ce que je suis ? Qu'est-ce que je fais ? » hurlons-nous silencieusement dans notre for intérieur quand notre identité change.

Quand nous entrevoyons que nous pouvons effectivement changer, nous sommes souvent pris de panique. Bien entendu que nous paniquons, comme le font souvent les détenus sortant de prison qui réalisent qu'ils sont libres. La liberté est terrifiante après l'emprisonnement. C'est pour cette raison que nous pani-

* * *

La nature n'a jamais trahi un cœur qui l'aimait.

WILLIAM WORDSWORTH

quons. «Je n'ai aucune idée de qui je suis!» disons-nous, le souffle coupé.

Souvent, nous sommes étonnés de découvrir qu'il existe de nouveaux «éléments» à notre identité. Si nous nous sommes entourés d'un seul type de miroirs, par exemple des universitaires ou des gens d'affaires, ces gens nous renverront uniquement les parties de nous qu'ils peuvent comprendre. Ils ne nous renverront pas la totalité de notre nature. C'est un peu comme quand on observe des oiseaux. Bien des espèces se ressemblent jusqu'au moment où elles s'envolent. Et là, quand vous apercevez une tache écarlate, vous vous dites: «Mais non, c'était pas un..., mais un...»

Lorsque Michael entama une carrière plus créative, il arrivait d'un monde où il se sentait seul et aliéné. Pas étonnant. Doté d'une intelligence fulgurante et de beaucoup d'esprit, il n'était pas à sa place dans les cercles académiques très fermés dans lesquels il évoluait. Son humour incitait la méfiance et sa légèreté n'était pas appréciée. Comme la suffisance était à l'ordre du jour, les gens suffisants aimaient rabaisser Michael. Une fois qu'il eut compris qu'il avait de la valeur, mais pas une valeur que les autres appréciaient, il se mit en quête de trouver des collègues et des passe-temps où ses traits de caractère seraient appréciés. Éventuellement, il délaissa sa carrière académique pour en embrasser une créative. Maintenant auteur de trois ouvrages, Michael est très en demande, justement en raison de son style vivant et bon enfant quand il donne des conférences.

Lorsque nous changeons de dimensions, nous nous sentons plus grands, sans ambiguïté et puissants un jour, puis minuscules et sans défense, le lendemain. Nous passons de l'euphorie à la colère. C'est bien et c'est sain, même si nous ne le ressentons pas ainsi. Notre moi identifié semble faux. Mais il n'est pas faux, il est simplement incomplet. Apparaît chez nous un syndrome qui est l'inverse de celui des membres fantômes, c'est-à-dire celui où une jambe ou un bras amputé démange ou pique encore même quand il n'y a plus ni jambe, ni bras. Dans notre cas, les démangeaisons et les picotements laissent peut-être justement présager l'apparition d'un nouveau membre, d'une nouvelle création. Une nouvelle carrière nous « pousse » que nous n'avions pas envisagée. Pas étonnant que nous paniquions ! Quelles sont ces sensations étranges ? Pourquoi sommes-nous subitement intéressés par les récitals de poésie, Puccini ou la peinture à l'huile ?

Nous essaierons peut-être plusieurs paires de chaussures avant de trouver la bonne. C'est une chose normale et naturelle qui doit être encouragée. Ce genre de changement effraie également beaucoup ceux qui veulent que leur carrière artistique se déroule de façon linéaire et progressive, comme cela se produit dans les carrières académiques et professionnelles. Si cela se pouvait, telle serait alors la réalité. Le plus souvent cependant, nous connaissons d'affreuses douleurs de croissance alors que nous cherchons à tâtons une nouvelle identité.

Ne pas insister sur la linéarité

Afin d'éviter la panique, il est bon de considérer le changement comme expérimental, et nous-mêmes comme une sorte d'expérience scientifique. Vous aurez besoin d'assimiler la nouvelle identité à petites doses et de voir comment elle s'intègre à l'usage. Le meilleur cadeau que vous puissiez vous faire dans de tels moments est l'humour. Pas besoin de vouloir tout changer en vous d'un coup. Il suffit d'accorder aux divers éléments nouvellement découverts chez vous un peu de jeu. Le mot-clé dans tout cela est « douceur ». La panique ne veut pas dire que vous êtes dément, mais seulement que vous vous sentez ainsi.

Ne pas laisser la panique vous paniquer

Si vous sentez la panique vous prendre, dites-vous que c'est bon signe, que vous commencez à vous décoincer.

Une loi spirituelle veut que nous devenions ce que nous sommes *déjà*, c'est-à-dire les créatures parfaites d'un créateur parfait. Cela veut dire, même quand nous sommes au plus fort du malaise et de l'inconfort, que nous suivons encore l'ordre divin et que nous nous rapprochons davantage de l'intention divine. Avoir foi en ce processus et croire que nous pouvons changer tout en continuant à bénéficier du soutien immuable de l'univers est crucial pour acquérir un certain degré de réconfort pendant que nous évoluons.

À l'instar des fleurs qui sont d'abord des boutons avant d'éclore, nous aussi sommes des fleurs qui doivent avoir confiance qu'elles s'ouvriront en toute sécurité et magnifiquement. Dans le monde naturel, les papillons sortent d'un cocon engonçant mais protecteur. Nous devons donc nous rappeler que, nous aussi, avons une sorte de protection pendant que nous évoluons. Nos comportements en dents de scie, notre gaucherie et notre panique sont des éléments naturels inhérents au changement. Le Créateur fait l'expérience de toutes ses créations par les affres du changement d'identité que nous connaissons. La saga du déploiement de la vie en est une de constante transformation, de constant changement de forme. Lorsque nous emboîtons le pas à nos besoins et désirs d'évolution, nous emboîtons également le pas à la loi spirituelle. Nos besoins à venir sont déterminés même avant que nous ne les formulions. La trajectoire de notre évolution n'est pas si solitaire qu'elle en a l'air. Nous connaissons tous universellement les affres de la transformation. Bien des gens ont donc connu la solitude, l'isolement, le désespoir et le doute avant nous, et bien des gens y ont survécu avant nous. Bien des gens ont également vu le Créateur, qui nous a créés et nous crée tous, s'en occuper.

L'art et l'art de vivre consistent en une collaboration constante entre ce dont nous sommes faits et ce que nous

* * *

Il faut beaucoup de temps pour que l'excellence arrive à maturité.

PUBLILIUS SYRUS

souhaitons faire de nous-mêmes. C'est en nous ouvrant consciemment à l'inspiration et aux réalités de notre forme du moment que nous nous acheminons non seulement vers la créativité, mais également vers la sérénité.

EXERCICE
Changez de forme

Lorsque nous, les artistes, changeons de dimensions et de forme, nous avons souvent peur de paraître ridicules. Nous voulons avoir terminé avant de commencer. Nous voulons exceller. Nous voulons lire une critique qui dira que cela valait le risque sur le plan créatif. Malheureusement, le changement, et les risques qui lui sont inhérents, s'accompagnent de sentiments de vulnérabilité. Parfois, juste le fait d'énoncer notre rêve caché constitue un soulagement énorme. C'est ce que nous essaierons de faire sur papier maintenant. Terminez les phrases suivantes aussi rapidement que vous le pouvez.

1. Si je n'étais pas si stupide, j'aimerais essayer *l'enseignement*

2. Si ce n'était pas si cher, j'aimerais acquérir *Plus Immobilier*

3. Si je pouvais de nouveau avoir vingt et un ans, j'irais étudier *la Psychologie*.

4. Si je pouvais prendre congé pendant cinq ans, toutes dépenses payées, j'irais étudier *dans un pays exotique*

5. Si je n'étais pas si cinglé(e), j'aimerais essayer *la Couture*.

6. Si je m'abandonnais à mon rêve secret, je me laisserais aller à *l'entrepreneuriat*.

* * *

Les plus courageux sont les plus tendres.
Les bienveillants, des audacieux.

BAYARD TAYLOR

7. Si j'avais eu des parents idéals et une enfance parfaite, je serais _Professionnel_.

8. Le rêve dont je n'ai jamais parlé à personne est _être aimé_.

9. L'artiste que j'admire et à qui je pense ressembler est • _Bullock Sandra_

10. L'artiste que je décrie parce que j'estime avoir plus de talent que lui (elle) est _Michèle Richard_.

Maintenant, plutôt que de vous sentir ridicule à cause de ce que vous venez d'admettre, prenez de nouveau un crayon et laissez votre adulte intérieur rédiger une lettre à votre artiste intérieur. Prenez un minimum de quinze minutes pour expliquer à votre artiste intérieur les rêves qui vous ont été révélés. Trouvez une façon concrète de poser un geste au nom de votre artiste intérieur.

VÉRIFICATION

1. **Combien de fois cette semaine avez-vous rédigé vos Pages du matin?** Si vous avez sauté un matin, pour quelle raison l'avez-vous fait? Quel genre d'expérience avez-vous vécu en écrivant ces pages? Sentez-vous plus de clarté? Une plus vaste palette d'émotions? Une plus grande impression de détachement, de finalité et de calme? Quelque chose vous a-t-il surpris? Voyez-vous un scénario répétitif qui demande à être examiné?

2. **Avez-vous été à votre Rendez-vous d'artiste cette semaine?** Avez-vous ressenti une amélioration de votre bien-être? Qu'avez-vous fait et qu'est-ce que cela vous a fait? Rappelez-vous que les Rendez-vous d'artiste sont

* * *

Il faut une permission directe du Ciel pour devenir un marcheur.

HENRY DAVID THOREAU

difficiles et qu'il faudra peut-être vous pousser un peu pour les respecter.

3. **Avez-vous fait votre Promenade hebdomadaire?** Quelle impression cela vous a-t-il fait ? Quelles émotions ou intuitions ont fait surface en vous ? Avez-vous pu aller vous promener plus d'une fois ? De quelle façon cette promenade a-t-elle modifié votre optimisme et votre perspective des choses ?

4. **Y a-t-il eu d'autres questions cette semaine qui vous ont paru significatives dans la découverte de ce que vous êtes?** Décrivez-les.

Découverte de la notion de perspective

Aucun humain n'est une île et le déploiement de notre créativité s'effectue dans le cadre d'un paysage culturel particulier. Nos opinions sur l'art et les artistes baignent dans la mythologie culturelle. Le thème et les exercices de cette semaine visent à nettoyer le champ de la pensée en ce qui concerne les arts et votre place en tant qu'artiste dans notre société. L'art joue le rôle de tonique et potion médicinale pour nous tous. En tant qu'artiste, vous êtes un guérisseur culturel.

CURE MÉDICINALE

Nous sommes tous des artistes, certains étant des artistes confirmés, accomplis et publiquement reconnus et d'autres, des artistes discrets qui font de leur foyer et de leur vie un art parce qu'ils ont peur de pratiquer ou poursuivre leur art sur la scène publique. Certains d'entre nous, étant convaincus de n'être pas des artistes et de n'avoir pas une once de créativité dans le corps, sommes tout de même des artistes parce que nous avons la créativité dans le sang, dans l'ADN.

Selon moi, il n'y a qu'un seul et unique qualificatif possible pour parler de nous. C'est le qualificatif « créatif ». J'enseigne depuis vingt-cinq ans et fais de l'art depuis plus longtemps que ça. Je n'ai jamais rencontré, je dis bien *jamais* rencontré, de personne qui n'ait pas été créative d'une façon ou d'une autre. La plupart du temps, les gens sont créatifs de bien des manières. C'est l'excès d'énergie créative, et non pas le manque de celle-ci, qui fait que les gens ont l'impression d'être fous ou se font traiter comme tels.

Pendant des années, Sarah, maintenant auteure de livres, était connue de sa famille et de ses amis sous les sobriquets de « nerveuse », « tendue », « cinglée » et même « folle ».

Elle avait « trop d'énergie », ce qui créait des mélodrames dans sa vie quotidienne pour un oui ou un non. Elle était toujours en train de se battre contre quelque chose, car tout sur son chemin lui semblait exagéré et hostile. Elle n'était pas vraiment déprimée, mais avait tendance à voir la vie en fonction de l'adversité. Elle passa d'un thérapeute à un autre, d'un antidépresseur à un autre, d'une solution-miracle à une autre. Elle essaya tout: méditation, travail énergétique et groupes de croissance personnelle. Ces choses-là l'aidèrent un peu. Mais rien ne semblait vraiment lui permettre de se sentir mieux dans sa peau ou dans le monde. En dernier recours, Sarah entreprit de travailler avec des outils de créativité. Elle rédigea les Pages du matin, se rendit à ses Rendez-vous d'artiste et fit toutes sortes d'exercices proposés dans *Libérez votre créativité*. Son humeur s'allégea, son énergie se stabilisa et son optimisme lui permit de faire ses premières armes sur la scène de sa vie d'adulte.

Des activités créatives de toutes sortes virent le jour dans la maison de Sarah. Elle et ses enfants confectionnèrent des masques pour l'Halloween, des biscuits et des flocons de neige en papier découpé pour Noël. Au premier de l'An, elle prit la résolution d'essayer d'écrire le livre qu'elle avait toujours rêvé d'écrire. Se ménageant du temps pendant que les enfants

* * *

L'amour est en tout point aussi fort que la vie.

JOSEPH CAMPBELL

jouaient au retour de l'école, Sarah commença à écrire. Ses enfants filtraient les appels téléphoniques : « M'man est en train d'écrire. » Et effectivement, maman était en train d'écrire. Elle écrivait non seulement son livre, mais aussi sa vie aux mélodrames tortueux quand toute son énergie créative passait dans les échauffourées relationnelles au lieu d'être canalisée dans l'écriture. En transposant ce genre d'énergie dans des intrigues, dialogues et enjeux élevés fictifs, Sarah perdit peu à peu la tendance à personnellement faire un drame de sa vie. L'expression lui permit de guérir des problèmes de personnalité que des années de thérapie n'avaient pas même effleurés. Au moment où j'écris, Sarah a rédigé cinq livres et en a publié quatre. Elle n'est plus « folle », mais elle raffole de son travail. En trouvant le moyen de canaliser et d'exprimer ses divers aspects hauts en couleur, sa vie s'adoucit tout en s'illuminant et ses rêves sont devenus aussi clairs que du Technicolor.

« Quand j'étais petite, j'ai toujours voulu devenir écrivain, dit-elle maintenant. C'est juste que pendant des années, je n'ai jamais pensé que je pouvais le devenir et j'ai donc laissé tomber deux choses : mon rêve et moi-même. » En trouvant le courage de rêver à nouveau, Sarah découvrit que les parties d'elle-même qu'elle avait perdues de vue étaient bien vivantes une fois finalement accueillies.

J'ai vu des gens mettre en œuvre une créativité incroyable pour essayer d'éviter leur propre créativité. Un thérapeute qualifierait ces contorsions de névrose. Quant à moi, je les appelle des « nœuds créatifs », nœuds comme dans « je ne veux pas être créatif, donc je serai malheureux » (de bien des façons très ingénieuses).

Commençons tout d'abord par nous débarrasser des vilaines étiquettes « fou », « prétentieux », « cinglé », « névrosé », car nous sommes *créatifs* de par notre nature.

L'usage de la créativité est thérapeutique, mais ça ne veut pas dire que nous avons besoin d'être soigné. Nous avons seulement besoin de nous exprimer. Ce qui est en nous n'a rien de mauvais, d'horrible, de terrifiant. Ce n'est pas que honte, secrets et névrose. Notre monde intérieur est une palette complexe, puissante, ludique et exquise de couleurs, de lumières et d'ombres, une cathédrale de conscience aussi glorieuse que le monde de la nature lui-même. C'est cette richesse intérieure que l'artiste exprime.

Comme le Créateur vit en chacun de nous, nous détenons chacun une parcelle divine et expressive, une lueur créative dont la finalité est d'éclairer notre chemin et celui de nos compagnons de voyage. Nous ne sommes pas ternis, nous brillons. Nous ne sommes pas petits, mais grands. Nous ne sommes pas laids, mais beaux, même si nous ignorons notre grâce, notre puissance et notre dignité.

Par définition, l'être humain est un être créatif. Nous sommes ici-bas pour « faire » des choses et, comme le dit le vieil adage, pour faire quelque chose de nous-mêmes. Lorsque nous perdons intérêt en nous et en nos vies, lorsque nous nous disons que nos rêves ne comptent pas ou qu'ils sont impossibles à réaliser, nous nions l'héritage spirituel qui nous a été transmis. Suite à quoi, nous devenons sujets à la dépression et à l'épuisement, à la maladie même. Nous devenons impatients, irritables, tendus, et nous nous qualifions de névrosés. C'est faux, nous ne sommes pas névrosés, nous sommes simplement malheureux parce que nous avons muselé notre moi créatif. Mais ce moi est bien vivant et bien trop grand pour la cage dans laquelle nous l'avons enfermé, la cage de la « normalité ».

Dans notre société, on nous apprend à nous cacher et on nous punit quand nous nous affichons. Alors, nous finissons par nous cacher des autres et de nous-mêmes. C'est la dissimulation de notre vraie nature qui nous donne l'impression d'être cinglés ou d'agir comme tel.

* * *

Qu'il s'agisse de bien ou de mal, l'homme fait preuve d'un sens de la créativité sans bornes.

Joyce Cary

On nous apprend à nous critiquer, à nous reprendre, à nous étiqueter. La plupart des religions mettent l'accent sur la notion de péché originel. La plupart des thérapies, pas toutes, focalisent sur nos blessures, pas sur nos talents. Et certaines méthodes de « guérison en douze étapes », pas toutes, ont tendance à plutôt mettre l'accent sur nos défauts que sur nos qualités.

Nous portons pour la plupart ce que j'appelle des « blessures de paroles », c'est-à-dire des termes décrivant certaines de nos qualités et transmis par notre entourage de façon péjorative. En ce qui me concerne, on m'a collé les qualificatifs d'« intense » et d'« hyper concentrée ». Dans notre société, nous avons démonisé la créativité parce qu'elle nous fait peur. Nous racontons des histoires d'horreur sur les artistes, soulignant à quel point ils sont fauchés, cinglés, fous, ivres et égoïstes. Dans notre société, nous avons peur de notre créativité. Nous pensons que c'est de la nitroglycérine qui pourrait tous nous faire sauter. Sornettes !

Quand nous nous adonnons à notre créativité, nous guérissons. Non pas parce que nous sommes malades, mais parce que nous sommes essentiellement bien. En exprimant notre nature intrinsèque, qui est belle, particulière, précise et originale, il s'effectue en nous une transformation curative qui touche davantage notre relation au monde que nous-mêmes. Nous ne sommes pas en faute. Nous ne sommes pas impuissants. Nous sommes au contraire très grands, et c'est en exprimant cette vérité que la guérison arrive. Ce qui guérit, c'est le fossé entre notre dimension spirituelle et la perception erronée que nous avons d'être imparfaits.

Ni dangereuse, ni égoïste, la créativité est une cure. Essentielle, elle affirme la vie. Plus nous la mettons en œuvre, plus son usage est régénérateur et facile. Plus nous l'intégrons

* * *

La force naît de la vulnérabilité.

Sigmund Freud

au quotidien, mieux nous nous portons. Alors, l'humour et l'acceptation entrent en jeu. Au lieu de nous scruter à la loupe et de vouloir nous corriger, la clé est peut-être de nous exprimer. Le sens que nous avons de notre moi sera beaucoup plus intégré et marqué.

Oui, nous sommes parfois malheureux. Nous le sommes non pas parce que nous sommes névrosés et que nous avons besoin d'être rajustés en fonction de la norme existante, mais parce que nous avons besoin de nous exprimer, ce qui viendra nous transformer, nous, aussi bien que cette norme. Le changement créatif part du cœur. Lorsque nous commençons par ce qui nous anime de l'intérieur et l'exprimons dans le monde, lorsque nous exprimons ce que nous aimons et valorisons, la vie devient plus belle, nous nous sentons mieux et le monde se porte mieux aussi.

De nombreux thérapeutes enseignent les outils et le processus proposés dans mon ouvrage *Libérez votre créativité*. Souvent, ils animent aussi des groupes *Libérez votre créativité* et rapportent qu'il y a eu des guérisons miracle. Selon moi, la guérison n'est pas un miracle, car il y a toujours eu la santé. Elle n'attendait qu'à être découverte et exprimée sous forme de créativité.

Il ne m'intéresse pas de débattre avec d'autres sur la maladie mentale. Je préfère mettre l'accent sur la santé mentale, qui est le propre de l'humain. Il se peut que notre société et notre monde soient malades, mais il n'empêche que nous portons en nous la cure exacte pour les guérir et nous guérir par la même occasion.

Cette cure est la créativité.

* * *

Nous sommes pour la plupart autant enclins à changer que nous l'étions à naître. Nous traversons les changements dans un état de choc similaire à la naissance.

JAMES BALDWIN

EXERCICE
Rendez grâce pour vos dons

Un des gestes les plus curatifs que nous puissions poser est d'aller marcher. Il est difficile de patauger dans la négativité et la dépression lorsque nous nous « secouons les puces ».

Marcher en gardant l'œil sur ce qui est positif peut nous rendre plus vigilants. Pour nous soigner, nous pouvons consciemment tourner nos pensées vers la vieille pratique de la gratitude, un pas à la fois. Sortez de chez vous et fixez-vous l'objectif d'aller marcher pendant vingt minutes. Quand nous dirigeons physiquement notre attention sur le monde extérieur, le monde intérieur peut alors prendre une dimension renouvelée, surtout si nous nous mettons à passer consciemment en revue les bienfaits de notre vie. Tout peut être objet de gratitude : gens, événements ou situations. En vous concentrant sur ce qui est bien dans votre vie, vous réchauffez votre cœur, qui finit par s'alléger, tout comme vos pas.

L'ART EST THÉRAPEUTIQUE, MAIS N'EST PAS THÉRAPIE

Lorsque nous sommes bloqués dans notre créativité, nous nous sentons souvent malheureux et nous nous demandons jusqu'à quel point nous sommes névrosés. Pensant qu'une thérapie viendra répondre à cette question, ou tout au moins alléger notre malheur, nous nous tournons vers elle pour découvrir en fin de compte que notre misère continue de plus belle. Il ne peut en être autrement, puisque nous sommes malheureux non pas parce que nous sommes névrosés, mais parce que, même si nous sommes créatifs, nous ne vivons pas en fonction de notre

* * *

J'apprends toujours et encore.

MICHEL-ANGE

créativité. La thérapie peut certes nous aider à « comprendre » nos blocages, blocages qu'il vaut mieux dépasser que comprendre. L'art est thérapeutique, mais n'est pas thérapie. La thérapie vise la transformation par la compréhension, alors que l'art vise la transformation par l'expérience. En effet, lorsque nous réalisons une œuvre d'art à partir de quelque chose que nous ne comprenons pas, nous en venons à saisir ce quelque chose par le biais de notre expérience intime, processus qui est beaucoup plus totalement kinesthésique que purement cérébral. Et c'est dans ce sens que l'art est thérapeutique, que nous le comprenions ou pas.

Le but de la thérapie est de désarmer les émotions, de remettre les émotions blessées dans une certaine perspective. L'art, par contre, met les émotions blessées à contribution – ou tout autre « combustible » disponible – pour modifier non pas notre perception d'une réalité extérieure, mais pour modifier cette réalité par une réalité que nous exprimons. Les perceptions et émotions complexes, extatiques, exultantes et conflictuelles de Haendel, en ce qui concerne sa perception de Dieu, lui permirent de composer le *Messie*. Cette œuvre permet à son tour à d'autres personnes de comprendre Dieu différemment.

Harper Lee n'écrivit qu'un seul livre, *To Kill a Mockingbird* (*Alouette, je te plumerai*), en 1960. Elle vit maintenant à Manhattan et n'a aucune intention d'en écrire un deuxième. Pourquoi le devrait-elle ? Avec un seul petit livre tout simple, elle a accompli une grande réhabilitation autour d'elle. Quiconque a lu son ouvrage se retrouve plus entier, plus compatissant, plus intime avec son enfant intérieur vulnérable.

Les livres, les poèmes, les pièces de théâtre, les symphonies visent tous la guérison de l'âme. Par le phénomène de l'alchi-

* * *

La musique produit une sorte de plaisir dont la nature humaine ne peut se passer.

CONFUCIUS

mie qui est le propre de l'art, ils s'emparent de nos émotions pour nous les rendre plus acceptables et nous faire sentir mieux.

Bernice, une thérapeute jungienne, envoie plus souvent ses clients faire de la musique que de l'introspection. « La musique vient toucher quelque chose de plus élevé en nous », dit-elle. La musique touche probablement de façon plus directe quelque chose de plus élevé, mais tous les arts touchent chez nous quelque chose qui se situe au-delà des manigances ordinaires de la vie. C'est cette vision plus globale, ce « quelque chose de plus élevé » qui fait que l'art est thérapeutique, même l'art domestique le plus élémentaire. Quand on fait cuire une bonne tarte, on se sent bien rien que de l'avoir faite. Il en va de même lorsqu'on écrit une petite chanson ou qu'on envoie un court poème disant à son enfant combien on l'aime. Quand votre enfant vous appelle pour vous dire « J'ai bien reçu ta lettre », il vous dit aussi qu'il se sent choyé. En nous sentant choyés, nous sentons que nous guérissons. Mais, plus que tout autre chose, nous pouvons décrire l'art comme un geste qui chérit notre expérience, nos émotions, nos perceptions. Ne dit-on pas que c'est de cette façon que Dieu considère la création tout entière. Peut-être est-ce par l'attention consciencieuse qui nous habite quand nous créons, que nous touchons l'étincelle divine. Ce contact divin est toujours thérapeutique.

La guérison est en quelque sorte un sous-produit automatique de l'expression de soi, pas un but en soi. Cela peut créer de la confusion dans l'esprit de certaines personnes, en particulier les thérapeutes, qui veulent comprendre analytiquement les rouages d'un processus qui est mystérieux et spirituel. Intellectuellement, bien des médecins et des thérapeutes savent que quelque chose guérit qui est au-delà de leurs propres aptitudes professionnelles. Cependant, et c'est compréhensible, ils veulent savoir ce qu'est ce « quelque chose » et le prendre sous leur contrôle pour en faire un élément des méthodes de guérison qu'ils administrent, un peu comme si c'était un bon médicament. La thérapie et la guérison par la créativité ne s'excluent pas l'une l'autre, mais elles fonctionnent différemment et remontent à deux prémisses très différentes.

Après avoir fait quelque chose, nous nous sentirons peut-être autre et nous verrons les choses sous un jour différent. Cette modification de la perception intérieure survient parce que nous exprimons ce que nous ressentons et voyons effectivement, au lieu de nous efforcer de ressentir et de voir les choses différemment de ce qu'elles sont, au lieu de leur donner plus d'équilibre et moins de mordant. Pour un artiste, et pour l'artiste qui réside en chacun de nous, il est moins utile de parler d'une chose que d'en faire une peinture, un texte ou une composition musicale. Une compréhension purement cérébrale ne guérit pas. Pas plus que, contrairement à bien des méthodes thérapeutiques, l'expression verbale ou physique des émotions. Les humains sont des êtres complexes et créatifs qui, lorsqu'ils créent quelque chose qui exprime leur propre complexité, touchent à l'essence même de la clarté intérieure grâce à leur propre processus intérieur. Beaucoup de thérapeutes, et beaucoup de professeurs d'art d'ailleurs, sont contrôlants et importuns avec leurs questions et leur directivité anticipatives. Ils ne font qu'encourager leurs clients, créatifs de nature, à rationaliser. C'est bien la dernière chose dont nous avons besoin! La thérapie veut nous normaliser, alors que l'art vise l'expression de notre originalité. La norme n'a rien à voir là-dedans.

Les thérapies les plus éclairées nous enjoignent d'*accepter* les émotions que nous ressentons. L'art nous enjoint d'*exprimer* nos émotions et de les transformer par le phénomène de l'alchimie. L'art reconnaît que les émotions sont changeantes et que nous disposons du pouvoir de transformer le vil métal de nos blessures en filon d'art. Et dans ce sens, l'art nous permet toujours de sortir du rôle de victime. La thérapie cherche à nous ajuster au monde, alors que l'art ajuste le monde lui-même.

* * *

La première et plus simple des émotions que nous découvrons dans l'esprit humain est la curiosité.

EDMUND BURKE

L'essence de la vie est de nature artistique et créative. Il y a dans chaque instant autant de choix que de coups de pinceau sur une toile, de syllabes dans un poème, de notes dans une mélodie. C'est justement parce que l'art insiste sur l'élément de *choix* qu'il détruit le rôle de victime. Lorsque la vie tyrannisante nous sert une injustice et nous demande si nous voulons en faire quelque chose, la réponse artistique à cela est oui.

Quand nous en faisons quelque chose, peu importe quoi, nous en faisons autre chose. L'art nous permet de vivre librement, même avec notre agitation, comme la mer verte de Dylan Thomas qui chante, même enchaînée. Les victimes de l'holocauste gravaient des papillons sur les murs des camps de concentration. Ce geste d'affirmation créative était éloquent : «Vous ne pouvez pas tuer mon âme», disaient-ils ainsi. De par son essence, l'art triomphe. À son meilleur, la thérapie concède : «J'accepte mes travers et je me satisfais des résultats qu'ils donnent.» La thérapie élabore un moi, l'art prend pour acquis qu'il y a un moi et le met de l'avant. Au fond, l'art est rebelle, car il ne peut nous nommer puisque nous sommes plus que la somme de toutes nos parties.

En thérapie, nous cherchons à examiner l'impact des autres sur notre vie, ainsi que les blessures qu'ils nous laissent et l'équilibre que nous devons effectuer. Nous nous voyons en fonction de la personne X ou de l'événement Y. Nos rouages internes sont compris et compréhensibles en termes théoriques. Nous tirons toutes sortes de déductions pour expliquer pourquoi nous sommes ce que nous sommes. Et, souvent, nous tirons des déductions à partir d'un piètre ensemble de personnages, c'est-à-dire notre famille d'origine. La vie, même la plus indigente, est bien plus riche que tout cela, avec ses forces et variables mystérieuses.

* * *

Je déteste ce jeu esthétique de l'œil et de l'esprit que jouent les connaisseurs, ces mandarins qui « apprécient » la beauté. Qu'est-ce que la beauté, après tout ? Ça n'existe pas. Je n'« apprécie » jamais, pas plus que j'« aime bien ». Ou j'aime, ou je déteste.

PABLO PICASSO

Étant donné que l'art fonctionne à partir de couleurs primaires, nous plongeons notre plume, notre pinceau ou notre main directement dans les couleurs de notre être. « C'est comme ça que je vois ça », disons-nous, puisque nous sommes la source même de notre art. Ce dernier jaillit comme la source, ne demandant de permission à personne. L'art dit : « Je suis. » La thérapie dit : « Ils ont été, donc je suis. » Il est possible qu'une thérapie crée des remous, mais ce n'est rien comparé à l'art. Il est possible que la thérapie soit régénératrice, mais elle fait quelque chose de ce que nous *étions*, alors que l'art fait quelque chose de ce que nous *sommes*. Freud ne s'est-il pas plaint en disant : « Partout où je vais, un poète est passé avant moi. » Bien entendu, puisqu'un artiste prend le chemin le plus direct.

L'art est alchimie, l'alchimie qui transforme le vil métal de la vie en or. Apprendre à faire de l'art plutôt que des mélodrames à partir d'une imagination en surchauffe est une aptitude qui doit être acquise tôt et mise en pratique totalement. Si nous voulons créer de l'art vivant – *et* un art de vivre –, nous devons être prêts à patauger dans les tourbillons de la condition humaine et à accepter que la vie, de par sa nature, est turbulente, puissante et mystérieuse. L'artiste fait le pari qu'il vaut mieux embrasser la vie et l'exprimer que de la diminuer et de la minimiser en essayant de l'ajuster de façon thérapeutique. L'artiste est convaincu que, souvent, la compréhension intellectuelle de quelque chose est bien moins source de guérison que la création artistique à partir d'un moi réduit en miettes.

L'artiste apprend à conserver les mélodrames sur la page, la scène, la toile, le film. C'est là que les monstres et les beautés, les joyaux et les déchets de l'imagination peuvent être triés, façonnés et transformés en art. L'habilité à vivre avec les jeux d'ombre du mélodrame vient avec le temps. Il se pourrait qu'un jeune artiste prenne une intense émotion comme le signe qu'il doit agir concrètement au lieu d'intérieurement. Lorsque les émotions turbulentes viennent pincer le nerf de la psyché créative, nous avons le choix de les laisser parler crûment ou bien de les mettre à contribution pour créer.

L'art étant notre alchimie, la douleur d'un amour perdu devient le déchirement dans la chanson d'amour. La misère résultant d'une absence de direction dans la vie devient un air de jazz furieux et dissonant. Voici ce que doit être le credo de l'artiste : « Rien n'est mal, rien ne se perd, rien n'est névrosé, rien n'est désavoué. Tout est possible en art. »

EXERCICE

Voulez-vous en faire quelque chose ?

Bien que la thérapie ait de nobles visées, elle sert principalement à ce que nous nous sentions moins mal, à ce que nous nous accommodions de nos bobos. Elle nous aide à comprendre que, parce qu'« ils » nous ont fait « ça », nous nous sentons mal. Elle nous aide aussi à comprendre pourquoi « ils » ont peut-être fait « ça » et alors, nous faisons la paix avec « ça ». L'art est de nature beaucoup plus anarchique.

L'art est plus obstiné et plus résolu que la thérapie, car il est action au lieu d'être réaction. En allant puiser en nous directement à la source, nous créons quelque chose de nouveau qui n'existerait pas sans nous. C'est pour cette raison que l'art *affirme* d'une façon que la thérapie ne fait pas.

Mettez de côté une pile de magazines où il y a des photos. Achetez un morceau de papier cartonné et de la colle. Munissez-vous d'une paire de ciseaux et de ruban adhésif, si vous le désirez, et accordez-vous une heure complète pour faire cet exercice. Passez votre conscience en revue pour trouver une situation que vous aimeriez saisir plus totalement.

* * *

Laissez le monde savoir qui vous êtes, tel que vous êtes et pas tel que vous pensez devoir être, sinon, tôt ou tard, si vous affectez une pose, vous l'oublierez. Alors, qu'est-il advenu de vous ?

FANNY BRICE

Entretenez-vous une relation intime qui vous hypnotise et semble destructive, sans pouvoir cependant y mettre fin ? Avez-vous un patron tyrannique envers qui vous vous sentez inexorablement lié ? Un lien tellement fort vous unit-il à une personne que vous avez l'impression de lui être fusionné ? Avez-vous la nostalgie des grands espaces de l'ouest, alors que vous vivez dans les canyons escarpés de Manhattan ? N'importe lequel de ces dilemmes pourra alimenter cette activité de collage.

En gardant sans forcer le thème choisi à l'esprit, prenez vingt minutes pour sélectionner des images qui vous attirent et vous semblent en lien avec votre thème. Prenez vingt minutes supplémentaires pour disposer et coller vos images sur le papier cartonné. Puis prenez les vingt dernières minutes pour écrire ce que vous pensez avoir découvert.

Il est possible que vous soyez surpris et intrigué par ce que vous aurez découvert. Une relation unilatérale qui vous donne l'impression de vous punir sera peut-être une source de feu créatif. L'aspiration à mener une vie dans un milieu plus vert sera peut-être balayée par l'amour réel de l'énergie et des images urbaines. Ce que vous découvrez en faisant un collage ne correspond peut-être même pas au thème particulier sur lequel vous avez « travaillé ». À la place, en émergera peut-être une guérison beaucoup plus vaste et globale.

LA COLÈRE

Quand la colère s'empare de nous parce qu'on nous a ignoré, il ne s'agit pas d'arrogance ni de prétention. Il s'agit d'un

* * *

Un jugement posé vaut mille conseils précipités. Il faut faire de la lumière, pas du feu.

WOODROW WILSON

signal qui nous indique que nous avons changé de taille et que nous devons agir avec plus d'ampleur.

Très souvent, lorsque nous nous *sentons* petits et non écoutés, ce n'est pas parce que nous *sommes* petits et non écoutés, mais parce que nous *agissons* comme si nous étions petits et non écoutés. Souvent, nous sommes acculés non pas dans une situation d'impuissance et de petitesse, ainsi que nous en avons l'impression, mais mis au défi d'être plus grands.

Le problème est celui d'un manque de recul. Quand nous disons que la colère qui nous emporte est hors de proportion, nous choisissons le terme juste. Nous avons en effet perdu le sens de notre véritable dimension et de notre vrai pouvoir. L'intensité de nos émotions nous fera « sortir de nos gonds », autre expression qui en dit long, alors que mentalement nous nous imaginons être devenus une caricature de nous-mêmes. Nous avons l'impression d'être petits, minuscules et futiles. L'importance de notre colère a fait rapetisser notre perspective et notre personnalité. Pourquoi ? Parce que nous ne réalisons pas que le pouvoir que nous percevons en nous est celui qui nous permettra de changer. Lorsque nous sommes indiciblement en colère, nous sommes en fait énormes mais muets. Nous ne nous exprimons pas encore d'une façon qui confère voix et direction à notre pouvoir. Lorsque nous nous sentons impuissants de rage, nous sommes en réalité puissants de rage, sauf que nous n'avons pas encore compris comment utiliser à bon escient le « carburant » de notre colère.

Lorsque nous ne réussissons pas à dormir, qu'un affront ou une injustice nous « dévore de l'intérieur », le monstre qui nous consomme est en fait la colère de notre pouvoir personnel non actualisé. Et notre pouvoir est très grand. C'est lui que nous ressentons quand monte en nous une rage explosive. Cet imposant mur de rage extériorisé peut nous faire sentir petits et chétifs

* * *

Un conseil, c'est ce que nous demandons lorsque nous connaissons déjà la réponse mais aurions souhaité ne pas la connaître.

ERICA JONG

jusqu'au moment où nous comprenons qu'il s'agit d'une puissance venant de notre intérieur et non pas du simple mur des iniquités qui s'accumulent contre nous. Les iniquités sont contre nous jusqu'au moment où nous sommes « pour » nous.

La colère nous demande de parler en notre nom et en celui des autres. Elle nous pointe du doigt une voie que nous essayons d'éviter. Souvent, nous jouons la modestie, comportement qui constitue en partie un refus d'être aussi grands, clairs et articulés que nous le sommes vraiment. La colère nous indique que nous sommes appelés à prendre notre place et à nous exprimer. Mais comme nous détestons le faire, nous battons en retraite à la place.

Ressentir de la fureur face à un tyran ou à une situation tyrannique est en fait un excellent signe. Quand nous nous l'approprions, cette fureur devient la fureur d'avoir laissé quelqu'un nous tyranniser ou tyranniser les autres. Si elle est nôtre, nous pouvons l'utiliser. Même si cette fureur est assassine et déformante, elle est en réalité un correctif nécessaire. L'ampleur de cette fureur nous donne une idée de notre propre ampleur.

Ce qui nous met en colère, c'est notre réticence. Nous savons que nous devrions prendre la parole, mais nous ne pouvons tout simplement pas le faire.

Point besoin de crier, il nous suffit de parler et d'agir en fonction de notre vérité. En passant, comme les actes sont plus éloquents que les paroles, il faut poser des gestes qui viennent asseoir nos valeurs créatives.

Un écrivain rendu furieux par une enfilade de rejets de la part de maisons d'édition décidera de publier à compte d'auteur. C'est ce que je fais depuis longtemps. Un musicien frustré par l'état des choses dans le monde de l'enregistrement musical peut faire enregistrer un disque, une cassette ou un CD pour bien moins d'argent et d'énergie qu'une thérapie qui tentera pendant des années de lui faire « accepter » ses sentiments de frustration. Il revient moins cher de passer à l'acte de façon déterminée que d'avoir à s'occuper de problèmes de santé et de longévité occasionnés par le ressentiment et l'amertume, ou encore plus par l'abandon pur et simple.

Heureusement pour nous tous, les artistes ont la tête dure ! L'auteure à succès à qui un psychiatre avait conseillé de trouver un emploi dans le domaine du secrétariat continua d'écrire (moi). Le célèbre réalisateur évincé de la réalisation d'un documentaire continua à faire des films (Martin Scorsese). La talentueuse actrice renvoyée de l'école de théâtre de l'Université de Boston continua à jouer (Geena Davis, lauréate d'un Oscar). L'avocat qui aurait dû passer son temps sur ses causes convainquit les autres qu'il devait également écrire (John Grisham). Chez ces artistes, quelque chose parla assez haut et fort pour qu'ils écoutent, aidés de quelques voix extérieures leur ayant murmuré ou hurlé qu'elles savaient qui ils étaient. Ce sont ces voix extérieures qui viennent confirmer notre identité et modifier notre destinée.

Parfois, lorsque nous nous mettons suffisamment en colère parce qu'on nous traite comme si nous étions des minus, nous monopolisons assez de courage pour faire confiance à ceux qui pensent et disent que nous sommes grands. Un affront de plus et c'est notre vérité qui sort. Mais nous ravalons beaucoup de colère avant cela.

La scène appartient à ceux qui sont prêts à y monter, qu'ils aient du talent ou pas. Au lieu de décrier avec colère le comportement et le manque de talent des «arrogants voleurs de feux de rampe», nous devrions plutôt nous servir de notre colère pour augmenter un peu notre volume malgré les peurs qui nous assaillent. Nous devons prendre notre place en tant qu'artiste. Quand nous le faisons, nous nous respectons. Et ce respect vient du Soi. Peu importe ce que disent les autres, nous avons besoin de prendre notre place en tant qu'artiste.

* * *

Je ne suis pas un enseignant, seulement un compagnon de voyage à qui vous avez demandé le chemin. Je vous l'ai pointé loin devant, devant moi aussi bien que devant vous.

GEORGE BERNARD SHAW

Appel à l'action, la colère représente un défi important qui nous permet de laisser briller notre lumière. Il vaut mieux parler en notre nom que d'attendre que quelqu'un le fasse à notre place, ou prétendre pouvoir continuer à supporter les choses comme elles sont alors que nous n'en pouvons plus. Lorsque nous nous plaignons que les autres ne nous prennent pas au sérieux, nous sommes en fait en train de dire que c'est *nous* qui ne nous prenons pas au sérieux. Si les apparences comptent tant pour nous, nous devons agir de façon concrète et précise.

C'est pourquoi une comédie musicale ratée demande à ce qu'on en conçoive une autre. C'est pourquoi une mauvaise critique de votre roman exige que vous écriviez une nouvelle, un poème ou tout autre chose indiquant à votre monde intérieur que vous croyez encore en vous. Lorsque nous ne réussissons pas à nous endosser en tant qu'artiste, les autres peuvent aussi nous minimiser. Alors que, lorsque nous nous reconnaissons comme artiste, de façon simple et concrète, même si les autres nous interprètent mal ou nous maltraitent, ils ne peuvent nous enlever notre respect de nous-mêmes.

La colère est un carburant extrêmement puissant que nous pouvons utiliser pour faire de l'art et pour améliorer notre art de vivre. Lorsque nous nions notre colère ou la répandons en jérémiades, nous gaspillons un précieux carburant et une inestimable source de clarté. Comme un projecteur, la colère peut nous éclairer sur notre état d'esprit, sur les dommages que les autres lui ont fait subir. Mais par-dessus tout, elle nous fait voir quels sont les choix qui se présentent à nous. Si une chose nous met en colère, nous pouvons essayer de nous contenter de ravaler notre colère ou bien nous pouvons en faire quelque chose, littéralement, c'est-à-dire une œuvre d'art.

* * *

Aucun humain ne peut savoir où il va à moins de savoir exactement d'où il vient et comment il est arrivé là où il est.

MAYA ANGELOU

La colère est génératrice de poèmes, de pièces de théâtre, de romans, de films. C'est également elle qui donne naissance aux symphonies et aux peintures. Lorsque nous pensons que la colère est une chose qui devrait être supprimée ou niée au lieu d'être passée par le creuset de l'alchimie, nous courons le risque de nous neutraliser en tant qu'artiste.

La colère vient chercher en nous des réserves de force que, souvent, nous ne nous connaissions pas. Nous sommes poussés à faire des actions d'éclat qui ne nous semblent pas faire partie de notre répertoire émotionnel. Nous agissons plus grand que ce que nous sentons et nous finissons par être plus grands que ce que nous étions.

Courroucé par l'étroitesse d'esprit du créneau hautement productif de l'enregistrement numérisé, un musicien classique fort renommé prend le risque d'encourager un jeune et talentueux musicien. Le « club » est trop restreint, trop élitiste, trop fermé, se dit le musicien d'expérience en colère, qui ouvre un peu les portes en prêtant son nom à un projet plus risqué. La colère lui a ouvert le cœur et l'esprit.

Bien entendu, la colère n'est pas une émotion de tout repos. Afin de pouvoir l'employer pour créer des œuvres d'art, il faut avoir fait des efforts pour atteindre une certaine maturité affective.

Quand nous y réussissons, notre monde change quelque peu. La colère est parfois le signe, non pas de notre manque de maturité, mais justement de notre maturité, de notre jugement aguerri. C'est un éclat intempestif qui est le signe d'un changement sain.

EXERCICE

Utilisez la colère comme carburant

La plupart des gens sentent qu'ils se « mettent » en colère, mais rarement qu'ils « sont » en colère. L'outil que vous êtes sur le point d'utiliser est étonnant en ce sens. Vous êtes probablement plus en colère que vous ne le pensez et cette colère réprimée et inemployée est un grand réservoir de carburant pour la créativité une fois que vous êtes prêt à la reconnaître et à l'utiliser plus directement.

Prenez un crayon et inscrivez les chiffres de un à cinquante sous forme de liste verticale. Énumérez-y cinquante doléances de colère, autant les souvenirs peu chargés d'émotions que les situations qui le sont grandement. Vous serez étonné de constater combien d'insignifiantes petites choses peuvent « encore » vous mettre en colère.

1. Je suis en colère parce que l'Église catholique a laissé tomber le latin.

2. Je suis en colère parce que notre église se sert de chansons folkloriques de mauvais goût.

3. Je suis en colère parce que la boutique de confiserie a fermé ses portes.

4. Je suis en colère parce que ma sœur se dispute avec mon frère.

Après avoir écrit pendant un certain temps, vous remarquerez qu'une question surgit, comme le pain qui saute du grille-pain : « Qu'est-ce que je peux faire ? » Nous n'aimons pas être les victimes de toute cette colère et, intuitivement, nous cherchons une solution positive. Griffonnez les solutions au fur et à mesure qu'elles vous viennent. À la fin de cet exercice, vous aurez éliminé cinquante points négatifs et établi une liste de choses positives réalisables. Concrétisez-en quelques-unes en vous servant de la colère anciennement bloquée comme carburant.

* * *

Au début, il y avait le Verbe. C'est l'Homme qui l'incarne. L'Homme est acte, pas acteur.

HENRY MILLER

CARTOGRAPHIE

Un artiste est un cartographe qui dessine les cartes du monde. Le monde à l'intérieur de lui et le monde tel qu'il le voit. Parfois, le monde représenté est très étrange, ce qui fait que ses cartes sont rejetées. Elles sont considérées comme irréalistes, déformées ou invraisemblables. Magelan navigua avec des cartes dressées en grande partie sur des conjectures. Les artistes jouent toujours avec l'imagination et les conjectures pour ce qui est de la forme des choses qu'ils voient et savent.

Une grande œuvre d'art est une œuvre qui réussit à captiver l'imagination d'un vaste public sur un problème autrefois latent. L'ouvrage *Les raisins de la colère* nous a fait voir les aléas de la crise de 1929. Le film *Vol au-dessus d'un nid de coucou* a mis en relief les horreurs des institutions psychiatriques de l'Amérique. Toutes les nouvelles sont «nouvelles» car elles cherchent à nous dire quelque chose de nouveau. Connu ou inconnu, célèbre ou anonyme, tout art cherche à cartographier le territoire du cœur.

Je le répète, nous, les artistes, sommes des cartographes. Nous dessinons à partir de notre propre expérience, nous dessinons notre expérience en croquant le territoire que nous avons exploré et qui sera exploré par d'autres. Les impressions émanant d'un roman ou d'une composition musicale peuvent précéder de loin la cartographie du conscient collectif d'une époque. C'est pour cela que les artistes doivent faire preuve de courage, d'héroïsme même, pour déclarer ce qu'ils voient et entendent.

Au début de sa carrière, Beethoven jouissait d'une grande renommée personnelle et professionnelle. Ses œuvres étaient écoutées partout et tenues en haute estime. Acclamé comme musicien de grand talent et très créatif, la vie lui souriait et ses

* * *

De quelque nature que soit la créativité, elle est en partie la solution à un problème.

Brian Aldiss

horizons s'élargissaient. Mais le temps passant, le sort de Beethoven changea. Aux yeux des gens, ses œuvres devenaient de moins en moins accessibles, trop abstraites et exigeantes. Alors que ses difficultés avec la perte de l'ouïe accentuèrent son isolement, il plongea dans une éprouvante dépression presque suicidaire. Il était pris entre deux feux, car il sentait un appel à composer une musique qui venait remettre en question son talent de musicien auprès du public. Il n'aurait pas été intègre face à lui-même s'il était revenu au style de ses compositions précédentes. Il ne semblait plus y avoir aucune audience pour ses œuvres musicales, à part lui et Dieu. Envisageant le suicide, Beethoven opta de vivre et, dans une lettre qu'il écrivit à Dieu, fit le vœu de continuer à écrire de la musique, quel que fût l'accueil qui lui serait réservé. Il composait de la musique « pour la gloire de Dieu uniquement ». Cette musique, trop moderne et trop évoluée pour son époque, en est venue à être considérée comme un chef-d'œuvre des siècles plus tard. Visionnaire et chef de file dans le domaine de la pensée et de la forme musicale, Beethoven a composé pour notre époque, par pour la sienne. Ses dernières compositions nous en disent plus long sur notre siècle que sur le sien.

En tant qu'artistes, non seulement nous représentons la réalité telle qu'elle est, mais nous esquissons aussi les contours de réalités plus éloignées. C'est pour cette raison qu'Ezra Pound nous a qualifiés « d'antennes de la race ». C'est pour cela que nos perceptions sont si souvent évincées parce que ne reflétant pas la réalité, alors qu'en fait elles appartiennent à une réalité dans laquelle nous ne nous trouvons pas encore.

George Orwell nous en a dit plus sur le futur que son ouvrage *1984*. George Gershwin nous en a dit plus sur la révolution urbaine et l'urbanisme que n'importe quel démographe.

Nous, les artistes, nous explorons le territoire du cœur humain, bravant les forêts obscures pour rapporter à nos frères humains que nous pouvons y trouver un chemin et que nous survivrons. Nous sommes les éclaireurs de la conscience, les pionniers de la collectivité et de la culture.

C'est la stricte nécessité qui pousse les artistes à signaler les dangers que nous aimerions bien ignorer. Comme l'éclaireur qui revient pour prévenir qu'une gorge infranchissable exige un détour imprévu, l'artiste rapportera peut-être des perceptions qui sont insupportables aux autres. De Samuel Beckett à Sam Shepard, l'artiste connaît la solitude des liens manqués, il l'incarne même. Trop souvent, le cœur de l'obscurité est le cœur humain lui-même. En tant qu'artiste, nous devons faire preuve de respect et de compassion envers nous-mêmes, vu les difficultés inhérentes à notre vocation. La grande aventure qu'est une vie de créativité ne concerne pas tant le territoire couvert que le fait que la majeure partie de ce que nous voyons n'a pas encore été vue. Les histoires d'humains sont aussi vieilles que la Terre, mais la conscience humaine se situe toujours aux confins du monde connu. Elle peut se comparer au télescope qui scrute l'espace infini. En tant qu'artiste, nous scrutons au-delà du connu, forçant nos yeux et notre vision pour pouvoir apercevoir et saisir les formes qui naissent laborieusement de l'obscurité.

Nos moteurs sont le culot, l'audace, l'endurance, la vision et la persévérance. Des montagnes se dressent là où on sait qu'il n'en existe pas. Des lacs scintillent sous la lumière du soleil là où il n'y en a pas. L'artiste ne voit pas comme les autres. Son imagination juxtapose des images disparates, certaines d'entre elles étant extravagantes, d'autres effrayantes et d'autres encore éclairantes. Le monde intérieur de l'artiste ressemble parfois à un conte de fées où figurent des ogres, des lutins, des monstres,

* * *

Tu as créé la nuit, mais j'ai fait la lampe.
Tu as créé l'argile, mais j'ai façonné la coupe.
Tu as créé les déserts, les montagnes et les forêts,
mais j'ai de mes mains donné naissance aux vergers, jardins et potagers.
C'est moi qui ai soufflé le verre à partir de la pierre
et moi qui ai transformé un poison en antidote.

SIR MUHAMMAD IQBAL

des sorcières. Tout y est amplifié, intensifié, dramatisé. L'exacerbation de l'intensité permet de façonner l'art à partir des matériaux bruts de l'imagination. C'est en acquérant de la maturité que les artistes réussissent de plus en plus à contenir l'émotion exacerbée.

Est-ce que cela signifie que nous cannibalisons notre vie ? Absolument pas. Cela veut dire que nous nous l'approprions, que nous façonnons et refaçonnons le territoire de notre expérience personnelle en un habitat philosophique qui exprime précisément notre vision du monde.

« Regardez les choses comme ça », dit l'artiste qui exhibe le monde que son monde intérieur lui a révélé. Franz Kafka s'appelait Kafka avant que ne fût créé le terme « kafkaïen », tout comme Orwell existait avant le terme « orwellien ». En chacun de nous existe une lentille par laquelle nous percevons le monde. C'est la propension à vouloir révéler ce que cette lentille perçoit qui fait d'une personne un artiste. Et celui-ci doit continuellement ouvrir cette lentille pour prendre des clichés de réalités nouvelles et plus vastes encore.

Une femme dans la cinquantaine se lève chaque matin pour écrire des chansons. Elle a un don pour la musique depuis son enfance, mais il lui a fallu atteindre la quarantaine pour trouver le courage de chanter ses chansons autrement que dans sa tête.

« Je pense que je suis trop vieille pour ça », me dit-elle, même si son budget prévoit une somme pour pouvoir graver ses chansons sur un CD. Elle pourrait s'acheter de beaux vêtements, aller au restaurant ou offrir des cadeaux à ses enfants. Mais elle a appris que ce qui importait le plus à ses yeux, c'était le processus qui l'amenait à exprimer son cœur par l'art.

« Si je ne raconte pas l'histoire de mes parents, qui le fera ? » me demande un écrivain qui travaille assidûment à la longue saga familiale depuis dix ans.

* * *

Rendez visible ce qui, sans vous, ne pourrait peut-être jamais être vu.

ROBERT BRESSON

« Mon cours en informatique est très intéressant, me raconte une femme artiste. Je me sens tellement moins limitée maintenant dans la façon dont je peux voir les choses. Je me définissais trop étroitement comme une artiste puriste. »

Pour chacun de ces artistes, le geste qui l'amène à faire de l'art est un geste de révélation. Tout d'abord à eux-mêmes et ensuite, au monde. « Regardez ! Écoutez ! C'est comme ça que les choses sont ! » disent-ils.

Tout comme J.J. Audubon qui dessinait des oiseaux, le grand art consiste parfois en un simple geste de témoignage qui dit : « J'ai vu cette belle chose. » Bien entendu, ce n'est pas tout ce que les artistes voient qui est beau ni la façon dont ils le rendent qui est belle. Cependant, de la même manière qu'une carte rudimentaire tracée à la main peut nous donner une idée de la direction où aller, la cartographie de l'art donne aux humains une indication qui leur permet de retrouver le chemin du bercail plus directement.

EXERCICE

Esquissez vos intérêts

Les cartographes commencent toujours par des esquisses, en traçant approximativement les continents. Nous pouvons nous aussi esquisser nos intérêts dans le domaine de la création.

Prenez un crayon et complétez ce qui suit :

* * *

Tout disparaît autour de moi et les œuvres naissent comme si elles arrivaient du vide. Des fruits graphiques murs tombent. Ma main devient l'instrument obéissant d'une volonté lointaine.

PAUL KLEE

Voici cinq sujets qui m'intéressent :

1.

2.

3.

4.

5.

Voici cinq personnes qui m'intéressent :

1.

2.

3.

4.

5.

Voici cinq formes d'art qui m'intéressent :

1.

2.

3.

4.

5.

Voici cinq projets que je pourrais entreprendre :

1.

2.

3.

4.

5.

Lorsque nous dressons la cartographie des « je pourrais » au lieu de celle des « je devrais », nous passons du domaine des probabilités à celui, plus intéressant, des possibilités. Lorsque nous nommons et revendiquons un intérêt, il semblerait que nous créions une aura magnétique dans ce domaine et que nous attirions les gens, les lieux et les choses qui correspondent à cet intérêt naissant.

VÉRIFICATION

1. **Combien de fois cette semaine avez-vous rédigé vos Pages du matin?** Si vous avez sauté un matin, pour quelle raison l'avez-vous fait? Quel genre d'expérience avez-vous vécu en écrivant ces pages? Sentez-vous plus de clarté? Une plus vaste palette d'émotions? Une plus grande impression de détachement, de finalité et de calme? Quelque chose vous a-t-il surpris? Voyez-vous un scénario répétitif qui demande à être examiné?

2. **Avez-vous été à votre Rendez-vous d'artiste cette semaine?** Avez-vous ressenti une amélioration de votre bien-être? Qu'avez-vous fait et qu'est-ce que cela vous a fait? Rappelez-vous que les Rendez-vous d'artiste sont difficiles et qu'il faudra peut-être vous pousser un peu pour les respecter.

3. **Avez-vous fait votre Promenade hebdomadaire?** Quelle impression cela vous a-t-il fait? Quelles émotions ou intuitions ont fait surface en vous? Avez-vous pu aller vous promener plus d'une fois? De quelle façon cette promenade a-t-elle modifié votre optimisme et votre perspective des choses?

* * *

Avancez dans la lumière des choses.
Laissez la nature vous enseigner.

WILLIAM WORDSWORTH

4. **Y a-t-il eu d'autres questions cette semaine qui vous ont paru significatives dans la découverte de ce que vous êtes?** Décrivez-les.

Découverte de la notion d'aventure

Cette semaine, il vous sera demandé de renoncer à une partie de votre bagage personnel. Le thème et les exercices de cette semaine visent à ce que vous revendiquiez un plus grand sens de liberté. On vous demande aussi d'expérimenter consciemment l'ouverture d'esprit. Vous démantèlerez de nombreux mécanismes inconscients qui ont fait obstacle à votre expression artistique. Pour que le soi s'exprime, l'accent sera mis sur l'acceptation du soi.

L'AVENTURE

Très souvent, nous pensons savoir ce que nous aimons. Il serait plus exact de dire que nous savons seulement en partie ce que nous aimons et que la totalité de ce que nous aimons peut prendre de l'ampleur. Pour cela, il faut faire preuve d'ouverture d'esprit.

Une escapade d'une heure dans une exposition de photographies du dix-neuvième siècle viendra probablement plus éveiller l'artiste visuel en vous que six mois dans un bon cours de graphisme informatisé. Et une visite au jardin zoologique parlera davantage à l'animal créatif en vous qu'une visite de formalité dans un magasin de fournitures artistiques.

Les humains sont aventureux de nature. Il suffit d'observer le bambin qui commence à marcher et qui élargit son territoire un pas chancelant à la fois. Il suffit de voir l'adolescent qui teste le couvre-feu et la grand-mère de quatre-vingts ans qui s'inscrit à un voyage accompagné à caractère artistique en Russie. L'âme se nourrit d'aventure. Et lorsque l'aventure fait défaut dans notre vie, l'optimisme fait défaut lui aussi. L'aventure est une nourriture terrestre essentielle, pas une frivolité.

Lorsque nous faisons fi de notre besoin d'aventure, nous ignorons notre nature même. C'est en faisant appel aux notions d'âge adulte et de discipline que nous en faisons fi. Et lorsque nous sommes trop adultes ou trop disciplinés, l'enfant novateur espiègle aspire à la rébellion. Très souvent, cette rébellion prend la forme d'une mauvaise humeur persistante plutôt que celle du risque exubérant et épanouissant. Nous nous disons que le risque, c'est trop risqué. Alors, lorsque nous évitons le risque, nous invitons la dépression.

On pourrait comparer la dépression à des sables mouvants : une fois qu'on est dedans, il est difficile d'en sortir. Les efforts que nous faisons pour nous en extirper ne font que nous épuiser et nous enfoncer davantage. Il est plus facile d'éviter la dépression que d'en sortir. Et nous pouvons l'éviter en prenant des risques. Si nous n'oublions pas que nous devons courtiser, solliciter et charmer la partie créative en nous, nous aurons une bonne idée du genre de risque qui peut le mieux nous servir.

Adèle vit à Manhattan. Quand elle va bien, elle adore la ville et son dynamisme. Elle trouve les tons intenses de rouge des édifices de sa rue du Upper West Side stimulants et maîtrisés. Elle adore voir les boîtes à fleurs aux fenêtres avec, en arrière-plan, un aperçu des appartements aux couleurs vives. Quand elle ne va pas bien, elle se sent prisonnière de la ville. Elle aspire aux vastes espaces ouverts et aux horizons sans fin de

* * *

La mort sera une aventure extrême.

JAMES M. BARRIE

l'ouest des États-Unis. La ville la rend claustrophobe. «Soumise.» Alors, quand ça ne va pas, Adèle téléphone au Claremont Riding Academy, réserve un cheval et va faire de l'équitation.

Claremont n'a rien des vastes espaces ouverts, mais il y a des chevaux et l'odeur forte de leur sueur. C'est parfois si audacieux – trois étages de chevaux coincés dans un vieil immeuble de briques brunes de Manhattan – que le seul fait d'entrebailler le portail de l'écurie et de pénétrer dans le monde des chevaux et du cuir semble un geste d'anarchisme et de rébellion. Alors, quand Adèle se sent trop éteinte et trop domestiquée, elle enfourche un cheval. Du haut de sa selle, elle a l'impression de vivre dans un monde de risque et d'aventure.

Caroline, une jeune fille précieuse et délicate, a besoin d'un brin de luxe lorsque son monde lui donne l'impression de devenir trop trépidant. Elle a appris que peu de choses réussissent à lui remonter le moral aussi rapidement qu'une visite chez un bon fleuriste, où la beauté s'exprime par la délicatesse et l'audace de l'entrelacs des paniers d'osier et par la finesse des vases faux vert-de-gris. Bien qu'elle ne dépense jamais beaucoup, car elle arrête son choix sur un bouquet de marguerites aux couleurs choquantes qui viendront illuminer sa minuscule cuisine, Caroline a toujours l'impression de bien employer son temps et son argent. Elle ne s'offre pas seulement un bouquet de fleurs, mais aussi le réconfort que cette planète est, ou peut être, un jardin de délices terrestres.

Adam, un écrivain de nature calme, se rend dans des boutiques de voyage pour aller chercher la sensation de risque dont il a besoin. Comme il ne peut pas quitter son travail à brûle-pourpoint pour partir en voyage, il se paye des vacances imaginaires. Parfois, il achète un guide sur l'Égypte et apprend les quelques mots-clés qui lui permettraient de se rendre à une pyramide. À d'autres occasions, il planifie un voyage qu'il peut effectivement faire, comme aller à Boston par exemple. Il lui importe plus de savoir qu'il pourrait quitter la vie telle qu'il la connaît que de le faire effectivement.

« La plupart du temps, je suis satisfait de ma vie. Mais j'ai besoin de savoir que je me donne la permission de tout laisser derrière moi », dit Adam. Un arrêt dans un magasin de sport pour jeter un coup d'œil sur un nouveau modèle de chaussures de course ou dans un magasin de vélos pour se renseigner sur des vacances à bicyclette en France sont autant de risques imaginaires mais nécessaires qu'Adam peut ajouter à sa personnalité BCBG. « Et j'adore les films d'Indiana Jones », ajoute Adam.

L'imagination est un feu follet. Mieux courtisée par l'incitation que par la force, elle réagit bien quand on l'enjôle à force de cajoleries. C'est comme en amour, quand on est trop sérieux et trop empressé, le plaisir se dissipe. Nous avons besoin de flirter avec un intérêt, de nous en approcher avec un regard oblique. Quand un nouvel intérêt se manifeste, il vaut peut-être mieux prendre notre premier rendez-vous avec lui par l'intermédiaire de livres d'enfant que par un programme de maîtrise. Si vous voulez écrire un roman sur un inventeur d'automobile et avez besoin de savoir comment fonctionne un moteur de voiture, un bon livre d'enfant pourrait probablement vous dire ce que vous voulez savoir, alors qu'un ouvrage universitaire sur les lois physiques de la dynamique viendrait complètement noyer votre intérêt naissant. Le « plus » est bon quand c'est quelque chose que l'on attend avec impatience, mais mauvais quand c'est quelque chose qui nous dépasse. Il faut que les aventures soient gérables, pas envahissantes.

L'imagination créative n'est pas tant superficielle qu'elle est sélective. Lorsque vous submergez votre imagination d'une montagne de données, les rouages de celle-ci s'enrayeront au lieu de tourner rond. Un biographe extrait la vérité d'une myriade de faits alors qu'un poète ou un romancier perçoit des vérités multiples à partir d'un simple fait. Trop d'informations

* * *

C'est comme conduire une voiture la nuit. Vous ne voyez jamais plus loin que les phares, mais vous pouvez aller jusqu'à destination de cette façon.

E. L. DOCTOROW

trop rapidement viennent encombrer et rendre irrespirable le grenier artistique. L'imagination se sent étouffée, pas stimulée. Il est plus facile d'atteindre des sommets de créativité lorsque nous ne sommes pas surchargés d'un poids de données trop intellectuelles.

Un des paradoxes propres à la créativité veut que, plus nous nous prenons à la légère, plus sérieux sera le travail que nous pourrons faire. Plus nous nous appesantissons sur nous-mêmes, plus nous nous sentons contraints et fragiles dans notre créativité.

Très souvent, les artistes accomplis sont aussi des enthousiastes accomplis. Le réalisateur Mike Nichols élève des pur-sang arabes. Coppola possède des vignobles de qualité. Le romancier John Nichols est un ornithologue amateur passionné. Le sculpteur Kevin Cannon est un superbe guitariste de jazz. Ces gens ont emboîté le pas au Créateur en développant un appétit ludique pour la vie.

Si vous jouez à la balle molle une fois par semaine, il est plus facile de composer avec une mauvaise critique que quelqu'un vous lance. Si vous vous permettez de faire cuire une tarte aux pommes ou deux, il sera plus dur de penser que la vie d'artiste, ou la vie en général, est si pourrie. Si vous allez danser la salsa une fois par semaine, ou même une fois par mois, il est plus ardu de croire que la raison d'être de votre art est de vous rendre riche et célèbre, et que, si cela ne s'est pas produit, il ne vaut rien ni vous non plus.

À la lumière de tout cela, je ne suis pas sûre de savoir où nous avons déniché l'idée que nous devons faire les choses à la perfection pour être de véritables artistes. Dès que nous voyons le mot « parfait » (terme qui selon moi est introduit par les critiques), la spontanéité s'évanouit. Nous sommes tellement

* * *

Pour créer, vous devez vous vider de toute pensée artistique.

GILBERT (de GILBERT ET GEORGE)

convaincus que nous ne pouvons pas être un grand compositeur, que nous ne nous donnons jamais la permission de créer une berceuse loufoque pour nos enfants ni d'improviser n'importe quoi au piano. Nous accordons un respect si vénérable au grand art que nous nous coupons sans cesse l'herbe sous le pied. Nous sommes tellement préoccupés de savoir si nous pouvons jouer dans les ligues majeures, que nous nous empêchons totalement de jouer.

Je vais vous dire ce que j'aime de Dieu : ses arbres sont tordus, ses montagnes sont bossues, ses créatures sont pour la plupart étranges. Malgré cela, il les a tous créés. Il ne s'est pas laissé convaincre par le aardvark qu'il n'avait pas d'affaires à inventer des créatures. Il n'a pas créé les tétrodons pour ensuite se décourager. Non, le créateur a créé des choses et continue d'en créer.

Les réalisateurs européens mènent souvent des carrières très créatives et leurs films suivent une évolution croissante, n'étant au début que des manifestes de jeunes hommes en colère pour ensuite devenir de grandes œuvres de sagesse désabusée. Quel est leur secret ? Une sieste dans l'après-midi ? Leur *vita* est-elle un peu plus *dolce* ? Nous, les Américains, avons adopté leur espresso, mais nous n'avons pas encore su intégrer dans nos vies la pause qui vient avec le café. Inquiets de passer pour des imbéciles, nous en oublions simplement de jouer. Nous essayons de donner linéarité et finalité à notre créativité. Nous voulons que notre travail nous mène quelque part. Nous oublions que la diversion fait plus que nous divertir.

Mais comment toute cette sévérité s'est-elle immiscée dans notre vie ? Parce que nous l'y avons laissée entrer, que nous l'avons invitée à entrer, que nous l'avons même suppliée d'entrer. Et pourquoi cela ? Parce que notre bouffonnerie naturelle et notre gaieté animale nous effrayent au plus haut point. Il n'y

* * *

Un original est une création qui est motivée par le désir.

MAN RAY

a presque rien de plus agréable que d'exercer ses talents, mais comme la plupart d'entre nous les tenons bien en laisse, nous avons peur de devoir faire appel à un dompteur de lion si jamais nous les lâchons.

Quand nous sommes enfants, nous nous amusons à jouer des rhapsodies au piano, à improviser pendant des heures tout en laissant parler notre cœur de bambin ou notre angoisse d'adolescent. Nous jouons tant et si souvent que les gens nous disent que nous sommes doués, que nous avons du talent, que nous pourrions même faire carrière dans la musique... « si nous prenions la chose vraiment au sérieux ». Et que se passe-t-il ? Nous la prenons au sérieux, devenons sérieux et nous ne jouons plus, nous répétons. Nous nous mettons en quête du Graal de la perfection et nous entrons dans le monde de la rivalité. Nous fréquentons l'école primaire, l'école de musique, les cours de maîtres et les cours intensifs. Peut-être finissons-nous par embrasser une carrière impressionnante. Pendant ce temps, notre ardeur refroidit et la musique devient quelque chose à maîtriser. Nous devenons des acrobates de la musique capables de voltiger avec une aisance surprenante sur les touches, capables de prouesses étonnantes. Mais nous avons oublié le frisson que nous procurait l'envol.

Tout ce qui vaut la peine d'être fait, vaut la peine d'être mal fait.

Loin de nous cette idée qui nous est familière quand nous débutons, mais que nous oublions chemin faisant ! La progression à tâtons n'est plus digne de nous. Bien sûr que non, puisqu'elle vient faire basculer le sérieux et que nous n'avons plus de bouclier protecteur derrière lequel nous abriter pendant que nous faisons nos calculs. Mais qu'y a-t-il à calculer ? Dieu a fait preuve de suffisamment d'humilité pour se contenter de

* * *

Le cuistot qui ne sait pas se lécher les doigts est un mauvais cuistot.

WILLIAM SHAKESPEARE

griffonner, de plaisanter, de faire l'imbécile. Pourquoi sommes-nous si sérieux ?

Quand le désir de faire de l'art se confond avec celui de faire carrière, l'impact sur nous est aussi amoindri que lorsque le désir de faire l'amour se transforme en celui de faire un bébé. Au lieu de prendre plaisir au processus, nous faisons une fixation sur une finalité. Tout le reste n'est que préliminaires nécessaires, avec lesquels il faut en finir le plus rapidement possible pour que nous puissions nous plonger dans ce qu'il y a de plus important, c'est-à-dire notre brillante carrière.

Parce que nous sommes axés sur des objectifs de carrière comme la prospérité, la sécurité, la célébrité, nous sortons de la sensualité du processus. Le plaisir de voir nos premiers poèmes publiés se transforme en « C'est ma première publication », pas par la remarque « Quel beau papier ! Comme la mise en pages est belle ! » Au lieu de se demander « Qu'est-ce que j'en pense ? », nous nous demandons « Comment est-ce que le public va réagir ? »

Il n'est plus question de la joie de créer, du jeu des idées, mais de la perfection et de la perception des autres.

Lorsque notre art se résume à une démarche de carrière calculée, nous avons tendance à devenir nous-mêmes endurcis et calculateurs. Chose en soi qui n'est pas si mal pour le héros d'un roman policier, qui pourrait entre parenthèses nous aider à retrouver le plaisir dans notre vie.

L'imagination saute d'un escarpement à un autre, elle ne grimpe pas la montagne dans un remonte-pente hoquetant automatique. Si nous traitons le soi créatif comme un jeune animal curieux, alors nous sommes sur la bonne piste. Un jeune animal fourre son nez çà et là. Nous devons accorder à notre animal créatif la même liberté. Rien, ou peut-être quelque chose, viendra à votre rencontre en lisant un livre sur la conquête des Saxons par les Normands, et ce « quelque chose » n'aura peut-être rien à voir avec le « quelque chose » que vous aviez imaginé en premier lieu. Vous pourriez commencer par vous intéresser à Robin des Bois pour vous retrouver en train d'écrire le journal de Lady Marianne. Plus votre appétit pour l'aventure est grand, plus les éléments créatifs en place seront aventureux quand vous décidez d'entreprendre quelque chose. Même s'il ne faut pas grand-chose pour allumer l'imagination, la question est toujours de savoir ce qui le fera. La réponse peut être très étrange, bien entendu. Georgia O'Keeffe envoya une lettre chez elle en disant : « J'ai tiré une demi-douzaine de peintures de cette assiette brisée. » Quelqu'un d'autre n'y aurait vu qu'une tâche de nettoyage. Ne soyez pas trop pressés de formuler les plaisirs de votre âme.

De petites branches et des pierres, des billes et des plumes de paons, un galet bien rond. Ce que nous prenons à cœur est ce qui nous parle de façon unique. Les artistes sont comme les ramasseurs d'objets sur la plage. Nous marchons à la limite des marées et ramassons les objets jetés sur la grève par la mer, de petits objets perdus qui nous raconteront une histoire que nous rapporterons au monde. Il y a une raison pour laquelle on qualifie l'art d'« appel ». Toujours est-il qu'il faut réponde à cet appel. L'intuition nous parle sous forme d'impulsion. Nous devons apprendre à l'explorer et non pas à la réprimer, car l'intuition est la clé du déploiement de la créativité.

« Je voulais en savoir plus sur la ville, se souvient Kenton. Après tout, j'y vivais, mais je n'en savais pas grand-chose. Je ne connaissais pas vraiment grand-chose de son histoire, ni de ses premiers quartiers. Je ne connaissais pas ses points tournants marquants. J'occupais un superbe nouvel emploi dans la superbe nouvelle ville, mais je me sentais seul parce que je me sentais sans racines. »

Sous le coup de l'impulsion, Kenton se mit à arpenter la section « Architecture » de la nouvelle librairie du quartier. Il y trouva un livre sur l'architecture victorienne et découvrit que son quartier pullulait de maisons classiques qui passaient pour

* * *

Il n'y a pas un seul brin d'herbe qui pousse qui ne m'intéresse pas.

THOMAS JEFFERSON

du moderne. Remarquant une nouvelle corniche ici et un portique là, Kenton réalisa qu'il y avait beaucoup plus à apprendre sur son quartier qu'il ne l'avait cru. Il se rendit ensuite dans une librairie de livres d'occasion, où il trouva une étagère remplie de livres d'auteurs du coin. Parmi eux, il dénicha, pour cinquante cents, un guide de rénovation. Un samedi après-midi, il se présenta à une conférence à la bibliothèque de son quartier, conférence qui traitait du quartier historique où il vivait. Sur place, Kenton ramassa spontanément un dépliant qui proposait une visite d'un jardin du quartier. Au cours de cette visite, alors qu'il se demandait ce qu'il faisait là, Kenton trouva sur sa route deux nouveaux éléments de son destin. Tout d'abord, il eut l'idée de travailler à un essai de photojournalisme qu'il ferait paraître dans un journal local avant-gardiste. Ensuite, il rencontra une jeune femme très intéressante qui est maintenant sa fiancée.

S'ouvrir à l'intuition, c'est comme s'ouvrir à une nouvelle histoire d'amour. Notre première aventure se résume peut-être à un rendez-vous devant un café, qui nous laisse une certaine impression de raideur mais aussi de mémorables possibilités. La deuxième sera un peu plus hardie, disons un baiser sur la joue. La troisième marquera le début d'une passion en herbe, un intérêt qui persiste et nous accompagne tout au long de nos journées. Un appel de l'intuition est un appel que nous devons suivre. La destinée arrive sous la forme d'un repas modeste, pas sous celle d'une fanfare.

EXERCICE
Dessinez le monde à votre échelle

Pas besoin qu'une aventure soit importante ou intense pour être aventureuse et venir nourrir l'artiste en nous. On pourrait même soutenir que la plupart des gens vivent des vies trop remplies d'aventures. Le journal télévisé du soir et les manchettes quotidiennes abondent en extrêmes de toutes sortes. C'est pour cette raison que l'outil que je vous propose ici est simple. Nous menons tous des vies aventureuses, mais nous devons le voir pour nous en rendre compte.

Allez dans un magasin de fournitures de bureau ou d'artistes et achetez-vous un calepin à dessin. Ayez toujours ce calepin avec vous, ainsi qu'un crayon ou un stylo. Vous pourrez ainsi croquer toutes les petites aventures de la vie telles qu'elles se présentent à vous.

Quand vous prenez le temps de vous arrêter et d'entrer dans l'aventure de chaque instant en dessinant la salle d'attente de votre médecin, l'arrêt d'autobus où il faut une éternité au bus pour arriver, votre tasse de café pendant que votre amie est allée se poudrer le nez, vous commencez à avoir l'impression de mener une vie remplie d'intéressants personnages. Pas besoin de savoir bien dessiner pour y prendre plaisir.

L'été de mes vingt et un ans, j'avais toujours avec moi un calepin de ce genre, peu importe où j'allais dans New York. J'ai encore le dessin maladroit que j'avais fait pendant que j'attendais dans le bureau de celui qui devait devenir mon premier agent littéraire. Ce dessin représente une plante malingre et un fauteuil inconfortable. Un seul coup d'œil à ce dessin, et je me retrouve à cette époque comme si j'y étais, dans la grande aventure du début de ma carrière littéraire. Quelques pages plus loin dans le même carnet, il y a un dessin de mon ami Nick Cariello. « Tu me fais paraître trop vieux », s'était-il plaint pendant que je le croquais. Depuis, il a vieilli et est devenu le Nick que j'avais alors vu pendant que je le dessinais.

Une très grande partie de la vie que nous menons nous dépasse à toute allure et de façon embrouillée. Les coupables, ce sont la vitesse et la pression. Un carnet de croquis fige le

* * *

Chacun a besoin de tout.
Rien n'est juste ni bien seul.

RALPH WALDO EMERSON

temps. C'est une forme instantanée de méditation qui focalise notre attention sur chaque instant qui s'écoule. Très souvent, la grande aventure de la vie se trouve entre les lignes, comment nous nous sommes sentis à une certaine époque et à un certain endroit. Cet outil vous aidera à vous rappeler et à savourer le défilé.

LE VERBE «ÊTRE»

Il est trop facile de penser à l'art comme à une chose à laquelle nous aspirons, à un idéal en fonction duquel nous pouvons mesurer nos efforts, qui automatiquement s'avéreront malheureusement insuffisants. C'est une façon de concevoir l'art, et Dieu sait que nous nous sommes saignés à blanc avec elle. Nos concepts du « grand art » et des « grands artistes » nous servent plus souvent à dénigrer nos efforts qu'à aspirer à quelque chose. Pourquoi ne pas envisager l'art de façon un peu différente ?

Avec sa voix d'opéra très pure et son registre très étendu, Catherine répondait au doigt et à l'œil aux chefs d'orchestre et pouvait s'arrêter sur un dix cents. Cela faisait d'elle une cantatrice très appréciée de ces derniers. Elle avait fréquenté le meilleur conservatoire d'Amérique, étudié avec les professeurs les plus sévères et les plus respectés, remporté des concours et s'était fait remarquer. Elle semblait prédestinée à une carrière dans le monde de l'opéra, à un détail près : c'était Broadway qui faisait chanter son cœur. Elle était comme Madame Butterfly qui souffrait les tourments d'un amour non partagé. Catherine chantait de l'opéra tout en rêvant de Broadway... jusqu'à ce que sa santé flanche.

* * *

Pour moi, chaque heure du jour et de la nuit est un miracle.

WALT WHITMAN

« Je n'avais plus le cœur à chanter la moindre autre aria tragique. Même si le talent était là, je voulais revenir à la case départ. L'opéra était lourd pour moi, pas sur le plan vocal, mais sur le plan émotionnel. J'avais été formée pour une carrière que je ne voulais pas et que je poursuivais quand même. Résultat : mon cœur était brisé ainsi que ma santé. »

Heureusement pour elle, Catherine rencontra une femme âgée d'une grande sagesse qui lui demanda ce qu'elle voulait dans la vie : être admirée ou être heureuse. Elle réalisa que sa motivation à poursuivre une carrière dans l'opéra était fondée sur un snobisme qu'elle-même réprouvait. Prenant son courage à deux mains, Catherine finit par admettre le désir de son cœur. « La diva malheureuse que j'étais est devenue une danseuse heureuse. » Depuis qu'elle concentre ses ambitions et ses talents sur Broadway, Catherine y travaille en permanence. Elle dit en riant : « Si on trouve chaussure à son pied, il faut la mettre, même s'il s'agit de chaussures de claquettes. »

L'art a moins à voir avec ce que nous pourrions être et plus avec ce que nous sommes réellement mais ne pouvons normalement pas reconnaître. Lorsque nous mettons l'accent sur l'amélioration, nous passons à côté de ce que nous sommes déjà. C'est une chose dangereuse parce que nous sommes, tels que nous sommes, la source de notre art. *Nous* sommes ce qui fait l'originalité de notre art. Si nous nous efforçons sans cesse de nous améliorer et d'être autre chose, nous diluons la puissance de ce que nous sommes déjà. Ce faisant, nous diluons également notre art.

Un musicien avec un grand talent pour la mélodie décide que la dissonance et le minimalisme sont préférables à la fluidité de son don musical. Un sculpteur qui préfère les petits formats a l'impression d'avoir un talent moindre s'il ne réalise pas

* * *

Le temps du chant des oiseaux est venu.

Chant de Salomon

de pièce énorme et imposante. Un réalisateur né pour faire du cinéma-vérité porte une grande admiration aux comédies de salon qu'il ne sera jamais capable de perfectionner. Un artiste dont les dessins d'une grande simplicité font pleurer les gens décide que seule la peinture à l'huile est un art noble.

Arthur Kretchner, un grand éditeur me fit un jour la remarque suivante : « Mais qu'est-ce qu'ils ont les écrivains ? Si quelque chose leur vient facilement, ils n'ont aucun respect pour ça. À la place, ils se trouvent un créneau et mangent de la vache enragée. »

Parfois, les artistes développent dans leur psyché une esthétique d'autorejet qui peut se comparer à celle des adolescents sur le plan du physique. C'est une dépréciation qui s'installe et qui prétend que ce que nous sommes n'est pas aussi bien ni aussi beau qu'une autre personne. Si nous sommes petits, avec les cheveux noirs et d'allure méditerranéenne, nous voulons être grands, blonds et de teint pâle. Si nous sommes une déesse nordique aux yeux pervenche, nous souhaiterions avoir les yeux noirs et la peau de bronze des femmes des peintures de Gauguin. Autrement dit, ce que nous sommes n'est pas ce que nous souhaitons être. Les acteurs qui jouent dans des comédies aimeraient jouer dans des tragédies et vice-versa. Les écrivains qui sont nés pour écrire des nouvelles aspirent à recevoir un prix pour leur roman, alors que les romanciers dans l'âme ne rêvent qu'à la scène. Cela ne veut pas dire que nous ne pouvons pas faire plus d'une chose, mais une des choses que nous devrions nous permettre de faire est justement celle qui nous vient naturellement et facilement. Pourquoi ne le faisons-nous pas ?

* * *

Soyez votre propre lumière.
Ayez d'abord confiance en vous.
Attachez-vous à la vérité qui est en vous
comme étant la seule lumière possible.

LE BOUDDHA

L'art ne peut pas se programmer, pas plus que nous pouvons nous améliorer pour devenir de grands artistes en faisant des redressements assis fantaisistes. En fait, les grands artistes sont les plus grands amateurs, terme qui est dérivé du verbe latin *amare*, qui veut dire *aimer*. Les artistes ont appris à se soustraire du sérieux de la catégorisation et à se permettre de suivre leur plaisir tout simplement. Picasso en est l'exemple flagrant. Il voyait de la beauté dans une boîte de conserve, dans un vieux ressort rouillé, dans un dépotoir. Enchanté de ses trouvailles au bord des routes, il enchanta le monde avec l'art qu'il créa à partir de son amour des objets trouvés. Quelle perte cela aurait été s'il s'était dit : « Pablo, reprends-toi ! Tu es un maître, quand même ! Pas de boîtes de conserve pour toi. Pense plutôt Guernica ! Pense sérieux ! »

Il n'est pas surprenant que Picasso lui-même ait fait remarquer que nous sommes tous nés enfants, mais que la difficulté est de le rester. Mozart en serait resté un, paraît-il. Pourquoi devenons-nous si fichûment adultes ?

Lorsque nous arrêtons de vouloir nous améliorer et que nous essayons de nous amuser à la place, nous avançons en tant qu'artiste. Si nous emboîtons le pas à ce que nous aimons faire au lieu de nous pousser vers ce que nous « devrions » faire, notre rythme s'accélère, notre énergie s'amplifie et l'optimisme s'installe. Ce que nous aimons nous alimente. Si vous êtes un inconditionnel de Schubert, jouez du Schubert. Si vous avez une envie folle de jaune dans le moment sans aucune raison apparente, peignez une pièce en jaune, que vous appellerez la pièce du soleil. Au lieu de vous résister, trouvez-vous irrésistible. Jouez avec l'idée que vous êtes sur une piste lorsque vous apercevez un amaryllis dans la vitrine d'un fleuriste et que vous pensez « Oh ! que j'aimerais en avoir un ! »

* * *

L'étrange qui s'ajoute à la beauté donne à l'art son caractère romantique.

WALTER PATER

Les enfants apprennent à un rythme prodigieux. Si vous observez un enfant en train d'apprendre, vous remarquerez qu'il passe d'une chose à une autre, qu'il satisfait son appétit un peu partout avec les cubes, les crayons de couleur, les legos, de cette façon-ci ou de cette façon-là. Il expérimente. Lorsque nous essayons d'établir un programme pour notre artiste, nous oublions qu'il est enfantin et capricieux. L'incitation fonctionne mieux que la discipline, et la curiosité nous amène plus loin que nos connaissances. Pour faire sérieusement de l'art, il faut sérieusement jouer, et le jeu, par définition, est anarchique, coquin.

Pour être un artiste, vous devez apprendre à vous laisser être ce que vous êtes. Arrêtez de devenir meilleur et commencez à apprécier ce que vous êtes. Faites quelque chose qui vous fait simplement plaisir pour aucune raison. Laissez-vous tenter par de petites choses, mettez le nez là où vous n'avez pas l'habitude de le faire, achetez un coupon de soie d'une couleur que vous ne portez jamais. Décorez-en votre autel, encadrez-le ou posez-y un géranium dessus. Dérogez aux conventions. Laissez-vous aller. Un grand nombre d'artistes travaillent en pyjamas. Ernest Hemingway et Oscar Hammerstein travaillaient debout parce qu'ils aimaient ça.

Parfois, nous progressons beaucoup plus vite dans notre art et notre vie si nous nous autorisons à faire ce qui nous vient facilement et naturellement. Si vous aimez dessiner des chevaux, arrêtez de dessiner des chaises. Vous voudriez faire de la danse classique, allez-y et laissez le jazz moderne aux autres. Si Broadway vous chante vraiment, dites au revoir à Chopin.

Il y a de la créativité à peindre sa cuisine ou à orner de grelots les chaussures de ses enfants. Réorganiser son bureau peut être créatif tout comme débarrasser ses placards des vieilleries. Rien de tout cela ne viendra renverser la civilisation occiden-

* * *

Aujourd'hui n'est pas un autre jour, tu sais.

LEWIS CARROLL

tale, mais par contre cela remontera le moral à tout le monde. Et ce petit supplément de joie de vivre viendra rehausser la civilisation occidentale d'une coche. C'est l'expression de soi, et non pas l'autocritique et la « correction », qui est porteuse de guérison et de bonheur. Grelots aux chaussures ou sonnets à l'école, la différence n'est pas si grande. Écrire une nouvelle ou faire quelque chose de nouveau un samedi après-midi sont deux activités créatives, à part que l'une est d'envergure et l'autre moins. Par contre chacune d'elles part du droit d'exprimer un choix créatif.

Très souvent, un peu d'art convivial et facile peut nous aider à remonter nos pentes glissantes avec un peu plus d'humour et d'optimisme.

Les artistes de tous acabits ont tendance à associer la difficulté à la vertu et la facilité au laisser-aller. Nous faisons l'erreur de ne pas céder à ce qui nous vient facilement, ce qui nous empêche de prendre plaisir au talent qui nous habite. À la place, nous décidons résolument de travailler sur nos points faibles. Et nous qualifions cela d'amélioration de soi. D'accord, parfois nous améliorons effectivement un secteur chambranlant, mais si nous ne mettons pas en pratique la joie qui vient quand nous nous servons de nos talents avec facilité, nous nous privons de l'expression. Et il est dangereux, en tant qu'artiste, d'ignorer ses prédilections et penchants naturels.

Cela ne veut pas dire que vous deviez renoncer au grand art. Au contraire, mordez dedans à pleines dents mais avec désinvolture.

EXERCICE

Permettez-vous d'être

Le sérieux est l'ennemi de la spontanéité. Ce que nous devrions aimer et ce que nous aimons effectivement sont souvent en réalité deux choses différentes. Permettez-vous de reconnaître certains de vos plaisirs interdits plus anarchiques. (Bien des liaisons durent plus souvent que des mariages parce qu'elles sont officiellement des « plaisirs interdits ».)

Prenez un crayon et complétez dix fois de suite la phrase suivante :

En secret, j'aimerais _____.

Vous venez d'entrer dans le monde des rêves et de tirer de votre inconscient quelques désirs secrets bien cachés. Reprenez votre crayon et, pendant quinze minutes, laissez-vous habiter par un de vos désirs secrets. Quelle impression cela vous fait-il ? Où êtes-vous quand vous le faites ? Qui vous encourage ? Qu'est-ce qui vous surprend ? Faites que ce film mental soit aussi vivant que possible. Assurez-vous que les acteurs de soutien sont bien présents et hauts en couleurs. L'initiative commence souvent dans l'imagination. Et comme le résume si bien Stella Merrill Mann, « Demandez, croyez, recevez. » Commencez donc par vous offrir le cadeau de conceptualiser un désir secret qui serait totalement réalisé.

INVENTION OU CONVENTION

Les artistes sont des innovateurs. Nous expérimentons et nous explorons. Nous faisons de nouvelles choses, ou du moins nous refaisons de nouveau les choses. Chaque peinture améliore nos aptitudes et nos expériences d'un iota, même si nous sommes dans un cours qui copie un vieux maître. Chaque fois qu'un pianiste s'attaque à Franck ou Beethoven, ou bien interprète Debussy, il apporte une nuance personnelle à l'œuvre. Qu'il s'agisse d'une nouvelle représentation d'un

* * *

Le rôle premier de l'intelligence est de reconnaître notre état précaire dans la vie, et celui du courage est de ne pas se démonter devant ce fait.

ROBERT LOUIS STEVENSON

vieux ballet ou de la millionième production de *Roméo et Juliette*, toute expression artistique insuffle quelque chose de nouveau à l'œuvre et au monde. Même quand nous faisons quelque chose qui « a déjà été fait », nous y mettons une énergie créative nouvelle. Et lorsque nous explorons et élargissons délibérément le territoire de notre créativité, nous innovons davantage et encore plus loin.

Certaines humains sont des innovateurs de tempérament et d'état. D'autres sont des conservateurs. En tant qu'artistes, nous sommes plus souvent innovateurs que conservateurs. Ceux à qui nos œuvres procurent du travail – c'est-à-dire les agents littéraires, les imprésarios, les éditeurs, les propriétaires de galeries d'art, les conservateurs de musée, les réalisateurs – sont le plus souvent des conservateurs. En tant qu'innovateurs, nous ne devons pas innover au point de couper les ponts, mais nous ne devons pas non plus laisser les conservateurs être conservateurs au point de nous obliger à passer toute notre carrière à consolider les ponts que nous avons déjà construits. Les conservateurs s'attardent au territoire connu du « comment c'est fait » et du « comment marchent les choses dans le milieu », pas au territoire de l'inconnu sans cesse renouvelé. Ils ne nous enseignent pas comment éplucher une banane d'une façon nouvelle, mais de la façon dont on l'a toujours épluchée. Ils parlent de « ce qui marche », plutôt que de « ce qui *pourrait* marcher ». Ils disent des phrases du genre : « C'est pas comme ça que les affaires fonctionnent. »

Les conservateurs veulent que les artistes croient que le « comment ça se fait » devienne la façon dont les choses « doivent » être faites. Ils font souvent allusion aux risques qui vont à l'encontre de l'accomplissement d'un rêve artistique et sortent souvent les chiffres qui prouvent les risques insurmontables qui nous barrent la route. Ils oublient souvent que les artistes savent que les risques ne sont pas des impossibilités, qu'ils ne l'ont jamais été et ne le seront jamais. À les entendre parler, ces risques semblent peut-être insurmontables. Ce ne sont là que manœuvres d'intimidation. Quand nous laissons les conservateurs nous terroriser par leurs manœuvres, nous perdons l'esprit d'innovation et d'ingéniosité qui nous permet d'inventer une autre façon d'éplucher une banane.

En tant qu'artiste et innovateur, nous devons toujours nous demander comment nous pouvons parvenir à nos fins. Nous devons toujours chercher et trouver une autre façon d'éplucher une banane, de publier un livre, de tourner un film, de monter une pièce. Les artistes s'attachent non pas au « comment c'est fait », mais au « comment ça pourrait se faire ». Nous sommes là pour trouver des solutions, pas des problèmes. Notre préoccupation, c'est de faire des choses, alors que celle des conservateurs est de s'accommoder des choses telles qu'ils les trouvent.

Lorsque Jeanne épousa Gordon, elle vivait de son art et avait une carrière artistique diversifiée et animée. La peinture, la sculpture et la photographie étaient ses dadas. Elle louvoyait agilement entre les trois, se bâtissant une carrière intéressante et florissante. « Tu dois te spécialiser, tu dois te mettre sur le marché, lui conseilla solennellement son mari. Tu ne peux pas courir après tout ce qui te passe par la tête. Ce n'est pas comme ça qu'on fait des affaires. »

Impressionnée et intimidée par l'expérience de son mari, Jeanne façonna sa carrière en fonction des souhaits de ce dernier plutôt que des siens. Durant les dix années que dura leur mariage, elle fit en grande partie tout ce qu'il lui disait de faire, se spécialisant comme son mari le lui recommandait. Sa carrière avait un certain succès mais stagnait et manquait d'entrain. Jeanne sombra dans la dépression. Mais, quand son mari la quitta, prétendant qu'*il* se sentait étouffé, elle se sentit soudainement libérée. Après quelques mois de désorientation vertigineuse, elle entreprit d'explorer plusieurs intérêts.

* * *

Vous ne savez jamais ce qui est assez à moins de savoir ce qui est plus qu'assez.

WILLIAM BLAKE

« Je me définissais de façon trop étroite, juste comme une artiste-peintre, alors que j'ai toutes sortes de talents divers auxquels j'aime faire appel. » Pendant longtemps fermée à la technologie, Jeanne décida d'explorer l'informatique, l'infographie, et apprit la mise en pages. À son grand plaisir, elle découvrit que les gens adoraient la payer pour ce genre de travail. Une nouvelle entreprise florissante de graphisme venait de naître.

Les artistes s'apparentent plus aux inventeurs qu'à ceux qui s'occupent de la production de masse des inventions. Il se peut que nous fassions les deux, bien sûr, et nous le faisons souvent, mais nous sommes fondamentalement ceux qui créent ce que d'autres pourront mettre en production. Nous créons une peinture qui deviendra par la suite une carte de souhait, une affiche ou un calendrier. Mais, l'essence de la création réside en nous. Nous essayons de voir si une idée marche. À l'instar des frères Wright, nous inventons le gadget qui devient ensuite un produit de première nécessité. Nous, les artistes, nous intéressons à ce qui peut être fait plutôt qu'au « comment ce ne peut être fait ».

Certains imprésarios, agents, réalisateurs, négociants et conservateurs de musée sont aussi bien des novateurs que des créateurs. Ils apportent à notre travail l'audace de leur propre inventivité. Mais la plupart ne le font pas. En effet, en tant que conservateurs, ils mettent davantage l'accent sur ce qui s'est bien vendu plutôt que sur ce qui pourrait l'être. Ils focalisent davantage sur les inconvénients que sur les avantages. Par ailleurs, ils misent sur les coups sûrs et les rendements assurés à court terme plutôt que sur les retours à long terme inhérents à une œuvre d'art de qualité supérieure et au marché qu'elle pourrait certainement attirer.

Les artistes savent pertinemment que quelque chose peut ne pas être fait jusqu'à ce que quelqu'un le fasse. Un artiste,

* * *

Toute vision profonde du monde est mysticisme.

ALBERT SCHWEITZER

quelque part, décidera de repousser les bornes un peu plus loin et d'élargir sa portée, notre portée. La comédie musicale *Showboat* souleva de sérieuses préoccupations dans le monde de la comédie musicale. Les comédies *Oklahoma !* et *Carousel* faisaient entrer en jeu des histoires « vraies », des personnages et des scènes qui pouvaient très bien se défendre au niveau dramatique. La comédie musicale ne se définissait plus uniquement par la rencontre de la jeune fille et du jeune homme. À partir de Rodgers et Hammerstein, on s'attaquait à de vraies questions et notions. Ces créateurs avaient déplacé les bornes plus loin et laissé le champ libre à la créativité.

Comme ces exemples l'indiquent clairement, les artistes doivent écouter attentivement leur guide intérieur en premier lieu et, ensuite, leurs conseillers. Écouter la petite voix tranquille intérieure qui nous guide n'est pas seulement un geste de spiritualité, c'en est aussi un de bonne pratique commerciale. Le jeu entre le commerce et la créativité est une danse difficile, une danse que les artistes doivent mener. Si vous montrez une peinture avec une tendance nouvelle à un négociant à qui sa clientèle réclame les mêmes productions que l'année précédente, il émettra peut-être un soupir soucieux et décourageant. Ne vous laissez pas démonter, car sachez qu'il ne peut pas voir ce que vous, artiste, sentez. Il ne peut pas voir que cette tendance sera la nouvelle tendance que le marché suivra bientôt. Pour l'artiste qui est disposé à apprendre, tous les chemins mènent à Rome.

« Rien ne réussit comme le succès » est un truisme dans le domaine des arts. Le problème réside dans l'analyse que nous faisons du succès. Pour un artiste, il peut s'agir de confectionner quelque chose de nouveau et de stimulant, plutôt que de répéter quelque chose de connu qui a bien marché. Ou encore, il peut s'agir de réaliser des œuvres qui vont dans le sens du res-

* * *

Les bagatelles font la perfection, mais la perfection n'est pas une bagatelle.

MICHEL-ANGE

pect personnel, qui ne suivent pas purement la tendance du marché mais aussi nos intérêts très changeants. On m'a dit que les nouvelles ne se vendaient pas, pour découvrir par après qu'elles se vendaient très bien au contraire. On m'a dit que le théâtre relatant le passé ne marchait pas, pour finir par remporter un prix avec la pièce que j'avais écrite. On m'a dit de ne jamais employer la première personne du singulier pour un roman, mais je l'ai tout de même fait, les critiques ont été bonnes, l'accueil du public, chaleureux, et j'en ai tiré une grande satisfaction personnelle.

Alors que le commerce de l'art est une machine, l'artiste est l'étincelle qui l'anime. Cette étincelle peut se faire éteindre par trop de réalisme et trop de « Je sais que vous n'aimerez pas ce que j'ai à vous dire, mais... » Les conseillers qui nous veulent du bien peuvent nous précipiter dans un effondrement créatif, dans une phase de totale inactivité, contre un mur de résistance intérieure. Ils oublient qu'ils ne peuvent pas vendre ce que nous ne faisons pas et nous incitent souvent à faire ce qu'ils savent qu'ils pourront vendre. Ils oublient que, s'ils sapent trop notre moral, trop souvent, le travail sera sapé lui aussi, et qu'il n'y aura rien à vendre.

Les artistes disposent d'une forme de pouvoir intérieur que les conseillers ne peuvent jamais amoindrir ni contrecarrer. Et là réside la clé.

C'est la question des risques qui déconcerte toujours les conservateurs lorsqu'ils font affaire avec les artistes. En effet, ils aiment bien penser qu'ils connaissent tous les risques. Ils aiment bien penser qu'ils savent ce qui se vend, et c'est le cas jusqu'à ce qu'un autre artiste invente un autre truc mémorable et imprévisible, et crée un nouveau marché. Les artistes sont avant tout la source même de leurs œuvres. Étant donné que chacun d'eux est unique en son genre, le marché est en fait susceptible de tomber amoureux de n'importe lequel d'entre eux à n'importe quel moment. Alors, la soi-disant prévisibilité peut aller se rhabiller.

Je dis et je sais cela parce que je crois que la créativité est une question d'ordre spirituel. «La foi déplace les montagnes», disait le Christ, peut-être même littéralement.

Quand nous parlons du Créateur, ou du Christ, nous réalisons rarement que les lois qu'il a dictées sont en fait les lois spirituelles reliées à la créativité. Les énoncés «Frappez et on vous ouvrira» ou «Demandez et vous recevrez» ne sont pas de simples banalités spirituelles, mais bel et bien des lois spirituelles concernant la manifestation.

- Demandez
- Croyez
- Recevez

Les artistes demandent quotidiennement l'inspiration. Nous avons besoin de prendre exemple sur le Christ que nous pouvons également demander à ce que nos visions se matérialisent sous forme d'argent, de soutien, de possibilités. Notre foi, faite d'une demande appariée à une attente d'accomplissement réussi, ne diffère en rien de la foi du navigateur qui largue les amarres pour prouver au monde que la Terre est ronde. Les rêves de créativité nous viennent sous forme de visions, que nous avons la responsabilité de mener à bien. Lorsque nous laissons le Créateur œuvrer ainsi à travers nous, nous nous harmonisons avec le pouvoir spirituel qui viendra alors effacer les risques.

* * *

Je réalise que j'ai peint ma vie, les choses se produisant dans ma vie, sans le savoir.

GEORGIA O'KEEFFE

EXERCICE
Engagez le dialogue

À part les conservateurs en chair et en os que nous rencontrons dans notre carrière de créateur, nous portons également un conservateur en nous. Il joue le rôle d'arbitre, il voit à réfréner nos impulsions trop débridées. Les carrières les plus créatives sont fondées sur un dialogue fructueux entre l'innovateur intérieur et le conservateur intérieur. Ce dialogue est un talent pratique qui peut se développer. Prenez un crayon et laissez ces deux aspects engager le dialogue. Ce dialogue pourrait ressembler à ce qui suit:

INNOVATEUR

J'aimerais retourner aux études à temps plein.

Je suis enfermé dans mon atelier depuis dix ans.

Je me sens seul et je m'ennuie.

CONSERVATEUR

Tu gagnes ta vie avec le travail que tu accomplis dans ton atelier.

~~*Tu peux pas juste laisser tomber comme ça.*~~

INNOVATEUR

J'aimerais bien, c'est certain.

* * *

Ce qu'un homme pense de lui... détermine, ou plutôt indique, son destin.

HENRY DAVID THOREAU

CONSERVATEUR

Que dirais-tu d'un cours par semaine ?
Tu aurais le temps et, si tu choisis le bon,
ce pourrait être très stimulant.

INNOVATEUR

C'est une bonne idée et certainement moins radicale qu'un saut
dans le vide.

Merci.

Toutes les carrières dans le domaine de la créativité sont fondées sur des dialogues comme celui qui précède. Pendant que nous avançons et solidifions nos assises, de solides carrières prennent forme. Comme les jardins, elles exigent des soins patients qui ne laissent aucune plante pousser en bataille.

VÉRIFICATION

1. **Combien de fois cette semaine avez-vous rédigé vos Pages du matin ?** Si vous avez sauté un matin, pour quelle raison l'avez-vous fait ? Quel genre d'expérience avez-vous vécu en écrivant ces pages ? Sentez-vous plus de clarté ? Une plus vaste palette d'émotions ? Une plus grande impression de détachement, de finalité et de calme ? Quelque chose vous a-t-il surpris ? Voyez-vous un scénario répétitif qui demande à être examiné ?

* * *

Nous avons tous des anges qui nous guident. Que nous apportera leur aide ?
De demander. De remercier.

SOPHY BURNHAM

2. **Avez-vous été à votre Rendez-vous d'artiste cette semaine?** Avez-vous ressenti une amélioration de votre bien-être? Qu'avez-vous fait et qu'est-ce que cela vous a fait? Rappelez-vous que les Rendez-vous d'artiste sont difficiles et qu'il faudra peut-être vous pousser un peu pour les respecter.

3. **Avez-vous fait votre Promenade hebdomadaire?** Quelle impression cela vous a-t-il fait? Quelles émotions ou intuitions ont fait surface en vous? Avez-vous pu aller vous promener plus d'une fois? De quelle façon cette promenade a-t-elle modifié votre optimisme et votre perspective des choses?

4. **Y a-t-il eu d'autres questions cette semaine qui vous ont paru significatives dans la découverte de ce que vous êtes?** Décrivez-les.

Découverte de la notion de territoire personnel

Pour dire oui à notre créativité, nous devons souvent dire non à nos conjoints. L'accent étant mis cette semaine sur les limites personnelles, le thème et les exercices qui l'accompagnent visent à nous aider à définir nos identités créatives par rapport à nos nombreux autres rôles. Lorsque vous rapatriez votre énergie, attendez-vous à ressentir une accentuation des émotions.

ÉNERGIE CRÉATIVE ET MATERNAGE

Notre énergie sexuelle et notre énergie créative sont très intimement liées. C'est la raison pour laquelle nous écrivons des chansons d'amour, des poèmes d'amour, des chants engagés. Et puis, il y a l'expression, « porter le flambeau », car en tant qu'amoureux dont l'amour n'est pas réciproque, nous portons encore en nous une étincelle suffisamment vive qui fera de nous des êtres brûlés d'amour.

Si une personne qui allume notre imagination croise notre chemin, elle joue le rôle d'une amorce qui met le moteur de notre créativité en marche. Soudainement, nous avons des choses à dire et aspirons à les dire de façon nouvelle. Nous les disons par la peinture, par la danse, par la poésie, par le modelage. Le monde du possible nous anime soudainement. Et en nous voyant vibrer d'enthousiasme, les gens nous demandent : «Êtes-vous amoureux ? »

Dans un sens, nous le sommes et nous sommes aussi amoureux de notre artiste intérieur, qui nous est subitement reflété comme quelque chose de stimulant, d'aventureux, de puissant et peut-être même de dangereux. L'énergie afflue en nous, nous brûlons la chandelle par les deux bouts, nous veillons tard pour travailler à la réalisation d'un projet. Nous nous levons tôt pour voler une heure que nous passerons à notre chevalet, comme on vole une heure de sommeil pour faire l'amour avant d'aller travailler.

L'énergie créative et l'énergie sexuelle constituent toutes deux notre énergie personnelle. L'usage que nous en faisons ne regarde que nous, et prétendre le contraire serait réducteur et insultant. En fait, ces deux énergies sont si intimement liées que nous les ressentons de façon quasiment identique. Nous concevons des enfants, tout comme nous concevons des projets. Ces deux énergies sont sacrées et issues d'une seule et même source, c'est-à-dire de notre essence personnelle. Tout comme notre énergie sexuelle, notre énergie créative ne doit pas être gaspillée. Pourtant, c'est souvent ce que l'on nous demande de faire.

En tant qu'artistes, nous devons faire preuve de vigilance face à ce que les gens nous demandent et à la façon dont ils rétribuent ce que nous sommes. Étant donné que nos conjoints et nos amis nous amènent tout à fait inconsciemment vers des comportements conditionnés, nous devons être prudents devant leurs remerciements et leurs compliments. Nous devons aussi faire preuve de vigilance quant aux façons dont ils nous tiennent et nous manipulent par leur manque d'approbation et de générosité. Telles sont les choses qui nous conditionnent et qui conditionnent également la façon dont notre art sera ou ne

* * *

On ne voit bien qu'avec le cœur. L'essentiel est invisible pour les yeux.

ANTOINE DE SAINT-EXUPÉRY

sera pas réalisé.

La réjouissance est source de créativité, alors que la rigidité est source de désespoir. Lorsque nous étouffons notre gaieté au nom de la discipline et de la vertu, l'étincelle vitale et juvénile en nous qui aime l'aventure et l'invention commence à vaciller comme une flamme sous l'effet d'un courant d'air.

La créativité répond lorsqu'on l'enveloppe et la nourrit d'attention. Si on nous interdit d'être comme des enfants – et qu'on nous qualifie d'enfantins ou d'égoïstes –, si on nous enjoint à être trop raisonnables, nous réagissons comme le font les écoliers très doués face à un professeur autoritaire : nous refusons d'apprendre et de nous développer. Toute notre énergie passe à la résistance qui, avec le temps, se rigidifie en une impénétrable carapace de fausse indifférence.

Fertile, généreux et même tapageur, l'univers tout entier vibre d'énergie. Pour la plupart, nous débordons de gaieté, d'humour et d'espièglerie au moindre mot d'encouragement. C'est précisément l'encouragement qui nous manque à tous. Nous avalisons l'idée que la vie est ennuyeuse et difficile, qu'il faut l'aborder comme un bon soldat. Nous nous disons : « Bon, à la guerre comme à la guerre ! »

La vérité, c'est que les enfants que nous étions s'attendaient à beaucoup plus. Nous nourrissions des rêves, caressions des espoirs, entrevoyions la venue de délices et de passions. Nous faisions de la danse classique dans le salon, nous chantions à tue-tête n'importe où, nous adorions les dégâts de la peinture faite avec les doigts. Nous aimions, point à la ligne. Et l'amour est une force passionnée et énergisante. Pour que notre créativité puisse s'épanouir, nous devons nous réapproprier nos droits d'aimer et d'être aimé. Nous devons quelque peu nous amouracher de nous-mêmes, de nos idées, de nos fantaisies et de nos ambitions. Au lieu de nous contraindre nous-mêmes ou de laisser les autres nous contraindre à devenir des adultes solennels, nous devons réclamer notre droit d'être cinglés, truculents ou même ridicules. En amour, ne parle-t-on pas de « jeux préliminaires » ? Il faut dont nous permettre de jouer avec les choses que nous aimons. Cela veut dire que, au lieu de nous pousser dans le dos et nous forcer à être meilleurs, nous devons plutôt nous détendre et profiter de la vie.

La créativité est de nature sensuelle, tout comme nous. Quand nous célébrons notre passion au lieu de la réprimer, nous en récoltons davantage. C'est cette passion qui vient alimenter notre art.

Si notre amoureux persiste à vouloir se servir de nous pour « travailler » ses problèmes et qu'il ne nous sort jamais pour le plaisir, nous finirons par être hargneux et agressifs. Il en va de même pour les relations dans le domaine de la créativité. Nous pouvons prendre soin de l'autre, nous pouvons être perspicaces, et peut-être représenter la personne idéale pour tester de nouvelles idées, mais il ne s'agit là ni d'amour ni de collaboration créative. Prendre soin de l'autre fait partie intégrante d'un partenariat, mais le materner est une façon de dilapider notre énergie créative au profit des scénarios de vie d'une autre personne.

Lorsque les autres nous demandent de prendre soin d'eux de façon excessive, lorsque nos amis, amoureux ou collègues de travail nous demandent de les materner ou de les paterner, notre artiste intérieur réagit par la dépression et la colère. De telles exigences peuvent nous faire sentir asexués, châtrés et utilisés.

Une femme écrivain mariée à un homme dont les besoins la siphonnaient totalement fut ébahie, après leur divorce, de voir son énergie créative et son énergie sexuelle ressurgir comme surgit la lionne déprimée et bourrée de médicaments qui a vécu pendant des années dans une cage trop étroite. Cette femme le comprit très bien : l'énergie sexuelle et l'énergie créative sont intimement liées. Quand notre ardeur créative est étouffée, notre ardeur sexuelle l'est aussi. Quand notre sexualité est étouffée du fait que nous maternons excessivement les autres, notre créativité en souffre.

* * *

Qu'il s'agisse de vie ou de mort, nous avons uniquement soif de réalité.

HENRY DAVID THOREAU

Ce n'est pas un hasard si les annales de l'art regorgent d'histoires de liaisons amoureuses incendiaires qui ont donné naissance à d'ardentes œuvres. Nos muses sont les bougies d'allumage qui déclenchent un feu passionné, créatif, ou les deux. Cela signifie-t-il que nous devons faire intervenir la sexualité dans toutes nos relations ou collaborations artistiques? Absolument pas. Par contre, cela signifie que nous devons éviter les contacts et les liaisons qui éteignent notre exubérance et, par conséquent, notre sexualité et notre créativité. Lorsque quelqu'un refuse de partager notre humour, il apparaît comme le parent sévère qui réprimande les exigences infantiles de son enfant. Certes, les artistes peuvent se marier, mais ils doivent « bien » se marier. Je dirais même plus, ils doivent s'amuser dans leur mariage pour que leur travail continue de s'épanouir. Et si le travail dépérit, la relation dépérira elle aussi. Si notre énergie est toujours grave ou excessivement dirigée vers les autres, nous resterons au point mort sur le plan de la créativité.

Dans les relations entre artistes, les deux personnes doivent se sentir vues et nourries. Ni l'une ni l'autre ne devrait être neutralisée, castrée, par une attention excessive. Les scénarios de vie ne peuvent pas remplacer l'aventure.

Si un homme veut être materné, il ne réagira pas avec enthousiasme à votre nouvelle robe sexy ou à votre nouvelle chanson. La femme artiste, quant à elle, pourrait exiger que son conjoint joue le rôle de papa-gâteau pour elle, prétendant que son enfant artiste a besoin d'être dorloté.

Aucun des deux sexes n'est à l'abri de l'effet de castration que les relations « siphonnantes » peuvent avoir sur les réserves de créativité lorsqu'elles ne disposent pas de tendresse pour les renflouer.

On peut sublimer la sexualité au nom de l'art, mais ce n'est pas nécessaire, car faire du tort à la sexualité fait du tort à la créa-

* * *

Je ne peux comprendre ; j'aime.

ALFRED, LORD TENNYSON

tivité. Lui redonner de l'ardeur, redonne ardeur et flamme à l'art.

Marié à une actrice narcissique constamment axée sur ses propres besoins, Daniel se sentait toujours vidé et son travail périclitait. Plus tard, alors qu'il était en relation avec une femme artiste qui était non seulement attirée par lui mais aussi par son travail, sa créativité retrouva tout son allant, avec des pièces de théâtre, des romans, des films – « progéniture cérébrale » d'un accouplement heureux.

Les mythes concernant les artistes et la sexualité tendent à mettre l'accent sur le côté négatif, sur la promiscuité, sur leurs excès sexuels autodestructeurs. Ce qui est bien plus pernicieux cependant, c'est le subtil « siphonnage » de la sexualité et de la créativité par l'excès de maternage. On ne fait cependant pas mention de l'épanouissement artistique que les artistes peuvent connaître lorsque la relation qu'ils entretiennent avec leur conjoint avive leurs potentiels créatifs et sexuels respectifs.

On peut dire que, s'il existe un art de l'idylle, il doit aussi exister une idylle dans l'art.

EXERCICE

Mettez-y du tigre !

Quand nous sommes amoureux, nous trouvons notre partenaire fascinant. Quand nous retrouvons notre créativité, c'est *nous* que nous trouvons fascinant. Nous tombons amoureux de nos idées, de nos intuitions, de nos inspirations et de nos impulsions. Ce que nous pensons et avons à dire nous intéresse. Nous nous sentons alertes, vivants et frémissants. Et lorsque nous ne

* * *

C'est l'objectif qui rend la vie belle, qu'il soit atteint ou pas. Essayez d'être Shakespeare et laissez le reste au destin.

ROBERT BROWNING

nous sentons pas ainsi, nous le savons et nous n'aimons pas ça. Lorsque nous reconnaissons ceux qui nous laissent froids, nous gardons nos intérêts au chaud.

Prenez un crayon et complétez les phrases suivantes aussi rapidement que vous le pouvez:

1. Parmi mes amis, la « bougie d'allumage » qui me fait sentir créatif et puissant est _____.

2. Parmi mes amis, la « sangsue » qui me siphonne et m'éteint est _____.

3. La relation qui m'a vidée parce que je prenais trop soin de l'autre est celle que j'ai eue avec _____.

4. La relation actuelle qui me laisse au point mort est celle que j'entretiens avec _____.

5. La relation d'amitié la plus créative et la plus mutuellement nourrissante est celle que j'entretiens avec _____.

Une fois que vous aurez trouvé parmi vos connaissances et amis intimes ceux qui suscitent de l'ardeur chez vous, posez-vous la question suivante: « Est-ce que je me permets d'être passionné? » Reprenez votre crayon et écrivez-vous une lettre d'amour. Soyez aussi précis et affectueux que vous le pouvez.

ARRÊTEZ D'ÊTRE GENTIL, SOYEZ HONNÊTE

« Charité bien ordonnée commence par soi-même », dit un proverbe loin d'être banal puisqu'il nous indique la voie à prendre. Il nous recommande d'être gentil envers soi, envers le soi authentique, puis ensuite d'être gentil envers les autres.

* * *

Lorsque vous êtes satisfait d'être simplement vous-même, que vous ne vous comparez pas ni ne rivalisez avec quelqu'un, tout le monde vous respecte.

Lao Tseu

Lorsque nous nous plaçons trop bas dans la hiérarchie, nous avons le sentiment d'être mené par le bout du nez et d'être moins que rien. Nous négligeons notre travail ou le faisons de façon distraite. Rapidement, il prend une note ronchonneuse, acerbe et dyspeptique, comme nous. Lorsque nous nous sous-évaluons, nous nous enlisons dans des vies qui ne sont pas les nôtres. Pour répondre aux attentes des autres, nous oublions peut-être nos propres valeurs.

Les systèmes de valeurs sont aussi individuels que les empreintes digitales. Chacun de nous vit en fonction de priorités qui peuvent tout à fait surprendre les autres mais qui nous sont absolument nécessaires. Lorsque nous transgressons le soi véritable, rapidement, la dévalorisation et la dépréciation s'installent en nous, ce qui nous empêche de passer à l'acte en notre nom propre et vient encore ajouter à notre souffrance.

Quand j'étais une jeune mère monoparentale, je me sentais coupable d'aspirer à passer du temps sans ma fille. J'avais besoin de silence. J'avais besoin de m'entendre penser. J'avais aussi besoin de prendre occasionnellement mon âme par la main et de ne pas avoir à m'inquiéter de ne pas prendre ma fille par la main. « Je ferais mieux de mettre en veilleuse tout rêve que je pourrais caresser », m'intimais-je, bien que je n'aie jamais arrêté d'écrire. Je mettais donc mes rêves en veilleuse, mais tôt ou tard, ils se réveillaient et moi je bouillais. Dans ces moments, je ne trouvais plus ma fille Domenica si ravissante que ça. Je devenais agressive, irritable et je me sentais coupable. J'aspirais à avoir davantage de temps pour écrire, luxe qui datait de mes années pré-maternité. Je me sentais prise au piège. Ma propre enfant n'était-elle pas plus importante que ma « progéniture cérébrale », me réprimandais-je. Je ne voyais pas d'issue possible.

* * *

Nous ne pouvons condamner ce que nous comprenons.

GOETHE

«Prends-toi une soirée», me conseilla une amie actrice plus âgée que moi. «Prends soin de ton artiste intérieur. Tu te sentiras une meilleure mère après. Tu as besoin de te tremper dans la réalité. Même si la société te dit que la maternité passe en premier, ce n'est pas le cas pour toi. Si tu as l'honnêteté de le reconnaître et que tu accordes la priorité à ton artiste, tu seras peut-être une très bonne mère. Mens-toi un peu au sujet de la sacro-sainte maternité et sache que les abus d'enfants viennent pour la plupart d'une trop grande promiscuité.»

Nos vies tournent mal parce que nous comprenons mal les choses. Et nous comprenons mal les choses parce que nous avons été élevés dans une société qui condamne toutes les formes de liberté nécessaires à l'épanouissement de l'artiste. Ces libertés sont celles qui nous permettent d'être un peu moins gentils afin d'être un peu plus vrais. Richard Rodgers avait besoin de temps pour se pratiquer au piano chaque matin et il le prenait. Après, et seulement après, il était un père totalement dévoué à ses enfants.

Je n'avais jamais pris conscience que le fait d'être trop gentil pouvait mener aux abus d'enfants, mais je pouvais y croire sans difficulté. Suivant alors le conseil de mon amie, je commençai à me lever une heure plus tôt le matin pour écrire mes Pages du matin pendant que ma fille dormait encore. J'entrepris aussi d'aller à mes Rendez-vous d'artiste, où j'ai convié ma conscience d'artiste et moi-même à certaines des aventures que j'avais prévues – et que j'avais en horreur – pour ma fille. Ces gestes de soin envers moi-même se sont traduits par la rédaction d'un scénario que j'ai ensuite vendu à Paramount.

Mais j'ai découvert une chose primordiale : ma mère avait eu raison d'afficher au-dessus de l'évier de sa cuisine un petit poème que j'avais toujours décrié parce que je trouvais que c'était des vers de mirliton. Je vous en fais part.

Si vous avez le nez collé sur l'ouvrage
et que vous l'y laissez suffisamment longtemps,
vous penserez dans peu de temps que des choses comme

*un ruisseau qui murmure et des oiseaux qui gazouillent
n'existent pas.
Vous ne serez plus conscient que de trois choses :
vous, l'ouvrage et votre satané vieux nez !*

J'ai enseigné pendant vingt-cinq ans et j'ai eu un grand nombre d'étudiants qui s'inquiétaient d'être égoïstes. Après mûre réflexion, je pense que la plupart des gens qui créent manquent d'affirmation. Au lieu de demander : « Julia, est-ce que je suis trop égoïste ? », ils devraient plutôt demander « Julia, est-ce que je suis assez égoïste ? » C'est cet « assez égoïste » qui permet au soi de s'exprimer.

Quand les artistes sont trop obligeants pendant trop longtemps, ils deviennent désobligeants et méchants. « Ça urge ! Il faut que je me mette au foutu piano ! », disons-nous haut et clair. Ou « J'ai pas écrit depuis des jours et ça me rend dingue ! » Ou encore « Si je m'installe pas devant mon chevalet, les enfants vont y goûter ! » Le feu lentement entretenu du ressentiment, suscité par trop de « Oui », alors que quelques « Non » opportuns auraient été plus honnêtes et nous auraient donné le temps et l'occasion de travailler, commence à nous faire mijoter, puis, à nous faire bouillir. Et si nous persistons à vouloir être gentils, nous nous préparons un bel ulcère ou de l'hypertension. Pour un artiste, être trop vertueux n'est pas du tout une vertu. C'est quelque chose de destructif et de contreproductif. Sans parler que cela n'a rien d'agréable.

Une carrière artistique comporte deux variables importantes : le talent et le caractère. Par caractère, je ne veux pas dire bon ou mauvais caractère, mais simplement le caractère ou le ton de la personnalité. Un grand talent associé à un caractère instable se traduira par une carrière fluctuante : des élans de promesse avortés, des idées brillantes ou de glorieuse clarté,

* * *

Faites le saut.

JOSEPH CAMPBELL

perdues ou cachées derrière des découvertes sans lendemain. Pour soutenir une carrière artistique, il faut de la discipline. Il faut le courage d'évincer ce qui ne sert pas l'excellence. C'est ce que veut dire « avoir du caractère ».

« Ce qui ne sert pas » peut varier d'une personne à une autre. Pour certaines, il s'agira d'un ami qui se complaît dans les mélodrames. Pour d'autres, trop de soirées survoltées remplies de discussions vaniteuses bien arrosées. Tout ce qui déstabilise un artiste vient aussi déstabiliser son travail. Tout ce qui déstabilise un artiste doit être écourté, évité ou « consommé » avec précaution. Ce sont les mauvaises expériences qui servent de leçon aux artistes. Un virtuose du violon qui se produit en concert saura qu'il y a un prix à payer s'il boit un seul whisky la veille d'un concert où il doit jouer des pièces exigeant une dextérité particulière pour certaines envolées musicales.

Le laisser-aller a son prix. La Federal Aviation Administration est bien placée pour le savoir, ainsi que les pilotes d'avion, puisque ces derniers subissent des tests qui vérifient s'ils ont abusé d'alcool ou d'autres substances. S'ils se laissent trop aller, des vies seront mises en péril. Dans le cas de l'artiste, c'est son travail qui est mis en péril. Quand on se laisse aller, on se met soi-même en péril et la partie noble de notre être devient la proie de nos vices ignobles. Donc, dans notre propre intérêt, nous devons être suffisamment égoïstes pour savoir nous protéger, même si cette attitude n'a rien de gentil. Alors, pourquoi ne pas refuser les invitations qui ne nous sont d'aucune utilité ?

Pour un artiste, l'obligeance est loin d'être aussi importante que l'authenticité. Lorsque nous sommes ce que nous sommes réellement et que nous disons ce que nous pensons vraiment, nous cessons d'endosser la responsabilité du manquement des autres et n'avons de compte à rendre qu'à nous-mêmes.

* * *

J'aime ceux qui aspirent à l'impossible.

GOETHE

Lorsque cela arrive, il se produit des changements étonnants. Nous entrons en harmonie avec notre pouvoir supérieur et la grâce de la créativité se met à fuser librement.

Quand nous cessons de jouer à Dieu, Dieu peut jouer à travers nous. Lorsque j'arrêtai d'essayer de sauver mon ami écrivain qui n'arrivait pas à écrire, je passai de l'écriture d'articles et de nouvelles à l'écriture de livres. C'est vous dire toute l'énergie qu'il m'avait bouffée. Lorsqu'un compositeur laissa tomber sa petite amie, exigeante à souhait, il put enfin terminer un disque qui végétait depuis dix ans. Une femme peintre, qui souffrait de *burnout*, arrêta de faire du bénévolat pour un groupe environnemental local qui lui prenait tout son temps, et découvrit qu'elle avait tout à coup le temps de peindre et d'enseigner. Sa productivité et ses revenus augmentèrent conséquemment. Depuis longtemps, le bénévolat était devenu une habitude. De moins en moins intéressée à passer pour une sainte, elle retrouva enfin sa liberté.

Lorsque nous reconnaissons nos priorités et que nous en faisons part aux autres, les relations deviennent harmonieuses. Lorsque nous mettons les choses au clair avec les autres, nous établissons des relations honnêtes fondées sur le respect mutuel. Mais il faut pour commencer être honnête avec soi-même. Il est essentiel d'identifier ceux qui abusent de notre temps et de notre énergie, mais il ne s'agit que d'une première étape. La deuxième consiste à les éviter. C'est là où le bât blesse pour beaucoup de gens. C'est comme si nous doutions de notre droit à la tranquillité, au respect et à la bonne humeur. Ne devrions-nous pas souffrir ? Ne devrions-nous pas trouver plus édifiant spirituellement parlant de ne pas bousculer le *statu quo*? Une fausse acceptation des gens et des situations que nous n'aimons pas nous met de mauvaise humeur. Un peu d'amour-propre fait des merveilles sur le plan de notre personnalité et de notre travail.

«Mais Julia, êtes-vous en train de dire que nous devrions être égoïstes? » ai-je entendu les gens demander sur un ton geignard.

Personnellement, je préfère être égoïste que bouillir, agressive et malheureuse. Est-ce vraiment de l'égoïsme que de prendre le temps de penser à soi? Nourrir notre soi est utile pour être en mesure de nous exprimer et pour toutes sortes d'autres choses également. Si la vie que l'on n'a pas remise en question ne vaut pas la peine d'être vécue, la vie non vécue ne vaut pas la peine d'être remise en question, peinte, sculptée, chantée ou jouée.

Trop souvent, le monde de l'argent qui entretient le concept de l'artiste de carrière donne lieu à une vie passée en vase clos et, plus tard, à du travail qui sent le réchauffé. Pour les artistes, de quelque niveau qu'ils soient, il doit y avoir un apport fortifiant continu. De façon ironique, cet apport peut être mis en échec par le succès lui-même, par les multiples exigences qu'un tel succès a sur notre temps de créativité.

Un homme arrivé au sommet de son art se retrouva tellement pris par des commandes, tellement occupé à donner des conseils aux autres et à prêter son prestigieux nom à des causes valables, que sa vie ne lui appartenait plus. Les institutions prestigieuses auxquelles il était associé semblaient avoir des appétits féroces. Chacune de leurs demandes était «raisonnable», chaque cause, «valable». Mais, lui, il était épuisé, brûlé et pantois. «Je me suis rendu au sommet, me dit-il un jour, là où j'étais toujours censé me rendre, mais je n'aime pas beaucoup ça.» Comment aurait-il pu aimer cela? Il n'avait plus de temps à consacrer à son art, à ce véhicule qui l'avait amené au sommet.

Il est impossible de dire «oui» à l'art et à nous-mêmes si nous ne réussissons pas à dire «non» aux autres. Les gens ne nous veulent pas de mal, mais ils nous font du mal lorsqu'ils

* * *

Savoir ce que vous ne pouvez pas faire
est plus important que savoir ce que vous pouvez faire.
Il s'agit en fait de bon goût.

LUCILLE BALL

nous demandent plus que ce que nous pouvons leur donner. Et quand nous le leur donnons quand même, c'est nous qui nous faisons du mal.

« Je sais que j'aurais dû dire non », nous plaignons-nous jusqu'à ce que nous réussissions à le faire. Non, nous ne pouvons pas accepter un étudiant de plus dans la classe. Non, nous ne pouvons pas faire partie d'un autre comité. Non, nous ne pouvons pas nous permettre d'être utilisés, sinon nous cessons d'être utiles.

La vertu – surtout la fausse vertu de vouloir être trop vertueux – est très tentante. Le problème avec les causes valables, c'est justement qu'elles sont valables.

« Vous ne pouvez pas être célèbre et en santé en même temps », m'avertissait un jour une ancienne actrice accomplie. « Les gens veulent avoir ce qu'ils veulent et si vous ne le leur donnez pas, ils se mettent en colère. »

C'est vrai, comme il est également vrai que notre artiste intérieur veut avoir ce qu'il veut et que, si nous ne le lui donnons pas, c'est le cœur de notre être qui se révolte. Si nous considérons la partie de notre être qui crée comme étant un jeune plein de talent, il est facile de concevoir à quel point peut le décourager une série de rejets de notre part sous la forme de remarques comme « Pas maintenant ! Sois gentil ! Sois beau joueur et attends à un peu plus tard ! »

Lorsque nous commençons à dire « Désolé, j'peux pas parce que j'ai du travail », notre vie se remet à fonctionner. Nous sentons que notre artiste intérieur nous fait de nouveau confiance et déborde sans arrêt d'idées. Une fois de plus, je vous demande de penser à l'Artiste comme à quelqu'un de très jeune. Qu'est-ce qu'un enfant fait lorsqu'on le discipline de façon trop rigide ? Il boude, sombre dans le silence et pique des

* * *

Bien vivre, c'est bien travailler, c'est faire preuve d'une belle activité.

Saint Thomas d'Aquin

crises. En ce qui concerne ces comportements, nous pouvons compter sur notre artiste intérieur, surtout quand nous persistons à être gentils envers les autres au lieu d'être honnêtes.

Il n'est jamais trop tard pour recommencer à zéro. Le point de non-retour n'est jamais atteint qui ne permettra pas à notre artiste de se reprendre. Nous pouvons accumuler des années, des décennies, voire une vie entière d'abus. Notre artiste intérieur a tellement de résilience, de force et d'entêtement qu'il reviendra à la vie quand nous lui en donnerons la plus infime occasion. Au lieu de nous pousser une fois de plus pour aider les autres, nous pouvons inciter notre artiste à montrer le bout de son nez si nous promettons de lui consacrer du temps, de l'écouter, de lui parler et d'interagir avec lui. Si nous aimons effectivement notre artiste, notre artiste nous aimera lui aussi. Les amoureux ne partagent-ils pas leurs secrets et leurs rêves ? Et ne trouvent-ils pas le moyen de s'éclipser pour se rencontrer, peu importe les circonstances ? Quand nous cherchons à nous rallier à la cause de notre artiste intérieur, par l'attention et le temps que nous lui consacrons, il nous récompense par son art.

EXERCICE

Soyez obligeant envers vous-même
(Le soi se trouve dans l'expression de soi)

Nous sommes nombreux à essayer d'amoindrir le soi, alors que nous en avons justement besoin pour nous exprimer. Prenez un crayon et fouillez dans vos « devrais » jusqu'à ce qu'émergent quelques « pourrais ». Terminez les phrases suivantes avec cinq souhaits. Écrivez rapidement pour esquiver l'intervention du censeur intériorisé.

* * *

Connaissiez-vous ce secret ? La chose terrible, c'est que la beauté est mystérieuse.

DOSTOÏEVSKI

Si ce n'était pas aussi égoïste, j'aimerais beaucoup essayer...

1.

2.

3.

4.

5.

Si ce n'était pas aussi cher, j'aimerais beaucoup essayer...

1.

2.

3.

4.

5.

Si ce n'était pas aussi superficiel, j'aimerais beaucoup posséder...

1.

2.

3.

4.

5.

Si ce n'était pas aussi apeurant, j'aimerais beaucoup dire...

1.

2.

3.

4.

5.

Si j'avais cinq autres vies à vivre, j'aimerais beaucoup être...

1.

2.

3.

4.

5.

Ces listes constituent de puissants rêves. Il se peut que ces derniers se manifestent rapidement et de façon inattendue dans votre vie. Pourquoi ne pas mettre ces listes dans votre « Incubateur divin » pour que vos rêves soient sous bonne garde ! Ne soyez pas surpris si des « parties » de vos « autres » vies commencent à se manifester dans votre vie actuelle.

DETTES ÉNERGÉTIQUES

Même si nous le reconnaissons rarement, il nous faut de l'énergie créative pour poser quelque geste que ce soit. Les artistes doivent penser à l'énergie de la même façon que les gens d'affaires pensent à l'argent : Est-ce que je dépense mon énergie judicieusement ici, en investissant dans cette personne, cette situation, cet usage de mon temps ? En règle générale, les artistes sont dotés d'un tempérament généreux, dépensier même. Ils doivent surveiller consciemment ce penchant naturel et s'assurer de revenir suffisamment à la source intérieure pour retrouver une sensation de bien-être.

Avoir une conversation téléphonique avec un ami artiste ennuyeux est épuisant. En fait, ce qui est vidé, c'est votre compte bancaire énergétique. Avoir une conversation au cours de laquelle vos conseils sont sollicités, utilisés et pris pour acquis, c'est un peu comme guider quelqu'un qui veut investir à la Bourse et ne pas avoir de remerciement quand il gagne le gros lot. Par contre, une conversation téléphonique où il y a réciprocité est une situation gagnante pour les deux interlocuteurs. Vous n'êtes pas seulement un site à partir duquel on vient télécharger de l'information! Vous prenez part à un dialogue qui permet aux deux interlocuteurs de grandir. Les conversations que j'entretiens avec un ami musicien sont tellement enrichissantes que je me précipite sur mon clavier pour écrire dès que j'ai fini de parler avec lui. Il y a quelque chose dans nos échanges véritables qui est totalement nourrissant.

En tant qu'humain et en tant qu'artiste, nous avons un besoin immense d'être vu pour qui et ce que nous sommes. Si nous entretenons des relations où les dividendes ne nous reviennent jamais, c'est que nous avons fait un mauvais placement. Trop de placements de ce genre peuvent nous conduire à la faillite sur le plan créatif. Nous ne devons pas seulement nous demander si nous aimons la personne en question, mais si cette relation est à sens unique. Ce peut être le cas de toute relation mettant en péril votre identité d'artiste.

Une personne créative doit être nourrie aussi bien par des ressources humaines que par des ressources divines. Par contre, les «nutriments» nécessaires n'atteindront pas leur but si nous nous laissons dévorer par les autres, si nous leur abandonnons notre temps, nos talents et nos réserves. Si nous accordons à un indigent sans scrupules tout notre temps et toute notre attention, c'est un peu comme si nous lui donnions des chèques en blanc à tirer sur le compte de notre créativité. Il le videra sans hésiter et, quand nous aurons besoin de faire appel à nos réserves, nous découvrirons que nous n'en avons plus.

La créativité se déploie dans une atmosphère positive et se rétracte, comme pour se protéger, dans une ambiance empreinte de cynisme et d'agressivité. C'est pour cette raison que les artistes peuvent éprouver de la difficulté à donner le meilleur d'eux-mêmes dans le milieu universitaire. C'est pour cette rai-

* * *

Tout ce qui vaut la peine d'être fait, vaut la peine d'être bien fait.

LORD CHESTERFIELD

son que nous devons avoir des amis intimes sûrs et judicieux, pas des amis «monsieur ou madame-je-sais-tout» qui parlent tellement que notre enfant intérieur créatif a peur de s'exprimer. Si, dans le domaine de la créativité, nous restons muets ou sommes énergétiquement à plat, ce n'est pas en raison d'une mystérieuse maladie. Nous pouvons directement en rattacher la cause à une rencontre où notre énergie a été sapée.

Si une personne gaspille notre temps parce qu'elle ne veut pas se sentir obligée de prendre une décision reliée à des répétitions, des séances d'écriture ou des échéances, c'est comme si elle nous mettait en attente. Nous ne pouvons alors plus investir ailleurs parce que nous avons constamment à l'esprit que nous pourrions «soudainement» être appelés à nous investir avec cette personne advenant le cas où elle serait disponible. Lorsque nous mettons notre vie et notre emploi du temps en attente pour rendre service à quelqu'un d'autre, nous nous retrouvons littéralement pieds et poings liés car nous ne pouvons pas disposer tranquillement et simplement de notre propre temps et énergie. Nous sommes toujours «sur appel». C'est comme si la porte de notre domicile créatif était toujours déverrouillée et que nous ne sachions jamais quand quelqu'un entrera.

Considérez votre énergie comme de l'argent. Demandez-vous si telle personne vous empêche d'investir ailleurs parce qu'elle exige trop de temps et d'énergie de votre part. Correspond-elle humainement parlant au placement que vous ne pouvez pas retirer lorsque vous en avez besoin? Le cas échéant, cette personne vous revient cher non seulement en elle-même, mais aussi parce qu'elle vous oblige à vous créer d'autres relations qui vous rapportent plus émotionnellement et créativement.

* * *

L'art d'être judicieux, c'est l'art de savoir ce sur quoi il faut passer.

WILLIAM JAMES

Notre énergie créative est un héritage divin. Alors, si nous acceptons de la dilapider à la demande pressante des autres, nous nous retrouverons en faillite créative, perdrons toute bonne volonté et bons sentiments, aurons très peu de patience et serons prêts à exploser. Si nous laissons leurs jugements erronés gaspiller notre énergie et que nous continuons à investir en eux, nous nous privons de pouvoir investir efficacement ailleurs ou en nous.

En tant qu'artistes, nous devons économiser notre énergie aussi soigneusement que notre argent. Nous devons la dépenser en fonction de ce qui nous rapporte personnellement et créativement. Nous devons l'investir judicieusement auprès de gens et de projets qui nous rapportent une satisfaction, un épanouissement et un accomplissement quantifiables.

Tout comme nous attendons et exigeons un rendement équitable sur nos placements financiers, nous sommes en droit d'attendre et de recevoir un bon rendement sur notre investissement énergétique, tant sur le plan personnel que professionnel. Cela veut-il dire que nous ne devrions jamais faire – ou ne ferons jamais – preuve de générosité envers nos amis, notre famille et nos collègues de travail ? Bien sûr que non. Par contre, cela veut dire que nous devons être vigilants pour déterminer si le moment et « l'endroit » où nous investissons notre énergie sauront nous assurer un retour en compensation.

Nous devons également avoir clairement à l'esprit que ce retour en compensation peut vouloir dire – doit vouloir dire – retour qui est d'une façon ou d'une autre compatible avec ce que nous avons investi. Si une belle tarte aux pommes est un investissement d'amour que vous faites auprès de quelqu'un, un « Est-ce que je pourrais avoir la recette ? » n'est pas une reconnaissance de cet amour. C'est un passage sous silence de l'ingrédient clé de la recette, l'amour. De façon similaire, si l'on

* * *

Tout aboutissement est une ouverture sur autre chose.

TOM STOPPARD

prête son acuité intellectuelle à un ami, un conjoint ou un collègue de travail, celle-ci ne doit pas non plus être passée sous silence.

En tant qu'artiste ayant trente-cinq ans d'expérience, j'équivaut à l'avocat principal d'un cabinet juridique. Ce n'est pas l'ego qui me fait parler ainsi. Il s'agit simplement du niveau où je suis rendue. Alors qu'il m'arrive d'entamer volontiers une discussion avec une amie intime pour l'aider à analyser sa carrière artistique, je ne peux accepter tous les repas que l'on m'offre en échange de mes conseils. J'en sortirais obèse et souffrant de malnutrition en même temps.

En tant qu'artistes, nous avons tous besoin d'investir judicieusement en nous et dans les autres. Nous méritons d'être reconnus et respectés pour la valeur réelle de nos investissements en temps, talent et observation.

Pour ce qui est de l'amitié, il nous faut des amis qui sachent voir et reconnaître nos aptitudes. Il n'y a pas de problème à discuter de notre situation professionnelle et de nos dilemmes fiscaux avec des amis, en autant que nous les remerciions clairement de leur largesse et leur rendions la pareille à notre façon. Même si cette marque de respect réciproque est en grande partie tacite, elle doit être présente, sinon nous aurons l'impression d'avoir été utilisés ou offensés.

Les artistes prennent souvent de jeunes artistes sous leur aile ou comme apprentis. Si vous examinez bien attentivement la nature de telles ententes, vous constaterez qu'il y a réciprocité quant au courant d'énergie qui passe entre les deux. L'apprenti ne fait pas qu'apprendre de l'autre, il l'aide aussi. Il se peut que de telles relations soient matière à controverse, mais elles jouent aussi le rôle de catalyseur mutuel. Georgia O'Keeffe jouait le rôle de bienfaitrice envers son jeune protégé Juan

* * *

Je suis plus près du travail que de n'importe quoi d'autre sur terre. C'est ce qu'on appelle un mariage.

LOUISE NEVELSON

Hamilton, qui à son tour jouait le rôle de bienfaiteur envers elle. Cela est également commun dans le monde de la musique. Aaron Copland aida Bernstein, qui aida Copland. « Je crois que ce que nous enseignons au jeune artiste, c'est le professionnalisme », explique un grand musicien.

Pour les artistes de grande expérience qui enseignent et servent de mentors à de jeunes artistes, la rétribution est réelle mais les exigences peuvent parfois être irréalistes. Dans leur désir de donner, ils ont peut-être tendance à dépenser plus que ce qu'ils ne peuvent se redonner. Un étudiant qui manque ses leçons de façon inconsidérée et s'attend à ce que son professeur les remette à plus tard peut facilement amener ce dernier à refuser en raison de son horaire chargé. La possibilité sera devenue une impossibilité.

Si nous avons l'impression que notre enseignement ou notre mentorat ne sont pas reconnus à leur juste valeur, c'est que nous en faisons trop ou que nous ne sommes pas appréciés, ou bien les deux. Les artistes bien établis côtoient souvent des subalternes, personnes qui profitent parfois de l'aide que nous leur offrons. Lorsque nous sommes malheureux en amour, lorsque nous déformons les choses hors de toute proportion, c'est peut-être parce que les proportions de la relation, et de notre vie dans sa totalité, sont quelque peu faussées. Nous ne sommes pas détraqués, mais quelque chose l'est. Nous nous sentons vidés parce que nous le sommes effectivement. Si la personne qui nous a vidés ne peut pas nous aider à nous remplir, nous devons alors nous remplir ailleurs et adjoindre, dans notre esprit, un petit drapeau rouge au nom de la personne en question. Lorsque nous nous sentons trop sollicités par un ami, nous devons nous demander s'il s'agit d'une situation exceptionnelle acceptable – décès dans la famille, perte d'un emploi – qui exige

* * *

Il existe tellement de facettes à une personne qu'il est erroné, totalement erroné, pour la personne créative de n'en exploiter qu'une.

JAMES DICKEY

de nous un effort particulier ou alors si cette personne exigeante, mélodramatique n'est pas en train d'abuser de notre temps et de notre attention, ou les deux.

En tant qu'artistes, nous sommes dotés d'antennes qui sont sensibles aux pensées et aux sentiments d'autrui. L'indifférence nous glace et le manque de considération nous blesse. Par ailleurs, nous nous sentons diminués et épuisés lorsque nous sommes en compagnie de ceux qui nous parlent de haut ou nous traitent de cas spécial: «Toi et tes idées folles!» Les artistes ont *besoin* de leurs idées folles. Et ils ont aussi besoin de ceux qui ne pensent pas que leurs idées sont trop folles. Les symphonies et les pièces de théâtre commencent avec des idées folles. Tout comme le font les romans, les nocturnes, les bronzes et les ballets.

Les écrivains doivent écrire, les pianistes, jouer du piano, les peintres, peindre et les chanteurs, chanter. Nous pouvons certes mettre notre énergie créative au service des autres, mais si notre artiste se perd dans l'affaire, que notre aide est considérée comme un encouragement superficiel, que nous ne sommes pas reconnus et nourris à notre tour d'une façon qui corresponde à nos besoins personnels, alors nous sommes maltraités par manque d'attention.

Le livre d'Alan venait d'être accepté par une maison d'édition, qui lui demanda cependant de le réviser en profondeur pour lui donner une forme définitive. Plutôt que de reconnaître la pression sous laquelle son mari se trouvait, sa femme ne trouva rien de mieux à faire que d'inviter plusieurs personnes de sa famille, puisqu'il ne faisait «que de la révision». Voulant être beau joueur et ne pas se prendre pour le nombril du monde, Alan encaissa les éclats de voix bruyants et les interruptions qui lui coûtèrent temps et concentration. La colère montant sans cesse, Alan, exaspéré et blessé, finit par se prendre une chambre au motel voisin, où il se réfugia avec son ordinateur et son livre non fini. Ce n'est pas qu'il n'aimait pas sa femme et sa famille, c'est plutôt qu'il comprit qu'ils étaient incapables de voir qu'il se trouvait dans la phase critique de son projet, dans l'éprouvante phase du «ça passe ou ça casse» où l'artiste sait qu'il n'est peut-être pas tout à fait assez bon pour produire le niveau d'excellence auquel il sait qu'on s'attend de lui.

Une des choses les plus difficiles et attristantes pouvant arriver à un artiste, c'est d'être mal perçu par le public. Il est donc doublement important que notre artiste intérieur soit respecté et reconnu dans sa vie privée. Je ne veux pas dire ici que nous devions feindre l'accablement ou tempêter dans la maison en arborant l'air de celui qui se prend pour un grand artiste. Je veux dire que si vous êtes un écrivain et qu'une personne ne respecte pas votre travail, elle ne vous respecte pas non plus. Si vous êtes pianiste et qu'une personne ne respecte pas votre besoin de pratiquer, elle ne respecte pas non plus vos priorités professionnelles et personnelles.

Certaines personnes abusent souvent de nous avec leurs problématiques personnelles récurrentes. D'autres, tout à fait responsables, nous bousculent un peu quand elles naviguent tant bien que mal dans des eaux terrifiantes et houleuses. Il faut du temps et de la pratique pour arriver à faire la différence entre ces deux types de personnes. Les artistes doivent faire preuve de générosité non seulement envers les autres, mais aussi envers eux-mêmes.

Il est rare d'être encensé en début de carrière. Par contre, si notre travail devient plus respecté et louangé, nous pouvons prendre la mauvaise habitude de vouloir être respecté et louangé. Le compliment qui nous donne l'impression d'être le seul ou la seule à pouvoir prendre sous notre aile un jeune artiste talentueux deviendra notre talon d'Achille. Cette forme d'orgueil apparemment innocente vient en fait saper notre utilité face aux jeunes artistes que nous prenons sous notre aile. Certes, c'est fantastique d'être un merveilleux professeur et un ami généreux, mais il est plus sain d'être nous-mêmes, d'être des artistes actifs qui agissent en leur nom propre. « Vous ne

* * *

Le monde est fait d'histoires, pas de molécules.

MURIEL RUKEYSER

pouvez pas transmettre ce que vous n'avez pas», nous préviennent les programmes en douze étapes. Et à moins de faire de la place pour l'art dans notre vie, nous répugnerons à faire de la place pour quoi que ce soit d'autre. Et certaines personnes – l'étudiant ou le collègue doué mais exigeant – nous demandent toujours de leur faire plus de place. Et nous obtempérons!

Plutôt que de dire le fond de notre pensée, nous augmentons le volume de la voix hors champ dans notre tête. Il s'agit de la voix de la réprimande qui dit: «Doucement. Sois gentil. Sois raisonnable. Fais ce qui convient aux autres.»

Notre société nous dit que «plus c'est gros, mieux c'est» et que «plus» est mieux que «moins». Pour les artistes, ce qui est «gros» n'est pas toujours ce qui est «mieux» et ce qui est «plus» s'avère parfois «moins». Lorsque nous nous diversifions trop, nous nous dispersons. Le nom que nous nous sommes fait en travaillant si dur a moins de sens lorsqu'il est amoché, de pair avec notre énergie, par des comportements dits de «beau joueur», de «chic type», de «bon gars». En tant qu'artiste, nous ne savons que trop à quel point un petit coup de main donné à quelqu'un au moment opportun peut nous aider à gravir les échelons. Lorsque nous ressentons pour la première fois les vagues du succès, il ne faut pas s'étonner que nous nous précipitions à la rescousse de trop de gens. Par exemple, les réalisateurs peuvent démontrer trop de zèle à vouloir aider de jeunes réalisateurs. Ils deviennent en quelque sorte les répondants créatifs de personnes aux talents moins développés qu'eux et ne réalisent pas, qu'à un moment donné, ce comportement de mentor relègue leur propre travail dans l'ombre. Lorsque nous nous engageons à aider les autres, notre engagement envers nous-mêmes perd de la vitesse. Au lieu d'investir judicieusement notre énergie pour «engranger» ce que nous avons récolté et pour ouvrir un peu nos ailes, nous nous démunissons et finissons par nous briser le cœur à force d'être trop fatigués, trop éparpillés et délestés de notre énergie créative. Lorsque nous faisons trop crédit de notre énergie aux autres, la plus grosse dette que nous encourons, c'est celle face à nous-mêmes.

Si nous ne voyons pas à délimiter notre territoire, si nous ne disposons pas de murs protecteurs physiques et psychiques qui jouent le rôle de bouclier face aux exigences et aux mélodrames des autres, le stress prend trop d'ampleur dans notre vie et notre tempérament d'artiste ne peut s'épanouir. Il se produit des courts-circuits dans notre système nerveux et nos idées s'agitent comme des fils électriques sous tension ayant été tronqués. Nous sommes pleins d'une énergie qui n'a pas de prise de terre et qui n'est donc pas utilisable. Notre art en souffre et nous aussi. Lorsque nous commençons à mettre des limites – pas d'appels avant huit heures et après vingt-trois heures, pas de travail le samedi et pas de leçons de maquillage sur demande pour rattraper les cours manqués – nous sentons la foi renaître en nous. Pourquoi ? Parce que nous nous sentons en sécurité. Il est difficile d'avoir foi dans le futur lorsque nous ne faisons pas preuve de clémence envers nous-mêmes. Lorsque nous servons de pâture, il ne nous reste pas grand carburant pour œuvrer.

Nous ne pouvons pas constamment remédier aux faiblesses des autres sans épuiser nos ressources et nous-mêmes. Nous ne pouvons pas constamment laisser les autres bêtement gaspiller notre temps et notre énergie sans découvrir à un moment donné que des voleurs nous ont subtilisé notre créativité et que c'est nous qui leur en avons donné la clé. Si nous prenons en charge les gens et les situations difficiles pour prouver notre héroïsme, il n'est pas réaliste de nous attendre à rester héroïque ou triomphant très longtemps. À vouloir trop souvent sauver la mise pour les autres, on se retrouve à en faire moins pour nous, notre vie, nos amours, notre passion. Cela se solde par une vie gaspillée parce qu'on n'en a pas pris soin, par une vie mal vécue parce qu'on n'a pas su s'y investir.

Lorsque nous voulons absolument jouer à Dieu, que nous essayons d'être omnipotents et omniscients, et que nous jouons au bon Samaritain avec tout le monde, Dieu ne peut accomplir

* * *

La créativité consiste en fait en une structuration de la magie.

ANN KENT RUSH

de miracles dans notre vie du fait que nous ne lui laissons aucune latitude pour qu'il puisse intervenir d'une façon ou d'une autre. Même s'il est vrai que la source divine est infinie et inépuisable, nous, les humains, ne sommes pas inépuisables. Nous nous fatiguons, surtout lorsque nous sommes entourés de gens fatigants.

EXERCICE
Investissez énergétiquement dans votre être

Il faut parfois un peu jouer au détective pour vraiment distinguer nos scénarios destructifs. Nous avons été tellement conditionnés à ne pas être égoïstes que nous avons de la difficulté à mettre de côté les exigences et les attentes des autres. Notre propre artiste sera tellement préoccupé à vouloir prendre soin d'autres artistes que notre optimisme en sera épuisé. Nous découvrons que le puits intérieur où nous cherchons à nous abreuver s'est tari puisque trop d'autres sont venus s'y abreuver.

Réservez-vous une bonne demi-heure pour l'exercice suivant. Vous allez écrire – et recevoir – une lettre de la part du meilleur ami de votre artiste intérieur qui vous suggère de procéder à quelques changements simples. L'auteur de la lettre ne veut rien d'autre que votre bien : il observe depuis longtemps la façon dont vous menez votre vie. Il vous fera des suggestions toutes simples, entre autres dormir davantage, ou des suggestions plus complexes, comme moins voir telle ou telle personne. Certaines des idées qu'il vous suggérera – comme prendre un cours de dessin avec un modèle – seront faciles à réaliser, alors que d'autres demanderont plus de réflexion – comme se faire de nouveaux amis. Laissez le rédacteur de la lettre dire tout ce

* * *

La vie nous est refusée lorsque nous manquons d'attention, qu'il s'agisse de nettoyer les vitres ou d'écrire un chef-d'œuvre.

NADIA BOULANGER

qu'il faut pour vous ramener à la réalité selon des façons de faire dont vous vous privez habituellement. Au bout d'une demi-heure, relisez attentivement votre lettre et mettez-la dans le bocal dit « Incubateur divin ». Si vous avez choisi une personne-miroir qui croit en vous, vous pourriez lui montrer cette lettre.

VÉRIFICATION

1. **Combien de fois cette semaine avez-vous rédigé vos Pages du matin?** Si vous avez sauté un matin, pour quelle raison l'avez-vous fait? Quel genre d'expérience avez-vous vécu en écrivant ces pages? Sentez-vous plus de clarté? Une plus vaste palette d'émotions? Une plus grande impression de détachement, de finalité et de calme? Quelque chose vous a-t-il surpris? Voyez-vous un scénario répétitif qui demande à être examiné?

2. **Avez-vous été à votre Rendez-vous d'artiste cette semaine?** Avez-vous ressenti une amélioration de votre bien-être? Qu'avez-vous fait et qu'est-ce que cela vous a fait? Rappelez-vous que les Rendez-vous d'artiste sont difficiles et qu'il faudra peut-être vous pousser un peu pour les respecter.

3. **Avez-vous fait votre Promenade hebdomadaire?** Quelle impression cela vous a-t-il fait? Quelles émotions ou intuitions ont fait surface en vous? Avez-vous pu aller vous promener plus d'une fois? De quelle façon cette promenade a-t-elle modifié votre optimisme et votre perspective des choses?

4. **Y a-t-il eu d'autres questions cette semaine qui vous ont paru significatives dans la découverte de ce que vous êtes?** Décrivez-les.

* * *

Je suis ce qui est autour de moi.

WALLACE STEVENS

Découverte de la notion de frontières

La créativité exige que l'on prenne soin de soi avec beaucoup de vigilance. Il faut contrer et neutraliser les effets dommageables des apports toxiques dans notre vie. Le thème et les exercices de cette semaine visent à nous aider à interagir avec le monde de façon à minimiser la négativité et à maximiser la stimulation productive.

LA CIRCONSPECTION

Ma carte de tarot préférée est celle du Magicien (le Bateleur). Selon moi, c'est la carte de l'artiste par excellence. Le personnage sur la carte se tient debout seul, un bras en l'air qui invoque et appelle le pouvoir des cieux. Ce personnage n'a aucune audience, car sa force – et la nôtre par la même occasion – réside dans le lien personnel et intime qu'il entretient avec le divin. Il est probable que, en tant qu'artistes, nous nous produisions devant un public ou que nous publiions pour un public. Mais il nous faut en premier lieu invoquer la muse, répéter, pratiquer, incuber et passer en premier lieu à l'acte dans le cadre d'un cercle intime et sécuritaire, sinon...

Sinon quoi ?

Créer une œuvre d'art exige deux formes d'intelligence très différentes. Tout d'abord, l'ampleur de la vision, qui permet de conceptualiser un projet, et ensuite, la précision et la spécificité, qui donneront à ce projet une forme finie précise. Il arrive souvent qu'un projet se révèle soudainement à l'artiste en grands pans, un peu comme si une série d'éclairs lui tombaient dessus. L'artiste verra clairement et instantanément le grand objet qu'il va créer. Puis, pendant des années, il travaille dur pour matérialiser sa vision première. C'est au cours de ces années qu'il peut perdre sa concentration ou la laisser se disperser à cause d'influences distrayantes ou destructives.

Quand vous êtes en train de conceptualiser quelque chose de taille – que vous ébauchiez les grandes lignes d'un livre ou celles d'une pièce de théâtre –, une question épineuse ou déplacée peut enrayer votre processus, parfois de façon catastrophique. Si vous dites à la personne qui est assise en face de vous que vous venez de commencer un roman et que celle-ci vous demande comment votre roman se termine, cette question fera des ravages. Vous ne connaissez peut-être pas encore, ni ne le devriez-vous, la conclusion de votre roman. La substance a besoin de temps pour évoluer et trouver ses propres assises. C'est en vivant avec une création, en lui donnant forme et en la trouvant, qu'elle vous donnera les réponses à ce genre de question. Cependant, si vous surchargez une création d'emblée et que vous essayez de lui dicter sa forme, vous éprouverez peut-être les mêmes problèmes qu'éprouvent les parents qui décident de la vocation ou de la profession de leur enfant à sa naissance. Si l'enfant ne veut pas être mathématicien, médecin, avocat ou chanteur d'opéra, il y aura des conflits. Donc, si vous accordez à votre projet une enfance créative et intime suffisamment longue, celui-ci saura à un moment donné prendre soin de lui-même. Nous devons donc apprendre à protéger nos « bébés ».

* * *

En grande partie, l'essentiel du labeur de tout artiste n'est pas tant la création que l'invocation.

LEWIS HYDE

En tant qu'artistes, nous devons protéger très attentivement notre travail et nous-mêmes des questions et suppositions prématurées. Il n'existe rien de plus dévastateur que de décrire notre travail en quelques phrases courtes et de lire l'indifférence sur le visage de notre interlocuteur. La parole emploie et use le pouvoir créatif. La parole dilue nos émotions et nos passions. Pas toujours, mais en général, oui. Seul le dialogue avec la bonne personne et au bon moment est utile.

En tant qu'artistes, nous devons apprendre à pratiquer la circonspection. Comme nos idées ont de la valeur, en faire part à quelqu'un qui a peu de discernement, c'est comme donner des diamants à un cochon. Nous n'avons pas assez, tant que nous sommes, le sens de notre valeur personnelle pour nous en rendre compte.

Pour qu'un projet ou une personne évolue, il faut un milieu protégé. Les deux ont besoin d'un toit sur leur tête. Les deux ont besoin de murs pour trouver l'intimité. N'êtes-vous pas mal à l'aise lorsque des gens entrent chez vous quand tout est sens dessus dessous et que vous vous demandez ce que votre soutien-gorge de dentelle rouge fait sur le piano? Le même genre de malaise et d'embarras se produit lorsque vous révélez prématurément un projet à trop de gens. Mais je dirais que c'est pire parce que c'est risqué. N'oubliez pas que nos projets sont en quelque sorte nos « bébés » et qu'ils ont donc besoin de notre protection.

Étant donné que le monde de l'art est passé entre les mains du monde des affaires, on demande régulièrement aux artistes de tous acabits de « fournir », de livrer la marchandise, de proposer une idée de livre. Tout éditeur averti vous dira que les livres publiés ne ressemblent guère au projet initial proposé. Un éditeur ou directeur de studio honnête vous dira qu'un projet initial fantastique ne donne pas souvent un grand livre ou un

* * *

L'art n'est pas un passe-temps, mais un sacerdoce.

JEAN COCTEAU

grand film. Il n'y a rien de très mystérieux à cela. En effet, l'énergie qui appartenait à la rédaction du livre ou à la réalisation du film a été gaspillée et diffusée par la « vente » d'une idée qui n'avait pas encore trouvé d'assises solides.

Pas plus qu'on ne réveille un jeune enfant pour l'exhiber aux invités qui s'extasient au-dessus de lui en roucoulant et gloussant, on n'exhibe pas des projets naissants comme des phoques de cirque. Nous connaissons tous les tristes histoires de bambins à qui on a demandé de chanter en public et qui en sont restés traumatisés. Il en va de même pour les projets artistiques que l'on expose prématurément au vu et au su de tous. Ce n'est pas pour rien qu'on les appelle nos « bébés ». Tout comme il est traumatisant pour les très jeunes talents de se faire demander de chanter ou de danser devant les invités, traumatisme qui se traduit à l'âge adulte par le trac sur scène et qui exige des séances de psychothérapie, nos projets artistiques peuvent eux aussi adopter de mystérieux tics et phobies s'ils sont exposés et critiqués prématurément.

Dans les conférences d'écrivain, on entend des myriades d'histoires de livres ayant avorté parce qu'ils ont été lus trop tôt par les mauvaises personnes. « J'ai fait voir une première ébauche de livre à un ami qui n'arrivait pas à surmonter le syndrome de la page blanche. Ses commentaires ont été tellement négatifs que je n'ai jamais réussi à remettre le livre sur les rails. »

Au début de ma carrière d'écrivain, je fis également l'erreur de montrer une première ébauche de roman à une amie qui voulait elle aussi écrire mais n'y arrivait pas. « Il ne se passe rien dans ce roman », commenta mon amie, voulant dire par là qu'il n'y avait pas de meurtre, pas d'imbroglio, par de drame sanglant du genre qu'elle aurait aimé écrire. Le drame dans mon livre était de nature psychologique, comme l'était assurément le syndrome de la page blanche qui avait relégué mon roman directement dans le dernier tiroir de mon bureau, où il finit ses jours malgré une note encourageante d'un autre lecteur auquel je l'avais envoyé, un éditeur new-yorkais.

Avant que les relations ne prennent une tournure si moderne, bien des mariages naissaient quand on rencontrait l'ami d'un ami. Les gens se portaient garants de la personne qui, selon eux, pourrait vous intéresser. Et les gens se portaient garants de vous également. Dans le domaine des arts, il faut se méfier de ce genre de chose. Si quelqu'un vous dit, comme ça m'est arrivé, que telle ou telle personne pourrait vous aider à réaliser votre comédie musicale, il vaudrait mieux vérifier si la personne en question a déjà effectivement aidé quelqu'un à réaliser une comédie musicale ou bien si elle n'est qu'un « expert » n'ayant que des théories tout à fait irréalisables à partager.

En tant qu'artistes, il faut avoir l'esprit ouvert sans être crédule. Nombreux sont ceux qui prétendent pouvoir nous aider à donner forme à notre art, alors qu'ils ont eux-mêmes très peu d'expérience dans le domaine. Ce que nous devons rechercher, ce sont des gens qui ont déjà fait ce que nous voulons faire, pas quelqu'un qui a regardé les autres faire. Quand on se trouve dans le cockpit d'une fusée, la sensation est tout à fait différente que lorsqu'on se trouve dans la salle des commandes. Un grand écrivain comme Tom Wolfe saura transmettre précisément l'expérience, ou quasiment, alors que les nombreux « experts » dans votre domaine artistique n'auront pas assez de connaissances du décollage créatif pour pouvoir vous enseigner en toute sécurité comment en accuser toutes les secousses.

C'est l'expérience qui nous enseigne ce qu'est une secousse. En tant qu'artistes, nous devons trouver des gens qui pourront nous faire part de leur véritable expérience plutôt que des gens qui nous en donneront des versions édulcorées, dramatisées, glorifiées ou aseptisées. Lorsque de l'aide nous est offerte, nous devons nous assurer qu'elle est à propos et utile. Nous devons toujours nous demander si nous nous exposons

* * *

Émettez toujours le souhait de trouver suffisamment de patience en vous pour supporter les aléas de la vie et assez de simplicité pour croire en elle. De trouver toujours plus de confiance dans ce qui est difficile et dans votre solitude parmi les autres.

RAINER MARIA RILKE

trop vite, ainsi que notre art, à des conseils prématurés et inappropriés. En fait, nous pourrions dire les choses de la façon suivante : « Est-ce que ces gens en savent plus que moi sur ce que je suis en train de faire ? »

Comme l'anneau de caoutchouc du bocal de conserve, le cercle sacré de l'intimité préserve la fraîcheur du contenu en empêchant les bactéries d'entrer. Ce n'est pas gentil de comparer les amis à des bactéries, mais c'est ce qu'ils peuvent parfois être. En effet, ils peuvent gâcher un lot de toiles ou une bonne pièce de théâtre avec quelques remarques mal pesées ou même malicieuses.

En termes culinaires, on dit que « trop de chefs gâtent la sauce ». Dans le domaine qui nous intéresse, cette image pragmatique pourrait se traduire par : « Faites preuve de circonspection et gardez vos recettes artistiques pour vous. »

Vous ne voulez pas laisser les autres goûter de façon prématurée à votre projet, ni les entendre murmurer des propos inquiétants. Vous ne voulez pas qu'ils y ajoutent leur grain de sel avant d'avoir vous-même composé votre propre recette avec les ingrédients précis que vous aurez choisis.

Il se pourrait que vous n'ayez pas encore ajouté les épices de votre choix et qu'ils vous disent que c'est fade. Alors, au lieu de conclure que votre compote de pommes a juste besoin de quelques pincées de cannelle, vous aurez envie de jeter toute la casserole que vous aurez préparée.

Une des lois de la créativité la plus utile que je connaisse est la suivante : « La première règle de la magie est la circonspection. »

EXERCICE

Pratiquez la circonspection

La plupart des créateurs bloqués le sont non pas par manque de talent mais par manque de circonspection. Au lieu de pratiquer le discernement et la discrétion quand il s'agit de choisir la personne à qui exposer un de nos projets, nous ouvrons toutes grandes les portes et invitons les commentaires de tous acabits. Si nous observons attentivement la raison qui nous a fait abandonner certains de nos projets et de nos rêves, nous en découvrons souvent la forme derrière un commentaire impitoyable qui nous a totalement découragés.

EXERCICE

Défendez un projet et reprenez-le en main

Grâce à l'outil de revendication très simple que je vous propose ci-dessous, bien des romans, films et comédies musicales ont pu être sauvés, ressuscités et repris en main. C'est le cas d'un livre devenu best-seller. Pourquoi ne l'essayeriez-vous pas ?

Prenez un crayon et répondez aux questions suivantes aussi rapidement que possible. Vous obtiendrez de l'information avec un minimum de souffrance, et l'information obtenue vous rendra votre pouvoir.

1. Un de vos projets artistiques a-t-il été déjà gâché par des commentaires prématurés ?

2. Quel était ce projet ?

3. Quels étaient les commentaires faits à son sujet ?

4. Quels sont les éléments de ces commentaires qui vous ont particulièrement rendu confus ou fait perdre pied ?

5. Combien de temps vous a-t-il fallu pour réaliser ce qui vous était arrivé à vous et à votre projet ?

* * *

Dans l'ensemble, le geste créateur n'est pas uniquement posé par l'artiste puisque le spectateur amène l'œuvre à être en contact avec le monde extérieur.

MARCEL DUCHAMP

6. Avez-vous déjà repris ce projet en main ?

7. Pouvez-vous vous engager à reprendre ce projet en main ?

8. Parmi vos amis, choisissez-en un à qui vous pouvez promettre de reprendre ce projet en main.

9. Examinez votre projet (avec autant de bienveillance que vous le pouvez).

10. Appelez votre ami et faites-lui part de vos découvertes.

Si vous ne disposez pas encore d'un « Incubateur divin », procurez-vous-en un dès maintenant (boîte à biscuits, vase en porcelaine de Chine, bocal de verre). Celui-ci est le réceptacle de vos espoirs et rêves sacrés. Mon « incubateur divin » personnel est un vase de porcelaine de Chine où sont dessinés deux dragons entrelacés, symbole de créativité dans la tradition chinoise. Déposez-y, sous forme écrite, tout ce que vous êtes en train d'incuber ou de protéger. La pièce que je suis en train de « pondre » appartient à mon incubateur, pas à des groupes de discussion. Lui appartiennent également mes difficultés au remaniement de cette pièce, ainsi que mes espoirs de la voir bien aboutir.

En plus de l'« Incubateur divin », il est bon de trouver une personne qui vous tiendra lieu du miroir qui croit en vous. Vous aurez choisi cette personne avec précaution parce qu'elle croit à votre projet, même à l'état embryonnaire, et pratique le même genre de circonspection que vous, avec vous. La bienveillance qui émane de ce partage protège et couve l'idée en herbe. Le fait de sélectionner un compagnon digne de confiance à qui révéler vos rêves est une forme de circonspection. Nous avons pour la plupart besoin de parler à quelqu'un de nos aspirations. Une personne qui croit en vous est donc la personne idéale à choisir.

* * *

Un miracle est un événement qui suscite la foi. Telle est la raison d'être et la nature des miracles.

GEORGE BERNARD SHAW

APPORT EXTÉRIEUR

Notre monde est stimulant, parfois excessivement stimulant. Il y a le téléphone cellulaire, le téléphone de voiture, la radio, la télévision et l'incursion constante des médias sous toutes les formes possibles. À part tout cela, il y a aussi la famille, les amis, le travail et toutes nos autres activités. Ces éléments sont tous des sources potentielles de stress et de surcharge sensorielle. Tout comme nos cellulaires, nous aussi nous vibrons à tant de stimuli.

« Je ne peux même plus m'entendre penser », disons-nous parfois. Et ce n'est pas un mensonge. En effet, s'il émane de l'eau profonde un grand calme, les rapides rugissants de notre vie la rendent difficilement autre que superficielle. Notre moi profond est étouffé, trop mis à l'épreuve et trop galvaudé. Notre sensibilité perd de sa finesse et nous restons engourdis face à nos propres réactions. La vie est trop excessive pour beaucoup d'entre nous.

L'acte de créer requiert de la sensibilité. Même quand nous disposons de suffisamment de sensibilité pour notre art, nous constatons souvent que le tumulte de la vie a de fortes répercussions sur notre psyché. Nous avons tendance à être excédés et épuisés. Notre énergie est drainée non pas par l'effusion de notre énergie créative, mais par l'infusion des incessantes distractions et lassitudes qui sollicitent de notre part temps, attention et émotions. Parce que nous sommes des artistes, nous savons très bien écouter. Alors, quand le volume est trop élevé, notre oreille interne et notre travail intérieur en souffrent.

Quand un artiste est épuisé, c'est souvent à cause d'un excès de stimuli extérieurs, pas à cause d'un excès d'énergie créative. Lorsque nous créons quelque chose, nous écoutons la petite voix intérieure qui a bien des choses à nous raconter, pour

* * *

On en revient toujours à cette même évidence : quand on creuse assez loin, on trouve toujours une strate de vérité, peu importe sa dureté.

May Sarton

peu que nous daignions écouter. Mais il est difficile d'écouter dans la rumeur et le chaos. Il est difficile d'écouter quand l'énergie tourbillonnante de la vie nous sollicite de toutes parts.

Contrairement à ce que l'on pense généralement, les artistes sont généreux, parfois trop généreux. Nous écoutons les autres attentivement, parfois trop attentivement au détriment de notre propre bien. Nous subissons leurs sautes d'humeur et leurs bouderies lorsque nous nous retirons dans nos quartiers. Parfois même, nous les écoutons au prix de laisser notre énergie perdre trace de sa propre direction pour aller dans la leur. Cela nous épuise, nous irrite et, en bout de compte, nous enrage.

Ce n'est pas que nous refusions de partager temps et attention avec les autres, c'est que les autres devraient avoir la courtoisie d'être à l'écoute de nos besoins afin de comprendre quand et comment nous pouvons leur donner ce qu'ils veulent. Nous avons peut-être une grande réserve d'énergie, mais il ne faut pas oublier qu'il s'agit de la nôtre et que nous avons le droit de choisir où nous voulons l'investir. C'est pour cette raison que nous avons besoin de mettre plus de limites que beaucoup d'autres personnes. Ceux qui nous aiment doivent être conscients que, à moins de pouvoir respecter cela, ils ne sont pas nos amis du tout.

En tant qu'artistes, nous devons maintenir les stimuli provenant de l'extérieur à un niveau acceptable. Nous devons habituer nos amis, nos collègues de travail et les membres de notre famille à comprendre quand et comment nous avons besoin d'espace, tant physique que psychique : pas d'appel avant onze heures du matin, rappels téléphoniques après quinze heures, ou encore « Patience ! Pas de réponse immédiate. »

* * *

Et où est le temps pour se souvenir, pour examiner, pour soupeser, pour évaluer, pour faire la somme ?

TILLIE OLSEN

Pour de nombreux artistes, s'exprimer peut presque vouloir dire se vider totalement pour que l'inspiration les habite. Nous ne voulons pas endosser le costume des personnalités et des préoccupations lorsque nous sommes en pleine création. C'est pour cette raison que les PDG fort occupés ont des secrétaires qui surveillent les incursions pour empêcher qu'elles ne viennent empiéter sur le processus créatif. Les artistes ont peut-être besoin d'ériger le même genre de bouclier de protection.

Virginia Woolf a dit un jour que tous les artistes ont besoin d'une pièce pour eux seuls. Selon moi, cette pièce peut se trouver au café du coin, dans le sous-sol ou dans la salle de bain, assis par terre. Les artistes peuvent se créer un espace en disant simplement « Pas maintenant. » Les artistes ont besoin de solitude et de tranquillité, ce qui diffère de l'isolement et de la solennité. Ils ont besoin que l'on fasse preuve de respect envers leurs pensées et leur processus, respect qu'ils doivent eux-mêmes s'accorder en premier lieu. Les artistes ont besoin d'être bien traités et doivent eux-mêmes se traiter adéquatement pour commencer. Une façon de le faire est de déterminer avec précision le degré de stimuli que nous voulons laisser entrer dans notre vie. Chose difficile à faire lorsque les obligations familiales ou nos étudiants nous prennent d'assaut. Si le téléphone sonne constamment, il sera difficile de nous entendre penser. Lorsqu'une chose nous dérange, c'est souvent parce qu'elle nous atteint. Mais nous voulons être « raisonnables », nous ne voulons pas péter les plombs. C'est peut-être trop demander que de composer en même temps avec la pression de quelque chose qui aspire à s'exprimer (pression intérieure) et la tendance à vouloir se conformer (pression extérieure) à ce qu'une personne « normale » ferait. La créativité est un processus de mise au monde, et le travail de l'enfantement ne se prête pas aux bonnes manières.

* * *

Vivre en fonction du processus, c'est être ouvert à l'intuition et à la rencontre. La créativité devient alors intensément absorbée dans le processus et lui donne forme.

SUSAN SMITH

Le travail d'enfantement est quelque chose d'intense et d'intime. Toute la psyché est tournée vers l'intérieur pour coopérer avec ce qui est en train de venir au monde. De façon similaire, quand j'écris un livre, je prête l'oreille à ce que je dois écrire. Quand je compose de la musique, je suis une mélodie que je dois entendre dans ma tête. Cela exige attention et concentration. Si certains de nos amis et collègues ne comprennent pas que nous sommes occupés lorsque nous ne répondons pas à leur appel, ils abusent en quelque sorte de l'artiste en nous. Ils devraient se demander si nous travaillons et répondre à la question honnêtement. Pourquoi ? Parce que quand nous créons, nous sommes psychiquement très ouverts. De ce fait, nous sommes susceptibles de nous laisser envahir par toutes sortes d'énergies. L'énergie créative et l'énergie psychique peuvent circuler dans bien des directions. Lorsque nos amis nous interrompent dans nos périodes de créativité pour nous demander de solutionner leurs problèmes, ils dilapident souvent par inadvertance notre énergie créative. Ils détournent le flot de notre énergie pour éclairer leur travail ou leur vie, au détriment des nôtres. Lorsque les gens nous appellent et nous débitent leurs histoires à grand renfort de détails et que nous essayons de résoudre leurs problèmes, nous nous délestons de notre énergie créative. «Alors, ne le faites pas», me direz-vous. Plus facile à dire qu'à faire !

Le travail de créativité est souvent invisible aux yeux des autres. S'ils vous voient taper sur le clavier de votre ordinateur, ils comprendront peut-être que vous êtes en train d'écrire. S'ils vous entendent pianoter, ils réaliseront peut-être que vous êtes en pleine composition, mais ils considéreront une interruption comme acceptable.

«Ça ne prendra que quelques minutes», vous disent-ils, sans réaliser le moins du monde qu'ils viennent de rompre le

* * *

Seul le doux sentiment de mon propre processus intérieur, qui supporte un peu du lien que j'entretiens avec le divin.

PERCY BYSSHE SHELLEY

fil de votre concentration et qu'il vous sera extrêmement difficile de le retrouver.

Il est déjà assez difficile de créer une œuvre d'art sans avoir en plus à se mettre à la disposition des autres pendant que vous le faites. Pour bien des gens du domaine artistique, il est très dur d'avoir suffisamment d'assurance pour répondre « Je te rappelle » ou « Je ne peux pas te parler en ce moment. » Même si ce genre de délimitation de territoire a l'air de couler de source, il vous suffit d'écouter pendant quelques minutes un parent créatif essayer de justifier son apparence d'égoïsme, pour comprendre que nous évoluons dans une société où l'attention sur demande immédiate équivaut à de l'amour et la gratification différée, à de la froideur.

La fille d'un auteur connu se rappelle avec une colère à peine contenue que son père commençait sa journée en écrivant. Seulement après cela accordait-il de l'attention à ses enfants.

Le travail de création, s'effectuant en grande partie à domicile, les limites imposées à notre entourage pourront déplaire davantage que, disons, les heures qu'un banquier travaille loin du domicile familial. Il existe peut-être également une forme de rivalité étant donné que nos « bébés » exigent autant d'attention que nos enfants réels ou notre conjoint.

Un portraitiste qui devait travailler de longues heures en atelier et faire preuve d'une grande discipline pour pouvoir respecter les échéances de ses clients, comme les anniversaires et Noël, se souvient tristement que ses amis l'appelaient justement pendant ces heures-là. Ces derniers trouvaient normal de l'appeler à brûle-pourpoint de leur bureau, inconscients du fait qu'ils le dérangeaient pendant ses heures de bureau à lui. Il n'avait pas de secrétaire pour filtrer les appels.

Peu d'entre nous ont jamais envisagé la possibilité de débrancher le téléphone. Par ailleurs, la radio et la télévision sont devenues omniprésentes, un peu comme s'il nous fallait absolument être informés. Le silence peut s'avérer très menaçant. Mais cela vaut la peine de l'essayer, ne serait-ce qu'une demi-heure à la fois. Entraînez-vous à tout éteindre pendant une demi-heure et à vous syntoniser sur l'intérieur. Une demi-heure suffit pour prendre un bain, écrire une lettre, faire un peu de lecture, une manucure, de la méditation. Une demi-heure suffit pour vous entendre enfin penser ou faire une petite sieste. Ce que vous faites de cette demi-heure importe moins que le fait qu'elle vous appartienne totalement. Mettre de telles limites, si infimes soient-elles, constitue un immense pas dans le soin que l'on s'accorde. Et ce soin conduit à l'expression de soi.

EXERCICE

Un espace rien que pour vous

Nous avons pour la plupart besoin d'un peu de planification pour nous ménager de l'intimité. Nous aimons trois choses : nos amis, les membres de notre famille et notre art. Afin de pouvoir nous retrouver « en tête-à-tête avec notre art », nous devons parfois nous esquiver comme des amants illicites, ou encore prévoir un week-end loin du domicile, comme le font les couples mariés qui veulent redonner un peu de piquant à leur relation. Prenez un crayon et énumérez dix façons et endroits où vous pourriez vous retrouver en tête-à-tête avec votre art. Par exemple :

1. Je pourrais me lever une heure plus tôt.
2. Je pourrais me coucher une heure plus tard.
3. Je pourrais convier mon artiste intérieur au café du coin pour un rendez-vous d'écriture.

* * *

Aimez intensément l'instant présent, car l'énergie de cet instant se déploiera au-delà de toutes les limites.

CORITA KENT

4. Je pourrais emprunter l'appartement d'une amie et aller y pratiquer mon art.

5. Je pourrais aller m'asseoir au fond d'une église avec un carnet à dessin ou un carnet de notes.

6. Je pourrais faire une promenade en train.

7. Je pourrais trouver une salle de lecture tranquille dans une bibliothèque.

8. Je pourrais m'organiser pour m'isoler en gardant la maison de mes amis pendant qu'ils sont en dehors de la ville.

9. Je pourrais aller voir ma famille. Cela me rapprocherait peut-être de mes carnets, de mon chevalet ou de mon cahier de croquis.

10. Je pourrais planifier de courtes vacances, ne serait-ce qu'un jour et demi de solitude. Rien de tel pour remettre de l'ordre dans mes pensées et mes priorités.

TRAVAIL RÉGULIER

Si nous ne limitons pas le nombre de stimuli extérieurs, nous succombons sous les demandes des autres. Si, par contre, nous nous isolons trop, nous courons le risque d'être envahis par la stagnation et une humeur narcissique. Notre vie et notre art sont alors dénués de tout, sauf de la sempiternelle question « Où en suis-je rendu ? » Il faut donc rechercher un certain équilibre, assez de circonspection et de coudées franches pour pratiquer notre art, et suffisamment d'implication et de contact avec la collectivité afin d'avoir quelqu'un et quelque chose à qui destiner notre art.

* * *

Et même au-delà du doute de soi, aucun écrivain ne peut justifier une discipline impitoyable au nom de son travail, parce que ce que son travail lui demande justement, c'est d'être humain jusqu'au bout des ongles.

MAY SARTON

Raymond Chandler vendait des assurances. T. S. Eliot travaillait dans une banque. Virginia Woolf avait une imprimerie qu'elle dirigeait en compagnie de son mari, Leonard Woolf. Qu'est-ce qui nous donne l'idée que les gens qui ont un travail régulier ne peuvent être de véritables artistes? Très souvent, ces emplois alimentent notre conscience. Ils mettent sur notre route des gens et des idées, des histoires et des sujets, des possibilités et des obstacles. Un travail régulier n'est pas quelque chose qu'il faut dépasser, mais plutôt quelque chose dont il faut s'inspirer, surtout si votre art stagne. Vous avez peut-être épuisé vos propres réserves de créativité et avez besoin de les remplir. Des contacts avec de nouvelles sources vous aideront à le faire. Les artistes ont besoin de vie, sinon leur art stagne.

L'art est issu de la vie. Elle le nourrit, l'enrichit, l'amplifie. Quand les artistes se cloîtrent au nom de leur art, ils courent le risque de produire un art aride, sans finesse et, oui, sans cœur.

Pour la plupart des artistes, il y a quelque chose de risqué à disposer de trop de temps non structuré, de trop de liberté pour ne faire rien d'autre que de l'art. Nous disons que nous devons voir à l'expression de soi, mais ne faut-il pas développer un soi pour pouvoir l'exprimer? Et ce soi ne se développe pas uniquement seul, mais aussi dans la collectivité. Le contact avec les autres nous rend plus forts et mieux définis. Le travail régulier nous aide non seulement à payer notre loyer, mais aussi à développer structure et énergie personnelles, deux éléments dont les artistes ont grand besoin. Souvent, c'est ce qu'un travail régulier nous procure. Un roman ressemble parfois à une savane dans laquelle on peut errer indéfiniment. Une comédie musicale nous fait parfois voguer pendant des années sur des mers inconnues. N'est-il pas vrai que les marins avaient besoin des étoiles pour structurer leurs voyages? Il en va de même pour les artistes, qui ont besoin de points de référence pour tenir le cap.

Tchekhov prévenait les jeunes acteurs ainsi: « Si vous voulez travailler à votre art, vous devez travailler sur vous-mêmes. » Il ne parlait pas ici de contemplation, mais de faire des choses qui développent le nerf de la créativité. C'est ce qu'un travail régulier peut faire ou bien un engagement auprès de la collectivité, ou bien encore le temps que vous prenez pour pratiquer l'art d'écouter autre chose que vos propres préoccupations.

Bien qu'ils aiment se considérer comme une espèce rare, les artistes sont tout de même des humains. Et les humains ont besoin d'autres humains. Et de choses. Et de passe-temps. Et, oui, de plaisir. Si vous ramenez votre vie uniquement à votre art, vous deviendrez sérieux. Si vous pensez uniquement à votre Art avec un A majuscule, celui-ci sera toujours présent, se contorsionnant et se crispant comme un extraterrestre subissant les affres de la mort en plein milieu de votre loft dépouillé, serein et branché. Vous vous demandez alors comment vous réussirez jamais à le faire décoller ou à l'emmener prendre l'air. Une carrière sérieuse devient un sérieux problème, dont vous pouvez parler, sérieusement, à d'autres artistes « sérieux » et, peut-être, à un thérapeute toujours compatissant qui comprend votre grande sensibilité. Rien de tout cela ne produit beaucoup d'art.

Le concept de l'artiste engagé qui se consacre totalement à son art peut devenir un peu ennuyeux, comme ces lofts immenses d'artistes new-yorkais, les jours glacials d'hiver. Avec quoi remplissez-vous un tel espace et un tel concept ? Pour être à la mode, les lofts doivent être vides. Et si vous vous mettez à vider votre vie de toutes activités humaines normales pour qu'elle ait l'air, comme il se doit, de la vie d'un artiste sérieux, vous vous retrouvez rapidement avec le même problème que ce chic « hectare » industriel plein de courants d'air : c'est super, mais avez-vous vraiment envie d'y vivre ? Toute cette perfection vide et branchée ne vous donne-t-elle pas envie de rendre visite à votre vieille tante qui vit dans un trois pièces chaleureux plein à craquer d'un bric-à-brac incroyable, d'une myriade d'objets réconfortants et d'abondante nourriture dans le réfrigérateur ?

* * *

Un pot d'argile séché au soleil ne sera toujours qu'un pot d'argile. Il doit passer par le feu incandescent du four pour devenir de la porcelaine.

MILDRED WITTE STOUVEN

Dans notre société axée sur l'argent, nous entretenons le mythe qui veut qu'un artiste digne de ce nom le soit à temps plein. Ce que nous comprenons par là, c'est que nous ne devons pas avoir de travail régulier. La vérité, c'est que nous sommes tous des artistes à temps plein, puisque l'art est une question de conscience.

Un de mes amis devient grognon lorsqu'il est éloigné pendant trop longtemps de son piano. Mais il devient également grognon lorsqu'il passe trop de temps avec son piano. L'histoire d'amour que nous entretenons avec notre art ressemble à n'importe quelle autre histoire d'amour : il lui faut des moments de rapprochement et des moments d'éloignement.

Notre vie est censée être nôtre et notre art est censé être quelque chose que nous faisons dans notre vie et avec notre vie. Notre vie doit être plus vaste que notre art, car elle doit être le réceptacle qui contient ce dernier.

La vie n'est pas linéaire et la voie de l'artiste est un itinéraire long et sinueux. Ce voyage s'entreprend surtout en compagnie des autres, engagé non pas dans les scénarios de l'ego, mais dans l'attention tournée vers l'extérieur qui remplit d'histoires notre banque d'images et notre imagination. Au lieu d'aspirer à devenir des artistes à temps plein, nous pourrions aspirer à devenir des humains à part entière. Lorsque nous y réussissons, l'art devient la manifestation de l'excédent de vitalité du cœur.

Ce travail régulier n'est peut-être pas après tout un boulet, mais un boulot, bel et bien une structure de survie essentielle.

* * *

C'est le devoir de l'âme que d'être loyale envers ses propres désirs. Elle doit s'abandonner à sa passion maîtresse.

REBECCA WEST

EXERCICE
Fondez-vous dans la collectivité

Le mythe de l'artiste solitaire est très répandu mais il est aussi faux que celui entourant la colonisation de l'Ouest américain. Ce ne sont pas les cow-boys qui l'ont colonisé, ce sont les familles, les collectivités. Il en va de même avec l'art : l'art est créé par des artistes qui connaissent et aiment d'autres artistes et d'autres gens. Lorsque nous réfléchissons à ce que nous aimons et aux êtres que nous aimons, des idées nous viennent sur ce qui pourrait leur plaire et ce que nous aimerions faire. Lorsque nous pensons à ce qu'il plairait à notre vieille tante de voir, nous commençons à envisager les choses sous un jour nouveau, plus focalisé et plus précis. La vie moderne est agitée et nous déménageons souvent d'une ville à une autre, perdant ainsi le contact avec toute une collectivité et, du même coup, avec diverses parties de nous-mêmes. Nous devons accueillir un grand nombre de « pertes voulues » et, pour rétablir un certain équilibre, nous devons également apprendre à accueillir les « gains voulus ». Les rituels et la régularité font intrinsèquement partie de la façon dont nous nous impliquons dans la collectivité. Prenez un crayon et répondez aux questions suivantes :

1. Voici un rituel quotidien que je pourrais introduire dans la collectivité _____ .

2. Voici un journal de la collectivité que je pourrais lire _____ .

3. Voici un magasin de la collectivité que je pourrais soutenir _____ .

* * *

Au cours de votre quête terrestre, sachez apprécier les bonnes choses qui se présentent.

JOHN SELDEN

4. Voici une préoccupation de la collectivité que je pourrais appuyer _____.

5. Voici un service à la collectivité dans lequel je pourrais m'engager _____.

Parfois, notre engagement peut se résumer à aller prendre un café dans le même restaurant chaque jour. À lire un journal local avant-gardiste ou un document de diffusion dans notre domaine, par exemple une revue des arts de la scène ou le supplément littéraire d'un journal, ou à se procurer les cadeaux de Noël et d'anniversaire à la librairie du quartier spécialisée dans les livres pour enfants. Ou encore à se joindre à une équipe de nettoyage annuel d'un parc public ou passer une heure par semaine à faire la lecture à des personnes âgées. Ces divers engagements n'exigent aucune formation particulière et ils procurent tous l'ancrage nécessaire pour garder notre stabilité dans ce monde en perpétuel changement. Nous avons tous besoin d'une dose quotidienne de douceur, nous avons tous besoin de faire preuve de bienveillance, nous avons tous besoin des encouragements que nous lisons sur les visages familiers. Les artistes ont probablement davantage besoin de la collectivité et de compagnie que les autres, certainement pas moins. L'incubation de nos projets peut prendre du temps, ainsi que leur maturation et leur aboutissement. Entre-temps, nous avons besoin de vivre notre vie et la vie a besoin de nous.

VÉRIFICATION

1. **Combien de fois cette semaine avez-vous rédigé vos Pages du matin?** Si vous avez sauté un matin, pour quelle

* * *

Si nous devions décrire ce qu'est l'écriture, nous pourrions la définir comme étant essentiellement un acte de courage.

CYNTHIA OZICK

raison l'avez-vous fait? Quel genre d'expérience avez-vous vécu en écrivant ces pages? Sentez-vous plus de clarté? Une plus vaste palette d'émotions? Une plus grande impression de détachement, de finalité et de calme? Quelque chose vous a-t-il surpris? Voyez-vous un scénario répétitif qui demande à être examiné?

2. **Avez-vous été à votre Rendez-vous d'artiste cette semaine?** Avez-vous ressenti une amélioration de votre bien-être? Qu'avez-vous fait et qu'est-ce que cela vous a fait? Rappelez-vous que les Rendez-vous d'artiste sont difficiles et qu'il faudra peut-être vous pousser un peu pour les respecter.

3. **Avez-vous fait votre Promenade hebdomadaire?** Quelle impression cela vous a-t-il fait? Quelles émotions ou intuitions ont fait surface en vous? Avez-vous pu aller vous promener plus d'une fois? De quelle façon cette promenade a-t-elle modifié votre optimisme et votre perspective des choses?

4. **Y a-t-il eu d'autres questions cette semaine qui vous ont paru significatives dans la découverte de ce que vous êtes?** Décrivez-les.

Découverte de la notion
de momentum

La créativité se nourrit de petits gestes concrets. Cette semaine vise à démanteler la procrastination, ce grand blocage à la créativité. Le thème et les exercices de cette semaine visent à nous aider à acquérir un sens personnel d'accomplissement et de fiabilité. Le secret pour mener une vie créative, c'est de poser en permanence et de façon soutenue des gestes positifs, chose possible pour nous tous.

Y ALLER DOUCEMENT, MAIS Y ALLER
POUR RESTER DANS LE MOUVEMENT

La plupart des artistes sont bloqués non pas parce qu'ils manquent d'idées, mais parce qu'ils en ont trop. Comme ces idées entrent en concurrence les unes avec les autres, il se crée une sorte d'impasse en nous. C'est pour cette raison que nous avons l'impression d'être bloqués. Lorsque nous pensons à un projet, nous nous disons : « Je pourrais essayer ça, ça et ça et peut-être aussi ça, ça et ça, et, ah oui, pourquoi pas ça, mais s'il arrive que.... mon Dieu ! »

Quand nous sommes rendus au « mon Dieu ! », les rouages du mental accrochent et bloquent ou bien ils se mettent à vrombir frénétiquement, un peu comme une pédale de bicyclette dont la chaîne a déraillé. Il n'y a pas de quoi s'étonner si nous sommes confus et craintifs. Parfois, nos amis les plus intimes nous affolent sans le faire exprès. Je me rappelle un repas difficile et confrontant avec mon grand ami John Newland, metteur en scène avec qui je travaillais souvent. Je venais de commencer à travailler sur une nouvelle comédie musicale : les chansons et les idées semblaient me tomber du ciel sur la tête comme par un conduit de cheminée. C'était comme si le père Noël avait perdu l'esprit et me déversait n'importe comment des cadeaux du haut du toit par la cheminée. Tout à fait innocemment, John me demanda : « Comment se termine la première scène ? » Je n'en savais rien. J'avais tellement d'idées que je ne réussissais même pas à lire la carte du restaurant. Et encore moins le déroulement de l'intrigue de ma comédie musicale !

« Ne me pose pas cette question. Je ne sais pas », rétorquai-je brusquement.

« Julia, c'est juste *moi*, John, ton vieil *ami* ! Pourquoi est-ce que tu es si en colère ? »

J'étais en colère parce que j'étais dépassée. Et j'étais dépassée parce que j'avais tellement d'idées quant à ce que je pouvais faire, que j'en étais paniquée.

Chaque fois que vous vous sentez dans une impasse, bloqués ou agités, rappelez-vous que c'est parce que vous avez trop de bonnes idées, même si vous avez l'impression du contraire.

Le truc pour faciliter les choses est d'établir une fluidité dans le courant des idées pour que celui-ci puisse couler librement. Cela empêchera le barrage des idées prises en aval de céder et de vous submerger. Cela empêchera la pression d'augmenter au point de bloquer les rouages de l'intellect ainsi que le flot des idées, ce qui vous rendrait davantage tendu, comme serait la membrane d'un ballon trop gonflé.

* * *

La saison connaît des changements, des intermittences folles, comme moi ces jours-ci, qui croule sous les exigences et les engagements.

MAY SARTON

Rappelez-vous que la créativité n'est pas inconstante, finie ni limitée. Il y a toujours des idées, de bonnes idées. Des idées réalisables, des idées courageuses et révolutionnaires. Des idées calmes et pratiques. Le truc, c'est de se brancher sur elles et de les laisser suivre leur cours. Autrement dit, le moment est venu de mettre l'adage « Y aller doucement » à l'œuvre. En effet, quand on y va doucement, les choses marchent, alors que lorsqu'on est agité, inquiet et paniqué, elles ne marchent pas.

Il vous faudra faire un petit pas à la fois, sinon les idées resteront bloquées et la pression derrière le barrage continuera d'augmenter. Quand c'est le cas, cela se manifeste souvent par des crises de doute et de dégoût de soi. Vous dites que vous êtes stupide comme c'est pas possible, alors qu'en fait le problème est que vous êtes trop brillant.

Ce qu'il faut faire pour doucement dégager le barrage, c'est libérer un peu d'énergie. C'est pour cette raison que vous ne pouvez retrouver votre calme en regardant des talk-shows à la télévision, en écoutant des émissions radio ou les suggestions utiles de vos amis. Il faut vous calmer l'esprit en éliminant l'excès, pas en rajoutant autre chose.

Dans notre société, nous sommes habitués à composer avec l'anxiété en y rajoutant toujours quelque chose : un verre, une virée dans les magasins, un rendez-vous avec Häagen-Dazs. Nous avons la fâcheuse tendance à vouloir remédier à nos anxiétés au lieu de les écouter. Ce qu'il faut, c'est laisser aller les choses, pas en rajouter davantage.

Voilà comment vous aiderez les autres et vous-mêmes. Au lieu de vous perdre dans les actualités télévisées, écrivez donc une lettre à votre vieil oncle. Le mot clé est « écrire », pas appeler pour parler. Vous ne voulez pas déséquilibrer davantage les choses en en rajoutant. Vous avez besoin de vous délester l'esprit

* * *

C'est en connaissant nos véritables conditions de vie que nous sommes à même de trouver la force et la raison de vivre.

SIMONE DE BEAUVOIR

de vos pensées. Imaginez un ballon qui est trop gonflé. Quand vous faites sortir de l'air, il se détend. Si vous le gonflez davantage, il explose. Lorsque vous êtes tendus et bloqués, votre vie ressemble au ballon trop gonflé, trop tendu. Vous êtes étirés au maximum. C'est pour cette raison que les bons conseils des amis et le babillage du voisin vous rendent si soudainement dingues. C'est pour cette raison que vous avez la mèche courte. Quand vous avez un trop-plein d'énergie créative, il vous faut en laisser sortir un peu. Allez vous promener et rappelez-vous ceci :

1. J'ai de bonnes idées.

2. J'ai beaucoup de bonnes idées.

3. Peu à peu, calmement, une à la fois, je peux les réaliser.

La thérapie devient comme une drogue pour les gens car ils peuvent se délester d'un surplus d'énergie en parlant avec leur thérapeute. Les médicaments deviennent aussi une drogue parce qu'ils soulagent momentanément d'un état de trop-plein. Il en va de même avec l'exercice physique. Ce qu'il faut, c'est faire un pas en avant de façon créative. Plus le rêve est vrai, plus il occasionne de pression sur le plan de la créativité. Il devient donc plus important de poser de petits gestes pour éviter que le rêve ne reste figé. Cessez de parler et passez à l'action. Vous avez besoin de vous exprimer d'une façon concrète, si minime soit-elle.

Lorsque vos pensées tournent en rond et que vous n'avez pas de suite dans les idées, mettez de l'ordre dans votre vie matérielle : pliez du linge, rangez vos tiroirs, ordonnez les vêtements dans vos placards, faites votre lit avec soin. Ou encore

* * *

Il vous faut revendiquer les événements de votre vie pour être qui vous êtes. Lorsque vous êtes en pleine possession de tout ce que vous avez été et fait, chose qui peut prendre un certain temps, vous resplendissez de réalité.

FLORIDA SCOTT-MAXWELL

astiquez votre bibliothèque et votre commode. Souvent, quand nous nous adonnons à des tâches domestiques insignifiantes, nous retrouvons notre centration, nous rentrons au « bercail ». Lorsque nous prenons le temps de voir aux détails de nos vies, nous retrouvons une certaine grâce. Souvent, en donnant un sens à l'ordre, nous retrouvons une direction où nous pouvons nous exprimer à loisir.

Une lettre, une note, un paquet de cartes de la Saint-Valentin, rien de tel pour remonter. Quand je suis dans une phase créative, j'écris chaque jour. Trois pages le matin et presque toujours quelques autres pages plus tard dans la journée. Lorsque j'ai commencé à écrire de la musique, j'y suis allée à fond au début et je me suis brûlée. Ensuite, j'ai eu peur de reprendre et la pression a commencé à monter. Lorsque j'ai compris qu'il fallait aussi laisser couler les choses avec la musique, j'ai ralenti le rythme et ma productivité a recommencé à augmenter.

Peu importe à quel point vous vous sentez stupides et dépassés face aux complexités et aux difficultés du changement, le problème n'est pas, n'est *jamais*, que vous êtes stupide. Le problème est simplement que votre superbe cerveau fait des heures supplémentaires et que vous avez besoin de lui donner un congé. Au lieu de dénigrer votre anxiété ou de l'étiqueter d'une façon ou d'une autre, servez-vous-en de façon créative.

EXERCICE

Allez-y doucement, mais allez-y avec détermination !

Un de mes amis, un homme qui vit avec sa femme et ses domestiques, m'accuse de pratiquer l'enseignement créatif à la manière de Martha Stewart. Il a totalement oublié la sensation de bien-être que procure un petit geste posé dans l'intention de mettre de l'ordre dans notre monde et d'y trouver notre place. La plupart d'entre nous profiterions certainement d'un petit ménage dans bien des domaines de notre vie. Prenez un crayon et énumérez cinq domaines de votre vie qui pourraient bénéficier d'un peu plus de retapage. Choisissez-en un et mettez en œuvre l'adage qui dit que la propreté rapproche de la divinité. Cette expérience vous met-elle en contact avec davantage de bienveillance ?

Voici quelques exemples de travaux domestiques :

1.   Cirer mes chaussures.

2.   Ranger le dessus de mon bureau.

3.   Ordonner les livres de ma bibliothèque.

4.   Classer mes reçus.

5.   Jeter de vieux magazines.

Ce que nous recherchons dans cet exercice, c'est à employer l'énergie bloquée à des fins productives, même dans les tâches les plus ordinaires. Une fois que nous réalisons que notre impression d'être bloqués par le monde extérieur peut changer grâce à un geste tout simple, nous commençons à davantage croire en la bienveillance de l'univers lui-même. Autrement dit, si Dieu est dans les détails, il vaudrait mieux que nous y soyons aussi !

PERCÉES

Une des difficultés inhérentes à la créativité, c'est que nous avons tendance à considérer ou à vivre les percées comme des échecs. En effet, avec une percée, notre façon ordinaire de voir le monde et de nous voir bascule soudainement. En même

* * *

La vie devrait être un désir entretenu d'aventures dont la noblesse viendrait enrichir notre âme.

REBECCA WEST

temps, émerge une nouvelle façon de voir les choses. Parfois, cette nouvelle vision peut être quasiment hallucinogène tellement notre perspective a basculé. Ce qui nous semblait certain ne l'est plus. Ce qui nous semblait hors de question devient possible ou même probable. C'est comme si une lumière stroboscopique avait balayé le champ de nos expériences et mis en exergue une supposition auparavant jamais remise en question.

La créativité ne prend pas racine dans le flou des rêves mais bien dans la clarté extrême. Nous avons la vision d'une œuvre et nous nous mettons à l'ouvrage pour lui donner forme. Nous avons la vision d'une nouvelle direction et nous l'empruntons. Le périple de la créativité est caractérisé non pas par un éloignement confus et flou de la réalité, mais par un tri, une réorganisation et une restructuration continus de notre réalité en de nouvelles formes et de nouvelles relations. Les artistes voient les choses différemment, en grande partie parce qu'ils regardent.

Lorsque nous voulons regarder et sommes disposés à voir ce que nous regardons, c'est que nous sommes prêts à nous défaire de nos rassurantes positions sur la nature des choses. Nous peignons une chaise de biais parce que cela lui donne tout son caractère de chaise à nos yeux. Ce genre de perspective peut s'appliquer aussi à nos relations. Soudainement et de façon inattendue, nous les voyons sous un jour nouveau et révélateur. Parfois, de telles percées font peur car elles sont aussi vives qu'une lumière stroboscopique.

Nous pouvons aussi bien nous faire la remarque « Cette relation ne me mène nulle part » que « Mon Dieu, je vais épouser cet homme ! » Tout à coup, le futur prend une tournure tout à fait différente de ce que nous avions imaginé. Nous avons un clair aperçu de nous célibataire ou dans une relation inattendue. De tels aperçus, en quelque sorte des incursions dans le futur,

* * *

Le courage, c'est la peur qui a dit ses prières.

DOROTHY BERNARD

peuvent désorienter grandement. Nous « voyons » la forme des choses à venir, mais cela ne veut pas dire qu'elles sont déjà là. La relation bancale a encore besoin de tomber en désuétude et la nouvelle relation doit s'amorcer pour de bon. Nous savons ce qui va se passer, mais nous ne pouvons pas accélérer le temps pour vérifier nos visions. Nous avons nous-mêmes besoin de temps pour planter nos racines et savoir composer avec les changements que nous avons entrevus.

Lorsque la lumière stroboscopique jette ses rayons dardants sur un domaine de notre vie personnelle ou professionnelle, nous en voyons tout d'un coup les contours avec une précision étonnamment marquée. « Mon Dieu, je pourrais peindre de cette façon ! » disons-nous bouche bée. Ou encore « Mon Dieu, elle n'a aucune intention de devenir autonome. Je ne l'aide pas, au contraire. » Lorsque la lumière frappe avec clarté, les choses sont nettes mais fragmentées. Nous avons un aperçu terrifiant d'une vérité inhabituelle qui a le même effet que celui de la lumière stroboscopique dans une discothèque : tout change de position sans que nous voyions les transitions. La tentation peut être grande dans ces moments-là de laisser tomber une vieille conception ou un vieil emploi, du fait qu'ils semblent impropres. Mais ils ne sont pas impropres, ils sont simplement dépassés. Notre façon de peindre d'alors était la bonne à ce moment-là. Et la personne que nous avons aidée essaie seulement dorénavant d'instaurer une relation de dépendance. La clarté propre à la lumière stroboscopique est si soudaine et si frappante qu'elle en est discontinue. C'est quelque chose qui s'attrape du coin de l'œil et qui nous fait nous exclamer : « Mais, qu'est-ce que c'était ? »

Lorsque de telles percées se produisent dans notre réalité artistique et personnelle, nous devons soigneusement digérer

* * *

Ce qu'il y a de formidable à vieillir, c'est que vous ne perdez pas tous les âges que vous avez eus.

MADELEINE L'ENGLE

leur signification avant de passer à l'action. Je ne veux pas dire par là que tout ce que nous avions compris auparavant était faux, mais plutôt que c'était incomplet. Notre nouvelle vision des choses vient corriger l'entendement préalable. Ce correctif a cependant besoin d'être un peu digéré avant que nous le concrétisions.

Ce que j'appelle la «clarté stroboscopique» dans le domaine de la créativité s'apparente à la clarté qui apparaît lorsque nous réalisons vraiment qu'une relation est finie. Même si c'est le cas, il n'est pas nécessaire de sortir toutes nos affaires sur le trottoir. Nous pouvons encaisser le coup et évaluer nos options. Lorsque nous affirmons : «J'en ai assez avec cette forme d'art», nous soulevons en fait la question suivante : «Qu'est-ce que je fais maintenant?», question à laquelle l'univers est déjà en train de répondre. La créativité est toujours une danse interactive entre monde intérieur et monde extérieur. La chance ne frappe pas seulement à notre porte dès que nous sommes prêts. Il est clair qu'elle frappait depuis quelque temps. Mais nous faisions la sourde oreille et portions des œillères. Notre conscience qui filtrait tout et ne laissait passer que l'acceptable du moment est dorénavant ouverte à recevoir plus.

Les percées soudaines peuvent être ressenties comme des échecs. Il vaut mieux les concevoir comme des transformations que comme des échecs. Voyez votre conscience comme la rivière gelée qui dégèle au printemps, comme la couche de glace qui se fragmente en de multiples morceaux. C'est exactement ce qui se passe avec votre conscience : ce qui était solide se liquéfie, donnant ainsi naissance à de nouvelles formes et structures. Une nouvelle expansion est en gestation.

Alors que nous étions incapables de distinguer les arbres de la forêt, nous pouvons dorénavant voir la forêt et les arbres. *Mon Dieu, je pourrais ajouter des fragments de photographie à ma toile*, nous disons-nous soudainement. Nous avons changé le mobilier cérébral de place, repeint le vieux bureau d'un beau bleu cobalt et trouvé une perspective et un espace complètement nouveaux.

Nous savons tout à coup que *le narrateur de l'histoire devrait être masculin et parler à la première personne du singulier*. Et nous « savons » également qu'il importe peu que nous soyons une femme en train de faire parler ce personnage masculin. Savamment conçu et rédigé par un auteur occidental de sexe masculin, le livre *Mémoires d'une geisha* est la narration à la première personne du singulier d'une femme orientale.

Lorsque la clarté de la lumière stroboscopique frappe, les barrières s'effondrent. Nous voyons soudainement ce que nous ne pensions pas pouvoir faire un instant plus tôt. Une étincelle d'invention nous allume et, comme lorsqu'on entrevoit les plumes vivement colorées mais cachées d'un oiseau, nous réalisons soudainement que notre vie créative n'est pas aussi terne ni si monochrome que nous le pensions.

« Je ne me rendais pas compte de ce que je faisais », disons-nous, étonnés, lorsque nous constatons que subrepticement et à travers nous, le Créateur a concocté quelque chose de nouveau et d'original que nous ignorions totalement être en train de réaliser. « Super ! Si je reliais tous ces poèmes de cœurs brisés, j'aurais la structure d'une pièce de théâtre. Quelle bonne idée ! »

La clarté de la lumière stroboscopique peut se comparer au regard furtif que vous lanceriez sur vous-même dans un nouveau miroir pour une fois flatteur. C'est comme apercevoir une séduisante inconnue et vous rendre subitement compte que cette personne, c'est vous. L'image que nous avons de nous est si différente, si impossiblement possible, que nous sommes pris au dépourvu. L'âge s'efface et nous redevenons jeunes de cœur, la gorge serrée par l'émotion qui monte quand nous nous disons « Ça arrive pour de vrai... » Nous avons tout à coup un aperçu de la direction vers laquelle nous nous dirigeons, nous avons l'in-

* * *

La vie est faite pour être vécue et la curiosité pour se perpétuer. On ne doit jamais, pour aucune raison, tourner le dos à la vie.

ELEANOR ROOSEVELT

tuition qu'une nouvelle expansion est possible, imminente malgré notre âge que nous jugeons avancé, quel qu'il soit.

La clarté de la lumière stroboscopique nous dit que cette expansion nouvelle sera terrifiante. Elle nous fait entrevoir un film qui fait peur. «Mon Dieu, qu'est-ce que c'était?» nous demandons-nous les yeux écarquillés. Vue si rapidement et si nettement, la plus normale des choses peut sembler effrayante. Il en va de même pour la transformation. La pensée de vouloir retourner aux études peut être aussi menaçante qu'un meurtrier sanguinaire qui nous attend dans un recoin. Quand la lumière de la réalité s'intensifie sur cette pensée soudaine, ce meurtrier prend de plus en plus l'allure d'un professeur et moins celle de quelqu'un qui viendra démembrer notre réalité. Quand vous êtes saisi par un éclair de clarté frappante, allez-y lentement et soyez clément envers vous-même. De cette façon, vous ne vous bousculerez pas dans la terreur obscure, ni ne trébucherez sur le mobilier de votre conscience.

Les percées ne sont pas des échecs, même si elles nous en donnent l'impression. N'oubliez pas que vous êtes fragile. Soyez bienveillant envers vous-même pendant que vous vous habituez à votre nouveau décor mental et émotionnel.

EXERCICE

Géographie

Quand j'étais petite, ma matière préférée à l'école était la géographie. Mes yeux s'émerveillaient devant les images de cultures étrangères: paniers et balles de caoutchouc en équilibre sur les têtes, avion descendant en piqué au-dessus de chutes nichées dans les hauts plateaux de la jungle, longues baguettes

* * *

Nous ne sommes pas des êtres humains qui essaient d'être spirituels. Nous sommes des êtres spirituels qui essaient d'être humains.

JACQUELYN SMALL

magiques employées par les prêtres guérisseurs d'Égypte pour suivre le tracé des méridiens du corps, art et artéfacts venus du fond des âges et des temps.

Penchez-vous sur les questions suivantes :

1. Quelle culture autre que la vôtre vous inspire ?

2. Quel âge autre que le vôtre entre en résonance avec votre sensibilité ?

3. Quelle cuisine étrangère n'est pas du tout étrangère à votre palais ?

4. Quelles sont les odeurs exotiques qui vous donnent un sentiment d'expansion et de bien-être ?

5. Quelle tradition spirituelle vous attire plus que la vôtre ?

6. La musique de quelle autre culture fait vibrer les cordes de votre cœur ?

7. À une autre époque, quel âge physique vous voyez-vous avoir ?

8. Dans une autre culture et à une autre époque, de quel sexe êtes-vous ?

9. Aimez-vous les films d'époque ?

10. Si vous deviez écrire un scénario de film, quelle époque, quel lieu et quelles circonstances choisiriez-vous ?

Maintenant, rassemblez une grosse pile de magazines et de catalogues avec des illustrations en couleur. Trouvez une bonne photo de vous et disposez-la au centre d'un grand morceau de carton. De façon rapide, sélectionnez des images dans les magazines et les catalogues. Servez-vous-en pour camper le personnage principal (vous) dans un monde imaginaire où abondent les objets et les activités qui vous tiennent à cœur.

* * *

Ce que je préfère, c'est aller là où je ne suis jamais allée.

DIANE ARBUS

COMPLÉTER QUELQUE CHOSE

Les artistes se plaignent souvent de leur incapacité à commencer quoi que ce soit. « Si seulement j'avais le courage de commencer... un roman, une nouvelle, la refonte d'une pièce, la série de photos à laquelle je pense... » J'aimerais vous proposer quelque chose de différent. J'aimerais que vous entrepreniez de compléter quelque chose.

Une obscure loi de physique semble entrer en jeu lorsque les artistes complètent quelque chose. Ce quelque chose peut être aussi simple que ranger l'armoire à pharmacie, nettoyer le compartiment à gants de la voiture ou rendre les vieilles cartes routières de nouveau utilisables grâce à du ruban adhésif. Dès l'instant où nous finissons quelque chose, le ciel nous tape gentiment sur l'épaule, ou encore nous donne un coup de coude dans les côtes, comme pour nous infuser une bonne dose d'énergie à employer ailleurs.

Comment pouvez-vous envisager commencer votre thèse si vous ne réussissez pas à finir votre raccommodage ? Comment pouvez-vous remplir votre demande d'inscription à l'université si le rideau de votre douche est sale, déchiré et décroché de ses anneaux par endroits, alors que le rideau neuf attend sur le réservoir de la toilette ?

Nous avons pour la plupart des maisons et des studios remplis de projets à moitié finis : triage des photos de notre portfolio, la moitié se trouvant dans des albums, l'autre dans des boîtes à chaussures ; la réorganisation alphabétique de notre Rolodex, à moitié fait lui aussi ; le classement des diverses ébauches de notre dernière pièce, autre élément de la liste des « Quand je m'y remettrai... », etc. Pas étonnant que nous traînions de la patte à l'idée d'entreprendre quelque chose d'autre. Nous avons bien trop de faux départs, trop de choses à moitié finies et de projets mitigés.

Un jeune compositeur prénommé Christian était animé d'un grand enthousiasme et avait de nombreux projets. Il se précipitait toujours sur des thèmes musicaux nouveaux, y allait à fond jusqu'à ce qu'autre chose vienne retenir son attention et devienne son nouveau centre d'intérêt. Christian était le genre de jeune artiste que l'on qualifie de « prometteur ». Malheureusement, il était trop fragmenté pour vivre à la hauteur de la promesse.

« Mets de l'ordre dans la pièce où tu travailles », lui recommanda un compositeur plus âgé. « Crée-toi un système de classement. Mets chaque chose à sa place. »

Même s'il estimait gaspiller son temps et son énergie, qu'il aurait pu employer pour composer de la musique, Christian suivit le conseil de ce compositeur. Alors qu'il organisait méticuleusement les travaux sur ses différents projets dans des classeurs à anneaux, une chose étrange se produisit : le respect de lui-même commença à se montrer le bout du nez.

En rangeant ses travaux, il se rendit compte *qu'il avait accompli beaucoup*. Il constata que plusieurs pièces étaient sur le point d'être achevées et qu'il s'était nié la satisfaction du travail bien fait. Comme c'était à prévoir, il répéta le même scénario d'évitement dans l'organisation de la pièce. Il y travailla jusqu'à ce que les deux tiers fussent faits et il s'arrêta.

« Où en es-tu avec l'organisation de ta pièce ? » lui demanda son ami musicien qui avait de la jugeote. Christian lui avoua qu'il s'était arrêté avant d'avoir terminé.

« Mais, c'est beaucoup mieux, ajouta-t-il sur la défensive. Je sais où presque tout se trouve. Tu ne croirais pas tout le travail que j'ai fait, sans blague ! Je ne réalisais pas que j'avais autant de projets rendus si loin. »

« Finis de ranger ta pièce. Mets de l'ordre dans la moindre petite chose. Tu es à deux doigts de récolter ce que tu as semé, mais tu dois continuer. Finis et tu verras ce qui va se passer. »

* * *

Il est bon d'avoir une fin au bout du voyage. Mais, c'est le voyage lui-même qui est la fin en soi.

URSULA K. LE GUIN

À contrecœur, travaillant sans conviction et rigolant presque de la façon dont il flânait et se traînait les pieds, Christian termina enfin le rangement de sa petite pièce, où chaque chose avait dorénavant sa place. Chaque composition avait son petit coin, facile à voir et bien classée. Christian ressentit monter en lui une vague d'énergie renouvelée, qui lui sembla être de l'optimisme mais qui était une énergie plus focalisée que ce dernier. Il comprit qu'il s'agissait de quelque chose de différent de l'inspiration, et de plus solide et affirmé que l'espoir. Il lui fallut un certain temps pour nommer cette nouvelle composante émotionnelle.

« Ce que je ressentais, c'était de la détermination », évoque Christian. Bien des choses qui lui avaient paru vagues et illusoires semblaient dorénavant être à sa portée. Une composition à la fois, un dossier à la fois, Christian termina ses projets. Moins d'un mois après avoir organisé son studio de travail, Christian se retrouva avec la forme finalisée de compositions pouvant dorénavant passer à l'étape suivante, c'est-à-dire celle de la demande de bourses et de l'inscription à des concours.

« Soudainement, je pouvais montrer autre chose que des promesses, raconte Christian. J'avais enfin réalisé des projets. Je n'étais plus seulement une promesse de talent. J'étais quelque chose de beaucoup mieux : j'étais productif. »

Il semble qu'une loi spirituelle invisible veuille que, si nous voulons voir les bienfaits augmenter dans notre vie, nous devons en premier lieu apprécier pleinement ce que la vie nous a déjà donné. Cela peut se faire en rédigeant des listes de gratitude où figurent les nombreux bienfaits dont la vie nous gratifie. Sur un plan concret, cela peut se faire en prenant soin de ce qui nous est donné : les boutons recousus, les ourlets refaits et les taches sur les cadres de porte essuyées. Quand nous profitons au maximum de ce que nous avons, nous nous apercevons vite que le Créateur vient soutenir nos efforts en nous apportant quelque chose d'encore mieux. C'est dans de telles circonstances que le vieil adage qui dit « Aide-toi et le ciel t'aidera » peut se vérifier.

Un corps en mouvement reste en mouvement. Cette loi s'applique dans le domaine de la créativité comme nulle part ailleurs. Lorsque nous voulons graisser les roulements à bille de notre créativité, il est bon de mettre un peu de jus de coude ailleurs : raccommoder des pantalons, accrocher des rideaux. Je ne sais pas pour quelle raison faire l'ourlet d'un pantalon vous donne la motivation de vous remettre au chevalet, mais c'est ce qui se produit. Je ne sais pas comment ranger le placard peut réussir à vous faire voir clairement comment terminer l'écriture d'une nouvelle, mais c'est ce qui se produit.

Quand on finit quelque chose, n'importe quoi, qu'il s'agisse de classer votre collection de CD, de gonfler un pneu de bicyclette, d'apparier vos chaussettes, l'ordre se fait aussi bien extérieurement qu'intérieurement. La fin semble inviter un nouveau commencement.

EXERCICE
Apprenez à négocier la courbe d'apprentissage

L'exercice suivant vise l'encouragement. Lorsque nous envisageons une nouveauté, nous oublions souvent que nous avons complété un grand nombre d'anciennces nouveautés. Prenez un crayon et énumérez dix choses que vous avez apprises même si vous doutiez pouvoir le faire.

Par exemple :

1. Je peux faire du spanakopita et il est très bon.
2. Je parle bien l'espagnol pour dire autre chose que « Comment allez-vous ? »

* * *

Pour pouvoir mener à bien de grandes entreprises, il faut vivre comme si on ne devait jamais mourir.

MARQUIS DE VAUVENARGUES

3. Je peux nager sur le dos sans me noyer et j'aime ça maintenant.

4. Je peux changer l'huile à moteur de ma voiture.

5. Je peux me servir de mon nouvel ordinateur.

6. Je réussis au calcul, un autre risque calculé.

7. En m'entraînant l'oreille, je peux mémoriser de plus en plus précisément des mélodies simples.

8. Je réussis à parler dans un micro et à m'en tirer pas mal la plupart du temps.

9. J'ai appris à travailler avec Photoshop sur mon ordinateur.

10. Je sais donner des vermifuges à mon chien sans y laisser une main.

Les aptitudes s'apprennent et nous apprenons aussi que la courbe d'apprentissage comporte toujours stimulation, découragement, consternation, misère et, à un moment donné, maîtrise.

VÉRIFICATION

1. **Combien de fois cette semaine avez-vous rédigé vos Pages du matin?** Si vous avez sauté un matin, pour quelle raison l'avez-vous fait? Quel genre d'expérience avez-vous vécu en écrivant ces pages? Sentez-vous plus de clarté? Une plus vaste palette d'émotions? Une plus grande impression de détachement, de finalité et de calme? Quelque chose vous a-t-il surpris? Voyez-vous un scénario répétitif qui demande à être examiné?

* * *

Personne n'a besoin de savoir que vous vous êtes coupé du monde pour méditer pendant que vous flânez dans la rue. Vingt à trente minutes chaque jour suffisent à vous redonner une sensation de sérénité.

Sarah Ban Breathnach

2. **Avez-vous été à votre Rendez-vous d'artiste cette semaine?** Avez-vous ressenti une amélioration de votre bien-être? Qu'avez-vous fait et qu'est-ce que cela vous a fait? Rappelez-vous que les Rendez-vous d'artiste sont difficiles et qu'il faudra peut-être vous pousser un peu pour les respecter.

3. **Avez-vous fait votre Promenade hebdomadaire?** Quelle impression cela vous a-t-il fait? Quelles émotions ou intuitions ont fait surface en vous? Avez-vous pu aller vous promener plus d'une fois? De quelle façon cette promenade a-t-elle modifié votre optimisme et votre perspective des choses?

4. **Y a-t-il eu d'autres questions cette semaine qui vous ont paru significatives dans la découverte de ce que vous êtes?** Décrivez-les.

Découverte de la notion
de discernement

C ette semaine pose un défi : sommes-nous vraiment capables de maintenir le cap ? Si c'est ce que nous voulons, nous devons apprendre à tenir certains démons à l'écart, surtout le succès, l'ennemi caché. Le thème et les exercices de cette semaine visent à identifier et à désamorcer les monstres de la créativité qui hantent notre esprit, entre autres la colère, que nous aborderons en détail. Lorsque nous démasquons nos monstres intérieurs, nous éprouvons souvent un sentiment de trahison et de chagrin. Celui-ci est remplacé par un sentiment de sécurité lorsque nous identifions avec exactitude les éléments qui viennent à notre aide.

CRÉER EST PLUS IMPORTANT QUE RÉUSSIR

Dans les études sur les mangeurs compulsifs, on a découvert que certains aliments constituent ce que l'on appelle des « aliments déclencheurs ». La première bouchée amène au besoin impérieux d'en prendre une autre, puis une autre, et encore une autre, et ainsi de suite. Pour plusieurs artistes, l'aliment déclencheur est la célébrité, ou peut l'être. Lorsque c'est la célébrité que nous cherchons, nous en voulons toujours plus. Par contre, lorsque la célébrité survient en tant que sous-produit de notre travail – ce qui est souvent le cas – , elle est alors plus facile à digérer. Mais il faut cependant rester axé sur ce que nous faisons, pas sur comment nous le faisons.

Lorsque nous sommes en pleine réalisation d'un projet, à l'instant du geste créateur, nous savons exactement qui et ce que nous sommes parce que nous oublions à ce moment-là la réaction du public. Nous devenons l'art lui-même, nous ne sommes plus l'artiste qui le crée. Au moment même où nous créons, nous redevenons heureusement anonymes. Même quand nous créons en public, le geste de création est un geste d'intimité. La créativité se joue toujours entre nous et notre énergie créative, entre nous et le pouvoir créatif qui œuvre à travers nous. Lorsque nous réussissons à rester clairement et nettement focalisés sur cela, alors tout va bien pour nous.

Nous pouvons faire de l'art en tout temps. Par contre, nous ne pouvons pas toujours le faire à notre façon ni même dans notre domaine de prédilection. Les acteurs qui ne jouent pas ont tendance à oublier qu'ils peuvent toujours apprendre un monologue, au même titre que d'autres peuvent essayer d'écrire un texte pour un spectacle en solo, ou encore apprendre à jouer du piano, à faire des aquarelles ou de la poterie. Lorsque nous voulons absolument exprimer notre créativité dans un seul domaine ou même dans un créneau particulier d'un domaine, nous perdons de vue deux choses importantes : notre versatilité et notre ouverture. Nous avons tendance à nous isoler et à bouder, remplis du ressentiment de ne pas être appréciés et de ne pas être choisis alors que nous pouvons faire des choix qui remettront notre pouvoir créateur, si ce n'est notre « carrière », entre nos mains.

Il est difficile d'être déprimé et d'agir en même temps. Les acteurs oublient que le mot clé est « agir », « action ». Pendant qu'ils attendent d'être choisis par un imprésario, de se voir attri-

* * *

On sait depuis toujours que les esprits créatifs survivent à n'importe quel mauvais conditionnement.

ANNA FREUD

buer un rôle dans un film ou dans une pièce, ou de recevoir des critiques élogieuses, ils oublient qu'ils peuvent monter un spectacle en faisant une relecture du texte, en enregistrant des monologues sur vidéo, en organisant une soirée de levée de fonds pour un groupe religieux, en faisant des spectacles dans des résidences pour personnes âgées. Autrement dit, ils peuvent agir, ils peuvent jouer.

Quant aux musiciens, ils peuvent apprendre un nouveau genre de musique, qu'ils puissent ou pas le mettre en application dans leur créneau particulier. Il est souhaitable qu'ils se souviennent que l'important est de « jouer de la musique », pas de « travailler à leur carrière ». Il est agréable de jouer les mélodies de Broadway au violon ou des chansons des Beatles pour changer un peu de Bach. Si nous sommes sérieux en ce qui concerne notre art, alors nous devrions sérieusement nous y mettre, non pas vouloir être perçus comme des « artistes sérieux ».

Le respect de soi provient des textes que l'on écrit et que l'on joue, pas des critiques que l'on reçoit. Pas du passage en revue de ce que nous avons fait. Pas de l'accueil du public.

Quand les artistes se préoccupent d'être dans la mire du public, ils pensent davantage à la façon dont ils s'en tirent qu'à ce qu'ils font. Que veut dire exactement «être dans la mire du public »? Et pourquoi le public semble-t-il avoir les yeux fermés pendant notre solo ?

Quand l'art devient une question de carrière et de profit, ce qui ne nous empêche pas d'apprécier ces retombées, notre art devient la responsabilité de quelqu'un d'autre, pas la nôtre. Nous nous disons que nous avons besoin d'un coup de chance. Nous nous laissons aller à parler des us et coutumes du milieu des affaires pour ce qui est de l'art et des circonstances qui sont

* * *

Nous submergeons notre esprit de paroles qui nous hypnotisent et nous manipulent. Elles nous masquent la vérité même quand celle-ci est sous notre nez. Pour découvrir la réalité sous-jacente, j'ai appris à n'écouter que l'action.

Judith M. Knowlton

contre nous. Et ce qui se produit inévitablement après, c'est que nous nous sentons impuissants, déprimés et enragés. Nous sommes enragés parce que nous ne réussissons pas assez vite.

Clarence était un musicien doué, tellement doué qu'on lui avait toujours prédit que de grandes choses arriveraient dans sa vie. Il jouait pour de grands noms, sur des disques importants et était toujours sur le point de faire une grande percée. Chroniquement insatisfait que cette grande percée ne soit pas encore arrivée, Clarence ne remarquait ni n'appréciait même pas les nombreuses et merveilleuses choses qui se produisaient dans sa vie. Il avait joué avec Bob Dylan et certains autres de ses idoles. Il avait participé à l'émission de David Letterman et fait une tournée en Europe avec un orchestre très populaire. De l'extérieur, sa vie semblait prestigieuse. De l'intérieur, elle lui semblait terne. Il ne jouait pas de la musique pour le plaisir, mais pour impressionner un producteur ou pour décrocher une autre nomination aux Grammy Awards.

Clarence se surprit alors à songer que l'art devait être plus que cela. C'est à ce moment-là qu'il tomba sur une petite affiche qui faisait appel aux parents pour le concours musical de l'école de son quartier. Personne n'avait osé communiquer directement avec lui parce qu'il était trop connu. En regardant l'affichette, Clarence se dit: «Ça pourrait être amusant. Et puis les enfants seraient heureux si je me mettais de la partie. »

Et Clarence se mit de la partie, intensément. Il avait chez lui un grand studio d'enregistrement très bien équipé. Le petit concours de musique venait soudainement de s'adjoindre une aide professionnelle prestigieuse en la personne de Clarence. La femme de ce dernier entra également dans le décor, poussée par son mari. Elle avait une grande expérience comme styliste en costumes de scène et comme choriste. Leur maison résonna bien vite de musique enfantine animée et se para de costumes vivement colorés.

«On se croirait dans l'atelier du Père Noël chez moi», racontait Clarence à ses amis en riant. Le rire devint un invité permanent dans la maisonnée de Clarence, qui fut ainsi soulagé de sa « focalisation sérieuse » sur sa « carrière sérieuse ». Jamais auparavant, la petite école n'avait présenté un spectacle aussi joyeux et professionnel. Il y avait même des vidéoclips des enfants alors qu'ils chantaient chacun leur tour leur numéro sur la musique de Clarence.

« Je pense qu'ils en ont beaucoup retiré, dit Clarence, satisfait. Je sais que, personnellement, j'en ai beaucoup retiré. »

En mettant judicieusement son art au service de sa famille, de sa collectivité et de ses amis, Clarence reprit contact avec la joie qui avait originellement fait de lui un artiste. Il reprit contact avec le côté généreux de sa personne qui se manifestait dans la musique et l'expression personnelle. Cette expérience lui permit de revenir à la création plutôt qu'à la réussite à tout prix. Depuis, il se réserve du temps chaque année pour participer à ce concours de musique, concours qui l'aida à retrouver sa générosité en lui faisant comprendre qu'il devait mettre son cœur dans son art.

Lorsque nous focalisons sur la réussite dans un esprit commercial, nous perdons souvent de vue la réussite sur le plan de notre bien-être spirituel personnel. Notre regard se porte vers l'extérieur au lieu de se porter sur l'expérience intérieure. Ce faisant, nous nous perdons de vue.

« On m'avait toujours dit que je devais faire mon chemin, dit Joy. Tout le monde avait parié sur moi. »

Joy a toujours été actrice, depuis le jour où ses parents l'ont mise sur une scène. Actrice de talent douée pour la comédie, Joy trouva rapidement des rôles dans sa petite ville du mid-west américain. Quand elle fit le grand saut vers Hollywood, on lui offrit régulièrement des rôles aussi. Elle travaillait plus que n'importe lequel de ses amis acteurs et n'avait « vraiment pas de quoi se plaindre », sauf du fait qu'elle n'était pas heureuse.

* * *

Ceux qui ne rêvent plus sont perdus.

Proverbe aborigène australien

Afin de retrouver sa créativité, elle se mit à rédiger ses Pages du matin, ce qui lui permit de se demander à quel point sa personnalité de scène était vraiment son idée à elle. Sa mère lui avait toujours dit qu'elle était une actrice-née. Était-ce vraiment le cas ? Ce métier lui attirait beaucoup d'attention mais lui apportait peu de satisfaction.

En progressant dans son exploration personnelle grâce aux Pages du matin, Joy ne put s'empêcher de remarquer qu'elle aimait vraiment écrire. Écrire était le métier que sa « brillante » sœur faisait pour gagner sa vie, métier qui avait toujours été zone interdite pour elle. Elle était la vedette et la comique de la famille. Se disant qu'elle ne faisait qu'explorer un peu, Joy se donna la permission d'écrire. Ce faisant, elle découvrit qu'elle se sentait mieux dans sa peau sur le plan créatif. Elle n'en continua pas moins à travailler comme comédienne, l'écriture retenant cependant de plus en plus son attention. Après avoir été poussée sérieusement par sa meilleure amie, elle s'essaya à la rédaction d'un monologue. À sa surprise, les mots coulèrent littéralement de sa plume. Elle en rédigea un autre, puis un autre. Puis encore un autre. Au bout de six mois, elle avait suffisamment de monologues pour faire un spectacle en solo, que cette même amie accepta de mettre en scène.

« J'étais terrifiée à l'idée de me qualifier d'écrivain », dit Joy, mais son amie imprima des affiches et trouva un lieu pour la produire. Elle était convaincue que la comédienne chez Joy avait servi de sage-femme pour donner naissance à son véritable talent d'écrivain.

« Je n'ai pas abandonné ma carrière d'actrice, mais j'ai arrêté de jouer la comédie comme si ce métier était tout ce que j'étais », dit Joy. Son spectacle solo ne remporta qu'un succès

* * *

Ce qui démarque entre autres une personne intelligente des autres est sa capacité à distinguer ce qui vaut ou ne vaut pas la peine d'être fait et à établir des priorités.

ANNE WILSON SCHAEF

modeste. Son amie lui suggéra ensuite d'écrire une pièce de théâtre en un acte.

« Avec une amie comme toi, qui a besoin d'un imprésario ? », grommela Joy à son amie. Elle entreprit donc de laisser courir son stylo sur la page, page qui finit par se retrouver sur scène. Plusieurs années ont passé et Joy est devenue une jeune dramaturge recherchée. Elle aime le processus qui l'amène à pratiquer son art et qui fait de sa réussite une coïncidence et non pas un but en soi.

« Après avoir renoncé à l'idée que pratiquer un art équivalait au succès, j'ai commencé à pratiquer l'art que je voulais bien pratiquer. Je me retrouve finalement avec quelque chose qui ressemble énormément à la vie que j'ai toujours voulu mener. »

Lorsque nous acceptons de devenir ce que nous sommes censés devenir au lieu d'essayer de convaincre le monde entier d'une identité que nous pensons être la nôtre, nous trouvons chaussure à notre pied et nous pouvons avancer en souplesse dans la vie. Ce genre de chaussure peut nous mener loin, chose qui n'est pas surprenante. Quand nous avançons de façon posée à un rythme moins endiablé, le périple devient agréable, nos compagnons de route, appréciables, et chaque instant, délectable.

EXERCICE

Faites quelque chose pour quelqu'un d'autre, pas pour devenir quelqu'un

Lorsque notre objectif est de faire carrière dans le domaine artistique, nous oublions souvent que notre nature ingénieuse

* * *

Ils ne savent pas que les idées viennent lentement et que plus vous êtes serein, dégagé et calme, plus elles viennent lentement, mais meilleures elles sont.

BRENDA UELAND

est un talent que nous pouvons mettre au service de notre vie personnelle autant qu'à celui de notre vie professionnelle. Nous écrivons pour gagner notre vie, mais nous ne prenons pas le temps d'écrire à nos amis. Nous dessinons pour gagner notre vie, mais mettons notre talent artistique seulement à contribution lorsqu'il est question de rémunération. Considérés comme trop insignifiants, ces petits passe-temps associés à notre art sont mis de côté et, comme nous nous concentrons avec sérieux sur notre art, nous devenons bien entendu très sérieux nous-mêmes.

Prenez un crayon et faites une liste de cinq personnes avec lesquelles vous vous sentez intimement liés. À côté de chaque nom, inscrivez ce que vous pourriez imaginer faire pour leur prouver votre amour et votre gratitude. Choisissez une chose et mettez-la à exécution.

1. Ma fille : écrire mes souvenirs concernant son éducation.

2. Ma sœur : rédiger des histoires concernant son courage d'artiste.

3. Carolina : faire un dessin d'elle, enfant, et un autre, adulte.

4. Emma : monter un album de photos de nos aventures créatives.

5. Connie : confectionner une boîte à recettes artisanale pour elle.

Il n'est pas nécessaire de consacrer des années, des mois, des jours ni même des heures à un tel projet. Mais il est souvent vrai que l'art qui émane du cœur met davantage d'art dans notre vie. Lorsque nous nous débarrassons du moule « sérieux », de nouvelles énergies et de nouveaux intérêts émergent dans notre

* * *

Le succès peut vous mener dans une de ces deux directions : ou bien il fait de vous une diva ou bien il vous rend plus accessible, élimine les insécurités et laisse émerger de vous les belles choses.

BARBARA WALTERS

vie. Lorsque l'art fait plus totalement partie de notre vie, il prend davantage vie.

RYTHME ET VULNÉRABILITÉ

Tout changement soudain de rythme rend un artiste vulnérable. Ce changement soudain peut prendre la forme d'occasions d'expérience ou alors de diversions. On pourrait dire plus crûment de choses utiles et d'occasions de se faire utiliser par les autres. Lorsque le rythme de notre vie s'accélère, il est souvent difficile de distinguer une occasion d'expérience authentique d'une diversion, qui à y regarder de plus près est une occasion d'expérience pour quelqu'un d'autre, mais à vos dépens.

Quand nous devenons plus connus et plus célèbres, le nombre de choses qu'il est difficile de distinguer les uns des autres augmente, nommément les occasions d'expérience vraies et les diversions. Ce n'est pas par hasard que, en chinois, l'hexagramme qui désigne le terme « occasion » soit le même que celui qui désigne le terme « crise ». Lorsque nous nous affirmons et que nous rayonnons en tant qu'artiste, les autres sont attirés par la lumière qui émane de nous. Certains d'entre eux nous aideront à poursuivre notre route, alors que d'autres essayeront plutôt de s'aider eux-mêmes en éclairant leur route de notre lumière. Ceux qui nous invitent à travailler dans le sens de nos véritables valeurs et objectifs sont des gens à apprécier au plus haut point, tout comme le sont les occasions d'expérience qu'ils nous proposent. Ceux qui pensent plutôt à leurs affaires en nous faisant miroiter un coup de chance sont des opportunistes, des instigateurs de crise en puissance. Ces gens sont ce que j'appelle des « resquilleurs » qu'il faut bien identifier et éliminer de notre vie.

Les resquilleurs ont en tête un projet qu'ils veulent mettre à la remorque de votre nom, de votre renommée, de votre réputation et de votre énergie. Ils vous disent rarement « Tu pourrais vraiment m'aider», ce qui vous donnerait une chance de penser à la chose clairement. À la place, ils vous disent «Je pourrais vraiment t'aider...» et ils s'occupent de leurs affaires en les enveloppant de façon telle, que vous avez l'impression qu'elles cadrent avec les vôtres. Peut-être que c'est le cas, mais peut-être que ça ne l'est pas.

Lorsqu'un resquilleur veut profiter de votre créativité, il peut se montrer *très* persuasif. La flatterie peut faire flancher votre volonté, ce qui est une chose dangereuse. Tout comme les mauvaises herbes ressemblent aux fleurs, un resquilleur peut souvent se présenter sous un jour tout à fait impeccable. Les mauvaises herbes sont gourmandes et envahissent le jardin, qu'elles finissent par étouffer. Un resquilleur fera la même chose avec vous. C'est d'ailleurs à cela qu'on les reconnaît. Ces gens-là emploient souvent des fleurs de rhétorique: «J'ai eu cette occasion magnifique et j'ai immédiatement pensé à toi. Tu es tellement fantastique, tellement doué, tellement talentueux et blablabla...»

Les resquilleurs se foutent totalement de votre objectif réel. Ce qui les intéresse uniquement, c'est de mettre votre temps, votre énergie et votre expérience à profit pour poursuivre leurs propres buts. Ils ont probablement des buts et un programme tout à fait différents du vôtre, bien qu'ils hésitent énormément à vous les révéler. Même s'ils vous proposent quelque chose qui va totalement à l'encontre de vos valeurs, ils insistent malgré tout pour vous dire que vous et eux avez tellement de choses en commun que vous devriez avaliser leur idée. Si j'en crois mon expérience, chaque fois que vous vous montrez «généreux» en dépit de ce que votre bon sens vous dit, vous finissez dans l'embarras.

Les resquilleurs aiment vous tendre une perche et une fois que vous l'avez saisie, ils s'empressent de vous la reprendre et

* * *

C'est la distraction, et non la méditation qui devient une habitude, l'interruption et non la continuité, le labeur spasmodique et non le labeur assidu.

TILLIE OLSEN

de s'esquiver avec tout le projet. Avec cet opportunisme et dans leur course à vouloir gagner quelque chose, à vouloir gagner gros, les valeurs artistiques se perdent.

Arthur remporta un franc succès avec un best-seller. Pour la première fois de sa vie d'adulte, il avait de l'argent, de la reconnaissance et un futur qui lui semblait assuré. Les agents littéraires se précipitaient à sa porte pour le représenter, et les maisons d'édition étaient impatientes de soumissionner pour son prochain livre. Tout le monde pariait que les choses iraient sans cesse en s'améliorant pour Arthur, y compris lui. Il avait une personnalité de battant et il avait frappé un bon filon. Selon lui, rien n'était hors de sa portée, du moins jusqu'à ce qu'il ne commence à saisir toutes les occasions se présentant à lui sous prétexte que chacune d'elles était trop belle pour la laisser passer.

En premier lieu, il y eut le publireportage. « Ce reportage vendra ce que vous êtes déjà et dira aux gens ce que vous êtes en train de devenir. » Très persuasif, le producteur du film réussit à soutirer à Arthur vingt-cinq mille dollars sur son avoir récemment acquis. Arthur se dit la même chose que le producteur lui avait dit : « C'est un investissement pour le futur. »

Ensuite, il prit la décision de se joindre à une prestigieuse équipe d'experts. Il suffisait pour le faire de débourser vingt-cinq mille dollars. La plupart des gens en faisant partie avaient des commanditaires commerciaux, mais vu qu'Arthur était son propre patron... Après s'être laissé convaincre à quel point l'appartenance à cette équipe prestigieuse l'aiderait à asseoir sa réputation, il acquiesça.

Peu de temps après, ça se bousculait au portillon. Tous semblaient avoir une magnifique affaire à proposer à Arthur et des marrons à tirer du feu par la même occasion. Il fallait à Arthur

* * *

Ce que je suis en train de dire réellement, c'est que nous avons tous besoin de laisser notre intuition nous guider et d'être disposés à la suivre sans ambages et sans peur.

SHAKTI GAWAIN

un assistant déterminé et bien payé. Puis, il «leur» fallait un plus beau bureau que juste une pièce dans la maison. Pour présenter le nouveau gros livre, il fallait une conception bien ficelée, avec une reliure sur papier glacé pour bien mettre en évidence les bonnes idées d'Arthur. Et puis, il ne fallait pas oublier le site web d'Arthur. Quelqu'un de son envergure se devait d'être présent sur le web pour dire aux personnes intéressées qui il était.

Ce qu'il était en fait, c'était trop engagé, trop fatigué, trop surmené et pas assez payé. Son argent et son nom venaient garantir bien des activités ne jouant pas en sa faveur.

«J'aurais bien mieux fait de ne rien acheter, de mettre l'argent à la banque et d'attendre que la poussière de la célébrité retombe.» À la place, Arthur dut faire des pieds et des mains pour pouvoir rembourser l'hypothèque qu'il avait récemment contractée pour acheter sa garçonnière design et faire ses paiements de cartes de crédit utilisées pour acquérir des costumes de grands stylistes. Par ailleurs, sa concentration était si faible, qu'il ne pouvait pas vraiment écrire quoi que ce soit. De façon ironique, il payait son succès de tout ce qui l'avait en premier lieu amené à réussir : la solitude, le temps, l'espace et la concentration nécessaire pour revenir à une pensée vraiment authentique. Dorénavant, Arthur remplissait à merveille le moule stéréotypé. Il ressemblait à tous les autres colporteurs agités, obsédés par la réussite et portant des costumes Armani.

Dans le domaine artistique, quand la renommée grandit, la vulnérabilité grandit aussi. Le rythme se traduit par une certaine porosité : les gens et les circonstances finissent par avoir raison de nos défenses et, s'ils font une brèche dans nos murailles («Ça ne prendra qu'une minute»), ils peuvent faire des ravages. Leur «minute» nous demandera des heures pour nous remettre, heures que nous ne consacrerons pas à l'écriture ni à

* * *

Quand vous réalisez un rêve, vous vous sentez un peu égaré.

ORIANA FALLACI

notre instrument de musique. À l'instar de tous les autres êtres humains, nous avons besoin de temps pour digérer ce que nous perdons et gagnons dans notre vie. Éblouis par notre renommée, les gens perdent de vue notre part d'humanité et outrepassent les limites de notre territoire sans essayer de les comprendre.

Au cours des trente dernières années, je me suis laissée prendre trois fois par des gens et leurs projets artistiques, au sujet desquels j'avais des réserves. Dans chacun de ces trois cas, la malfaçon humaine que je soupçonnais s'est accompagnée d'une malfaçon du projet également. Les resquilleurs courent davantage après le sentiment de triomphe qui résulte du fait d'avoir remporté la partie qu'après le bien du projet comme tel. Dans leur aspiration précipitée au succès, ils précipitent le projet qui, comme les tomates forcées à pousser trop vite en serre, finit par être pâteux et insipide. Certes, il est beau en apparence, mais il n'a rien de succulent ni de nourrissant et il est certainement loin d'être aussi savoureux sur le plan créatif que l'authentique.

Un nom et une réputation dans le domaine de la créativité ont du poids et une envergure. Si nous les prêtons à des activités dont le mérite est suspect, nous perdons toute crédibilité et toute chance de continuer à gagner du terrain dans notre domaine.

Peu importe le niveau où nous pratiquons notre art. Qu'il s'agisse de théâtres de quartier ou sur Broadway, de présentations poétiques avant-gardistes ou de grands spectacles de poésie, c'est toujours la même question qui revient: « Est-ce une occasion d'expérience authentique ou bien l'occasion d'être utilisé par quelqu'un d'autre ? »

Nous voulons tous faire preuve de générosité. Nous voulons tous fréquenter des gens de notre domaine. Nous voulons tous avoir du travail. Mais nous devons faire preuve de vigilance pour évaluer le calibre non seulement de notre travail, mais également le calibre de ceux avec lesquels nous évoluons.

Pour les artistes, certains risques valent la peine d'être pris et d'autres, pas. Il ne s'agit pas de snobisme, ni d'exclusivisme. Il s'agit de discrétion, de discernement et de responsabilité envers nous et notre talent.

À chaque fois qu'une nouvelle possibilité s'offre à nous, il est toujours bon de se demander si le jeu en vaut la chandelle. Certaines entreprises difficiles et osées en valent la peine, le risque. Alors que des idées de piètre qualité et des collaborateurs douteux ressemblent à des sables mouvants, car nous restons pris et coulons avec eux. En tant qu'artistes, nous devons apprendre à rester collés à notre art, pas à rester pris dans des situations collantes.

L'ouverture chez les artistes est bien différente de celle des gens en général. C'est ce qui nous rend plus vulnérables. L'inspiration s'attrape du coin de l'œil et à la volée, comme les occasions d'expérience créative. L'ouverture à ces dernières peut aussi nous rendre perméables à l'exploitation déguisée. Pris de court et au dépourvu, nous accepterons peut-être d'aider quelqu'un à faire quelque chose qui nous éloigne beaucoup de notre travail et de nos priorités. Chaque fois que vous sentez votre carrière passer à la vitesse supérieure, imaginez ce qui se produit lorsque vous conduisez une voiture. À cinquante à l'heure, vous pouvez observer et apprécier le paysage, alors qu'à cent à l'heure, les éléments du paysage défilent à toute vitesse et que vous vous demandez si vous venez de dépasser une station-service, un casse-croûte ou la bretelle que vous vouliez prendre.

Les artistes se trompent facilement de sortie ou d'échangeur, surtout si quelqu'un détourne leur attention. Essayez donc de lire les instructions sur un panneau d'autoroute à péage près d'un échangeur compliqué pendant que quelqu'un débite à vos oreilles des choses qui n'ont aucun rapport avec la réalité du

* * *

Je ne veux pas arriver à la fin de ma vie et réaliser que j'en ai seulement vécu la longueur. Je veux également en vivre la largeur.

DIANE ACKERMAN

moment. La question du moment est « Comment se rendre à l'endroit où nous voulons aller ? » Pour nous, artistes, cet « endroit » est le travail pour lequel nous éprouverons du respect et, espérons-le, pour lequel les autres éprouveront également du respect. La célébrité et tout le battage qui l'entoure sont des diversions. Si, par exemple, votre agent littéraire ou votre imprésario sont constamment en train de vous proposer des affaires qui les desserviront eux et pas vous, vous perdrez votre concentration, n'y verrez plus clair et raterez l'occasion de prendre la direction que vous aimez dans votre carrière.

Quand les belles occasions frappent à votre porte, vous vous sentez comme un matin de Noël. Dans mon cas, je ressens souvent un mouvement soudain d'émerveillement du genre « Oh ! Que c'est chouette ! » qui peut même aller jusqu'à « Pince-moi pour voir si je ne rêve pas. » Au contraire, dans le cas de la resquille, il y a une sensation semblable à celle des courses faites à la dernière minute, le genre d'achat impulsif que vous savez ne pas devoir faire mais que vous faites quand même.

La façon la plus simple de résumer les choses serait la suivante : les faits parlent d'eux-mêmes, pas le verbiage. Ce sont donc les faits auxquels nous devons prêter attention pour pouvoir distinguer une occasion d'expérience authentique d'une occasion de se faire utiliser par un resquilleur. Avoir travaillé dans cinq spectacles à Broadway et avoir fait trois tournées d'envergure nationale sont des faits. Le verbiage qui se veut rassurant, c'est dire que l'on a beaucoup d'expérience avec les chanteurs. (Beaucoup signifiant quoi, concrètement ?)

Lorsque le manque de références nous met dans l'embarras ou lorsque nous nous estimons chanceux de recevoir un coup de main pour réaliser nos rêves, nous avons tendance à oublier que nous avons aussi voix au chapitre. À mesure que nous

* * *

Étant donné que vous ne ressemblez à aucun autre être vivant créé depuis le début des temps, vous êtes incomparable.

Brenda Ueland

commençons à nous questionner, notre confiance peut se faire rassurante ou nous faire faux bond. Le discernement est une combinaison d'instinct et de jugement. Nous ne voulons pas entendre les autres nous dire de ne pas nous inquiéter. Nous voulons les entendre nous dire qu'ils ont fait six fois telle chose et qu'ils pourraient compter sur trois de leurs amis si jamais ils avaient des problèmes.

En tant qu'artistes, nous devons faire attention aux coups de chance comme aux coups malheureux. Nous devons apprendre le moment et la façon de couper les liens avec les gens et les activités qui ne servent pas nos buts et aspirations véritables. Trop souvent, le «coup de chance» que l'on nous propose s'avérera une trop grosse chance à prendre.

EXERCICE
Ralentissez et soyez fort

La rapidité crée une illusion d'invincibilité. Quand nous vivons quotidiennement dans la précipitation, le cours profond de notre vie nous échappe parce que nous sommes comme anesthésiés. Parce qu'il y a en nous un sentiment d'absence de profondeur, nous nous poussons encore plus, alors que nous avons en fait besoin de vivre davantage dans la profondeur et la tranquillité. Je vous donne ici un puissant mantra que vous répéterez pour vous calmer: «Il n'y a pas d'urgence.» Et s'il n'y a pas d'urgence dans votre vie, quelle situation pourriez-vous laisser émerger plus en douceur?

Prenez un crayon et énumérez cinq domaines dans lesquels vous sentez de la précipitation et de la pression. Demandez-vous si ce sentiment d'urgence est déplacé. Souvent, nous ressentons de l'anxiété face à quelque chose qui se déroule naturellement. Alors, nous voulons forcer les choses au lieu de les laisser tranquillement mûrir.

Revenez à votre liste. Pouvez-vous reprendre le contrôle du temps dans chacun des domaines énumérés dans la liste afin de vivre plus harmonieusement avec l'ambiguïté ? Un des slogans les plus communs dans les programmes en douze étapes est le suivant : « Allez-y doucement. » Trop souvent, nous avons l'impression qu'on nous dit de nous calmer quand nous entendons cette phrase. En fait, elle veut dire beaucoup plus que cela. Elle est la consécration ultime de la grande sagesse spirituelle qui a compris que « y aller doucement » veut dire en réalité « s'accomplir doucement ».

Rien, ni personne, ni aucun lieu ne bénéficie de la précipitation. Alors que toute chose et toute personne bénéficient de la modération. Quand on lâche prise et qu'on laisse Dieu faire, on découvre une progression et un rythme naturels.

Une expression empruntée au milieu de la drogue, «*speed kills*» (la vitesse tue), qui fait référence à la consommation d'amphétamines, nous laisse entrevoir les dangers inhérents au manque de modération. Nous sommes des créatures délicates et vulnérables, des mécanismes complexes censés évoluer à un rythme humain. Nous faisons honneur à ce rythme chaque fois que nous ralentissons pour ressentir et rassembler nos forces.

LES SABOTEURS DE LA CRÉATIVITÉ

Il y a des éléments indésirables dans la plupart des milieux ambiants : des moustiques dans les régions chaudes et humides, des températures qui plongent bien en dessous de zéro dans les régions glacées et glaciales. Même les milieux les plus idylliques ont leurs inconvénients. En tant qu'artistes, nous avons besoin de reconnaître les éléments de notre milieu qui peuvent

* * *

Chez les êtres humains, c'est le potentiel créatif lui-même qui est à l'image de Dieu.

MARY DALY

présenter des dangers. Dans le sud-ouest des États-Unis, où je vis six mois par an, j'ai appris à marcher en ouvrant l'œil pour repérer les crotales et les tarentules. En tant qu'artiste, je dois ouvrir l'œil pour repérer les créatures psychologiquement dangereuses évoluant dans mon milieu ambiant. Je qualifie ces créatures de « saboteurs de la créativité ». Juste le fait d'en croiser un, comme je croiserais un petit serpent à sonnettes sur le chemin de terre où je me promène, me ramène à un instinct de survie qui me coupe et m'éloigne de ce que j'étais en train de faire. Un saboteur de la créativité n'agite pas toujours ses sonnettes avant de frapper. C'est pour cette raison que nous devons prendre de vigilantes mesures d'autoprotection.

Étant donné que tous les milieux ambiants comportent certains éléments négatifs, il est utopique de croire que nous pouvons complètement échapper aux saboteurs de la créativité. Je trouve plus utile d'adopter avec eux la même méthode que j'utilise avec les créatures dangereuses du désert, c'est-à-dire les reconnaître, les nommer et les éviter. Un saboteur de créativité n'est pas un animal amical et, même s'il s'en donne l'air à tout prix, sa seule présence vous rappelle d'être vigilants pour empêcher qu'il n'amoche ni vous ni vos rêves.

Affubler ces saboteurs de surnoms drôles nous permet d'avoir le sentiment de conserver notre pouvoir. « Tiens, tiens, c'est juste le Matador rabat-joie », pouvons-nous nous dire lorsque la personne en question nous arrive avec des opinions et des conseils non sollicités et souvent déplacés qui viennent nous décourager. Vous trouverez ci-dessous un échange typique avec le Matador rabat-joie.

ARTISTE : *Je suis tout énervé ! Je pense que je viens enfin de trouver le dénouement du deuxième acte.*

* * *

Ne les laissez pas vous apprivoiser !

ISADORA DUNCAN

MATADOR RABAT-JOIE : *Oh, je suis certain que ça va changer dès que tu en amorceras l'écriture. L'histoire à elle seule ne peut vraiment déterminer la structure. Il ne faut pas oublier le jeu des acteurs. Le théâtre est une entreprise de collaboration, après tout... blablabla.*

Énergétiquement, ce personnage vient couper, étouffer et éparpiller votre lancée.

Un tel échange vient refroidir l'enthousiasme de l'artiste ou de l'auteur de pièces de théâtre que vous êtes. Nous sommes en général trop polis pour rétorquer ainsi à de telles remarques : « Bien sûr que c'est une entreprise de collaboration, mais la collaboration ça se fait à deux, espèce de cent watts ! »

Les Matadors rabat-joie aiment s'affubler d'un air de supériorité désolé, comme s'ils connaissaient tous les tenants et aboutissants des gens comme vous. Ils adoptent le ton d'un animateur de camp de vacances inquiet d'entendre un enfant de douze ans inexpérimenté lui raconter comment il prévoit organiser un pique-nique parmi des grizzlis. Les rabat-joie adopteront typiquement le contre-pied de tout ce que vous direz. Si vous dites que vous avez décidé de partir vers le nord, ils s'exclameront que vous devez aller vers le sud. Leur esprit de contrariété est drôle à observer une fois que vous avez saisi qu'ils excellent uniquement à contrecarrer vos opinions. Quand vous avez identifié à coup sûr un saboteur de type rabat-joie, ce dernier perd sa force de saboteur et gagne en ridicule.

Passons maintenant à un autre personnage, qui est un dérivé de celui dont il vient d'être question, l'Expert amateur. Tout comme le Matador rabat-joie, ce personnage se nourrit de négativité mais il appuie ses opinions de faits et de chiffres qui n'ont en réalité aucun rapport avec l'évolution de votre projet. Beau parleur mais petit faiseur, l'Expert amateur peut vous donner un million de raisons pour lesquelles une chose ne marchera

* * *

La grâce ne met pas de pression sur nous, elle nous amène des cadeaux sur un plateau d'argent.

JOHN BOWEN COBURN

pas, mais sera incapable de vous suggérer un quelconque conseil pratique pour qu'une chose marche. L'Expert amateur est un adepte de trivialités. Il ressemble aux présidents de *fan club* qui savent quelle marque de shampoing Rita Hayworth employait mais qui sont incapables de reconnaître une Rita Hayworth en herbe.

Aussi bien le Matador rabat-joie que l'Expert amateur matraquent leur interlocuteur de leur soi-disant supériorité. Ils sont tout simplement convaincus qu'ils savent mieux que les autres. Ce personnage excelle à contourner des questions mordantes comme la suivante : « Et toi, qu'as-tu fait au juste ? »

Le personnage destructeur suivant a toujours une mauvaise nouvelle à raconter et bout d'impatience de vous la transmettre. La Fée des mauvaises nouvelles se compare au moustique porteur de malaria parce qu'elle pique et vous transmet une maladie insidieuse. Plutôt que de parler en fonction de sa propre négativité, ce personnage colporte et transmet la négativité d'autres gens. Voici un dialogue typique avec un personnage de ce genre :

ARTISTE : *Je viens tout juste de finir ma nouvelle opérette et je suis tout excité !*

FÉE DES MAUVAISES NOUVELLES : *Naturellement, tu as appris que les subventions pour les opérettes ont été coupées d'un million pour cent. Et comme mon ami intime Jean Saitout me le disait hier, les opérettes sont une forme d'art qui n'intéresse plus vraiment personne, surtout pas lui ni Christian Cordondebourse, qui contrôle toutes les subventions sur lesquelles tu pourrais avoir l'œil.*

Voyez comment ce saboteur se lave toujours les mains de tout. Ce ne sont jamais *ses* méchantes petites bactéries qui viennent gripper votre créativité. Ce sont celles de quelqu'un d'autre. Il ne fait que vous les transmettre, rien de plus.

Nous n'aurions pas fait le tour des saboteurs de la créativité si nous n'abordions pas les snobs de l'art. Ils viennent en deux modèles : les Personnes Très Importantes (PTI) et les Personnes

Très Sérieuses (PTS). Les PTI aiment que leurs vêtements portent une griffe, tout comme l'art. Quand ils vous rencontrent, ils veulent voir votre pedigree artistique pour s'assurer que vous êtes doté de toutes les caractéristiques voulues. Peu leur importe que vous sachiez jouer du piano ; ils veulent savoir si vous sortez de Juillard. Peu leur importe que vous sachiez peindre ; ils veulent savoir si le Whitney Museum possède une de vos toiles. Peu importe que vous soyez un écrivain de talent, ils veulent seulement savoir si vous faites affaire avec un agent littéraire très coté. C'est seulement le bottin mondain qui les intéresse, pas la substance. En supposant que vous soyez Beethoven, il vaudrait mieux que vous puissiez le leur prouver. Les échanges avec un PTI laissent à un artiste l'impression d'être sans importance.

Passons maintenant au proche cousin des Personnes Très Importantes, les Personnes Très Sérieuses. Le dialogue avec une PTS part de la prémisse que, selon elle, vous n'êtes qu'un artiste, alors qu'*eux* sont de grands amoureux de l'ART. Votre travail, quel qu'il soit, fait pâle figure à côté des grandes œuvres qu'eux-mêmes connaissent. À les entendre parler, chose qu'ils ne se gêneront pas pour faire, l'art est une question de vie ou de mort. Et, bien entendu, les artistes morts ont selon eux beaucoup plus de talent que ceux qui sont vivants. À l'instar des œnophiles qui collectionnent les grands crus mais ne les boivent pas, les gens qui prennent l'art très au sérieux se moquent complètement du plaisir et de l'appréciation. Tout ce qu'ils savent dire, c'est « Non ».

Nous, les artistes, sommes souvent, très souvent même, plus anxieux que prétentieux. Nous sommes tenaces comme le chiendent, ce qui n'empêche qu'on peut nous marcher dessus. Bien entendu, nous savons nous relever, même si c'est parfois

* * *

La chose qui vous rend exceptionnel, si exceptionnel vous êtes, est inévitablement celle qui doit vous faire sentir seul.

LORRAINE HANSBERRY

après des années de découragement. Lorsque notre art fait son entrée sur la scène publique, nous avons besoin de quelques amis pour nous encourager et nous refléter notre talent. Nous avons également besoin de planter quelques panneaux qui disent « Défense de passer ».

On survit à un saboteur de la créativité comme on survit à une morsure de serpent. C'est faisable et c'est même matière à la rédaction éventuelle d'une bonne histoire, plus tard. Cependant, la première chose à faire, comme dans le cas d'une morsure de serpent, c'est d'identifier le poison et le circonscrire. Nous ne pouvons pas nous permettre de nier ce qui est arrivé, ni permettre à quelqu'un d'autre de le faire. Nous avons bel et bien été mordus. Bel et bien été empoisonnés. Le dommage a été fait et les délicates terminaisons nerveuses de notre art ont été durement atteintes. La première chose à faire est de s'éloigner du danger pour ne pas se faire mordre une deuxième fois. Il ne faut pas rester figé d'étonnement et attiser le serpent pour vérifier s'il veut attaquer une seconde fois. Dites-vous que, par définition, les serpents mordent. Ils attaquent une première fois et ils attaquent à nouveau. Si vous pensez ne pas avoir été mordu, faites comme si vous l'aviez été et reculez à toute vitesse. N'écoutez pas les gens qui veulent que vous « tiriez une leçon » de l'expérience. Vous aurez tout le temps nécessaire pour cela plus tard. Pour l'instant, mettez de la distance entre vous et le serpent.

Ne vous liez pas avec les gens qui vantent la rareté de cette espèce de serpent venimeux. Ne vous mettez pas à évaluer les chances que vous avez d'être mordu à nouveau. Plus tard, après quelques semaines de récupération, vous pourrez vous amuser à entendre un ami dire au cours d'un repas : « C'est une vraie vipère, ce gars-là. Moi aussi, il m'a mordu. » Ce genre de conversation convient, mais pas maintenant.

* * *

L'intégrité est tellement périssable dans le bref été du succès !

VANESSA REDGRAVE

En premier lieu, il faut donner les premiers soins. Ce qui veut dire que vous devez reconnaître que vous avez été mordu. Allez chercher l'antidote. Cet antidote prendra la forme d'un ami qui peut vous accorder son appui avant, pendant et après ce genre de morsure. C'est un ami ou une amie qui ne dit pas grand-chose d'autre que « C'est terrible ! » ou « Qu'est-ce que je peux faire pour t'aider ? »

La réponse à cette question est très simple : « Aime-moi ! ». Et aussi « Aide-moi à me pardonner de m'être laissé avoir, blesser et mordre. Aide-moi à me tirer d'affaire et à ne pas me faire des reproches à cause du mauvais comportement d'une autre personne. Aide-moi à m'arrêter de me traiter d'imbécile. Dis-moi que les accidents arrivent, qu'il y a des serpents dans la jungle, que n'importe qui aurait pu en croiser un sur sa route. »

Une loi spirituelle veut que si nous ne pouvons pas toujours éviter les blessures, nous pouvons par contre nous en servir à bon escient par après. Quand on survit à une morsure de serpent, le beau côté de tout ça est la compassion que nous récoltons pour nous tout d'abord, et plus tard face aux autres. Dites-vous bien qu'il y aura toujours des saboteurs de créativité pour nous mordre et nous faire mal. En apprenant à les reconnaître et à les éviter, nous pouvons transmettre notre expérience à d'autres, ainsi que la force et l'espoir que cette expérience nous confère. Même si les saboteurs nous blessent, nous pouvons y survivre.

EXERCICE
Exécutez un exorcisme

Étant donné que la créativité appartient au domaine de la spiritualité, nous pouvons invoquer certaines puissances pour

* * *

Quand le scrupule commence, une nouvelle vie commence.

GEORGE ELIOT

nous débarrasser de nos démons. Lorsque votre créativité a été blessée, l'occasion vous est donnée de procéder à un rituel spirituel de votre choix. En voici deux que j'aime particulièrement. Je les trouve puissants et ludiques en même temps, ce qui est une combinaison gagnante :

1. *Exorcisez un démon* : Réfléchissez à la blessure que vous avez subie et fabriquez de façon créative un monstre comportant tous les aspects désagréables de la personne qui vous a tourmenté. La confection de ce monstre est thérapeutique, mais sa destruction l'est encore plus. Brûlez-le, enterrez-le, abandonnez-le en pleine nature à trente kilomètres de chez vous, jetez-le dans la rivière par-dessus un pont. Bref, débarrassez-vous-en. Une étudiante à moi avait fabriqué un « monstre de mots » sur lequel figuraient toutes les règles de grammaire et d'usage trop rigides. Son écriture devint plus libre par la suite.

2. *Créez un totem* : Confectionnez un être qui incarne toutes les forces spirituelles auxquelles vous voudriez faire appel pour retrouver le courage. Vous pouvez créer une poupée, une sculpture, une peinture, un morceau de musique ou même un collage. Installez cet objet en évidence dans un endroit privé. C'est en pratiquant un art que le cœur brisé de la créativité guérit.

VÉRIFICATION

1. **Combien de fois cette semaine avez-vous rédigé vos Pages du matin ?** Si vous avez sauté un matin, pour quelle

* * *

C'est dans la solitude que nous accordons une attention passionnée à notre vie, à nos souvenirs et aux détails qui nous entourent.

VIRGINIA WOOLF

raison l'avez-vous fait? Quel genre d'expérience avez-vous vécu en écrivant ces pages? Sentez-vous plus de clarté? Une plus vaste palette d'émotions? Une plus grande impression de détachement, de finalité et de calme? Quelque chose vous a-t-il surpris? Voyez-vous un scénario répétitif qui demande à être examiné?

2. **Avez-vous été à votre Rendez-vous d'artiste cette semaine?** Avez-vous ressenti une amélioration de votre bien-être? Qu'avez-vous fait et qu'est-ce que cela vous a fait? Rappelez-vous que les Rendez-vous d'artiste sont difficiles et qu'il faudra peut-être vous pousser un peu pour les respecter.

3. **Avez-vous fait votre Promenade hebdomadaire?** Quelle impression cela vous a-t-il fait? Quelles émotions ou intuitions ont fait surface en vous? Avez-vous pu aller vous promener plus d'une fois? De quelle façon cette promenade a-t-elle modifié votre optimisme et votre perspective des choses?

4. **Y a-t-il eu d'autres questions cette semaine qui vous ont paru significatives dans la découverte de ce que vous êtes?** Décrivez-les.

Découverte de la notion de résilience

Au cours de cette semaine, nous démantèlerons le mythe de l'artiste super héros. Aucun artiste n'échappe aux émotions négatives. La clé pour dépasser celles-ci est de les accepter comme nécessaires, comme quelque chose de connu et de prévisible faisant partie de la créativité. Le thème et les exercices de cette semaine vous invitent à développer chez vous un sentiment de compassion envers les difficultés propres au périple qu'est la créativité. Cette semaine met l'accent sur les épreuves intérieures auxquelles font face les artistes et nous apprend que, même si la nuit noire de l'âme nous attend tous un jour ou l'autre, nous la traverserons plus facilement si nous l'acceptons.

L'INQUIÉTUDE

On peut comparer les artistes aux chevaux de course, qui sont nerveux et capricieux avant de prendre le départ.

D'après mon expérience, aucun artiste n'est à l'abri de l'appréhension, qui peut prendre de nombreuses formes, ni ne la dépassera jamais totalement. Les artistes ayant réussi sont ceux qui ont appris à détecter ces émotions qui collent à la peau et à bien les gérer. Il est utile d'apporter ici quelques clarifications importantes et de donner des définitions de base.

La *panique* se définit comme une sensation croissante de terreur, comme l'impression d'être submergé et immobilisé par l'effroi que suscite en nous le changement. La panique est ce que vous ressentez lorsque vous marchez vers l'autel, que vous entrez dans le théâtre le soir d'une première ou que vous allez prendre l'avion pour présenter votre livre au cours d'une tournée. La sensation de panique provient d'une dichotomie qui peut s'exprimer dans la phrase suivante : « Je sais où je veux aller, mais je ne sais pas comment m'y rendre. »

L'*inquiétude* comporte un élément d'anxiété et de manque de concentration. C'est elle qui nous fait sauter d'un sujet à un autre, qui nous fait nous arrêter sur une chose pour ensuite passer à une autre. Sa fonction principale est de nous détourner de ce dont nous avons réellement peur. L'inquiétude peut se comparer au fourmilier qui va fouiner dans les moindres recoins pour chercher sa pitance, nommément les problèmes.

La *peur* n'est pas de nature obsessionnelle comme l'inquiétude, ni de nature croissante comme la panique. La peur est plutôt reliée à la réalité dans le sens où elle nous demande de vérifier quelque chose. Même si elle est déplaisante, la peur est tout de même notre alliée. Quand on l'ignore, elle augmente en intensité et s'accompagne d'un sentiment de solitude. À la base, la peur est fondée sur un sentiment d'isolement. Un peu comme David qui, affrontant Goliath sans aide aucune de ses amis, est préoccupé par le fait que son lance-pierre ne fonctionnera peut-être pas cette fois-ci.

Plus votre imagination est active, et surtout négative, plus cela indique chez vous la présence d'une énergie créative. Imaginez-vous être un cheval de course, agité, fébrile et cara-

* * *

Je pense que ces moments de difficulté m'ont aidé à comprendre mieux que jamais à quel point la vie est infiniment belle et riche sous toutes ses coutures et que bien des choses au sujet desquelles nous nous inquiétons sans cesse n'ont en fait aucune importance.

ISAK DINESEN

colant entre le box et la piste de course. Cette énergie augure bien pour la course qui vous attend.

Aussi bien dans l'enseignement que dans mes collaborations avec d'autres artistes, j'ai souvent constaté que les gens les plus « peureux » et les plus « névrosés » sont en réalité ceux qui ont le plus d'imagination. En fait, ils ont simplement canalisé leur imagination en fonction de leur conditionnement socio-culturel. Quand ces gens déroulent dans leur esprit les films possibles de leur futur, ils font en général passer sur leur écran intérieur des films où figurent du danger et des dénouements extrêmes. Ils font la même chose avec des idées de projets créatifs.

Nous étant inculquée par la société, l'inquiétude est la demi-sœur, en négatif, de l'imagination. Au lieu de créer des choses, nous créons des problèmes.

La société nous apprend à nous préparer à toute éventualité négative, et les nouvelles nous conditionnent quotidiennement à toutes sortes de catastrophes possibles. Il n'y rien d'étonnant à ce que notre imagination nous fasse dérailler vers l'inquiétude. Nous n'entendons pas parler des personnes âgées qui rentrent en toute sécurité chez elles, mais plutôt de la grand-mère qui n'a pas réussi à le faire. Le soir de la première de notre nouvelle pièce, nous nous attendons donc à ce que des critiques tireurs d'élite la descendent au lieu de la louanger. Une des raisons pour lesquelles les Pages du matin fonctionnent si bien pour les artistes, c'est parce qu'elles servent à canaliser et à évacuer l'inquiétude au tout début de notre journée. La même chose se produira si nous faisons l'inventaire des blocages énergétiques concernant un projet particulier, en les nommant, en nous les appropriant et en les relâchant, qu'il s'agisse d'inquiétude, de colère ou de peur.

* * *

Tout désastre auquel vous pouvez survivre vient améliorer votre caractère, votre envergure et votre vie. Quel privilège !

JOSEPH CAMPBELL

La peur pour notre propre sécurité et celle des autres, le fait de soupçonner la présence d'une tumeur au cerveau ou des troubles neurologiques, le fait de « réaliser » que l'on devient aveugle ou sourd sont autant d'éléments inquiétants qui indiquent que vous êtes sur le point de faire une grande percée, pas une dépression, bien qu'il y ait une similitude frappante entre les deux.

Alors que je m'apprêtais à tourner un film, je fus soudain envahie par la « conviction » qu'un tireur d'élite allait me tirer une balle dans l'œil. Je ne sais pas d'où venait cette phobie, mais elle me poursuivait à chaque coin de rue. Ce n'était pas une coïncidence si cette obsession était survenue alors que je m'apprêtais à tourner un film et ce ne fut pas une coïncidence non plus qu'elle ait disparu dès que je commençai à filmer.

Partant en tournée pour présenter leurs ouvrages, les écrivains s'arment de leurs inhalateurs pour mieux respirer. Les réalisateurs de films affluent dans les salles d'urgence, soudainement pris d'urticaire. Les pianistes connaissent bien la terreur que leur cause l'imminence d'une crise d'arthrite. Les danseurs ont soudainement des pieds bot parce qu'ils se cognent les orteils en allant aux toilettes. Nous survivons plus facilement à tous ces malheurs et au succès qu'ils présagent si nous nous rappelons de ne pas nous inquiéter d'être inquiets.

Après trente-cinq années passées à évoluer dans les arts et vingt-cinq à enseigner le déblocage de la créativité, je me considère parfois comme une radiesthésiste de la créativité. Je rencontre quelqu'un et mon radar se met à réagir. Même si elle prend parfois les atours de la névrose ou de l'irritabilité, l'énergie créative est néanmoins une énergie claire et palpable, très réelle et tout à fait utilisable. Mon radar me dit que l'anxiété excessive d'une personne est le pendant d'une imagination qui a besoin de se focaliser et de se canaliser pour pouvoir bien s'épanouir.

Un des amis de collège de ma fille, un jeune garçon hyperactif aux yeux pétillants et curieux, était talonné par une énergie fébrile. Son attention fusait constamment çà et là, à laquelle rien n'échappait : « Regarde ça ! Regarde ça ! » On aurait dit qu'il cherchait la petite bête.

Ce garçon a besoin d'une caméra, pensai-je en aparté. Je lui en donnai donc une comme cadeau de fin d'études secondaires. Dix ans plus tard, il est devenu réalisateur de film. Je n'en suis pas surprise : son intensité tendue avait seulement besoin de trouver le bon expédient.

Lorsque nous concentrons notre attention sur ce qui est positif, l'énergie d'inquiétude peut se transmuter en autre chose. C'est sous l'emprise d'une telle énergie d'inquiétude que j'ai écrit des poèmes, des chansons, des pièces entières de théâtre. Lorsque l'inquiétude vous ronge, rappelez-vous que votre propension à l'inquiétude et à la négativité n'est rien d'autre que le signe d'une grande puissance créative. C'est la preuve de l'existence d'un grand potentiel créateur, un potentiel qui peut améliorer votre vie, et non le contraire.

Les gens de la scène doivent obligatoirement apprendre à manipuler l'interrupteur qui réussit à transmuter l'énergie d'inquiétude en énergie d'inventivité. Quant aux autres, ils peuvent apprendre à le faire. Pour pouvoir nous épanouir, nous devons rester ouverts aussi bien face aux possibilités et résultats positifs qu'à ceux qui sont négatifs. En apprenant à accepter notre énergie d'inquiétude, nous pouvons nous en servir comme « carburant ». « Sers-toi-en ! Sers-toi-en ! » se chante en aparté une actrice accomplie quand le trac l'assiège. C'est évidemment une attitude qu'elle a développée.

Mon expérience me fait dire que les artistes ne transmutent jamais définitivement l'inquiétude, mais qu'ils deviennent simplement plus habiles à reconnaître qu'il s'agit d'une énergie créative déplacée.

J'ai souvent eu l'occasion d'être assise au fond d'une salle de cinéma à côté de grands réalisateurs qui souffraient de crises

* * *

Les idées proviennent des plus étranges sources.

Joyce Carol Oates

d'asthme et de nausées pendant que leur film était projeté pour des audiences d'avant-première. En tant qu'auteure dramatique et dans les coulisses du théâtre, j'ai observé avec horreur l'actrice incarnant mon personnage principal haleter en hyperventilation, comme un cheval de trait, juste avant d'entrer en scène... et jouer à la perfection par la suite.

C'est un non-sens total que de croire que les « vrais artistes » sont à l'abri de la peur. C'est pourtant ce que la presse prétend souvent. Nous entendons souvent parler de cette « fièvre » qui est le propre des artistes (« Steven a eu sa première caméra à l'âge de sept ans »), mais nous n'entendons pas souvent parler de leur nervosité. C'est pour cette raison que j'aime raconter les histoires dont j'ai été le témoin secret quand j'étais dans la vingtaine, alors que j'étais mariée à Martin Scorsese. Ses amis étaient Steven Spielberg, George Lucas, Brian DePalma et Francis Ford Coppola. Ma position privilégiée dans ce cercle d'amis m'a permis d'observer des crises de nerf et des crises d'insécurité, surmontées grâce à l'aide des amis. Comme tous les hommes de notre cercle intime d'amis sont devenus des artistes célèbres, ces histoires sont précieuses. Non pas parce qu'elles font état de noms très connus, mais parce qu'elles nous disent en termes très clairs que, comme tout le monde, les artistes souffrent de grandes peurs. Les artistes ne créent pas leur art sans peur, mais malgré la peur. Ils ne sont pas libérés de l'inquiétude, mais plutôt libres d'être inquiets et de créer en même temps. Ils ne sont pas des surhommes, et nous ne devons pas nous attendre à l'être non plus. Nul besoin de nous empêcher de faire de l'art sous prétexte que, si nous sommes trop terrifiés, c'est parce que nous ne sommes pas censés en faire.

* * *

Les très grands écrivains sont ceux qui, comme Emily Brontë, restent assis dans une pièce à écrire moins à partir de leur expérience limitée que de leur imagination illimitée.

JAMES A. MICHENER

Au risque de me répéter, je veux souligner que certaines des personnes les plus terrifiées que j'ai rencontrées dans ma vie sont parmi les plus grands artistes américains. Ils ont réussi dans leur carrière en confrontant leurs peurs, non en les fuyant. L'imagination fertile et très active qui leur faisait connaître une agitation terrifiée est la même qui leur a permis de nous faire frissonner de plaisir, de nous captiver et de nous émerveiller. En ce qui vous concerne, ce sont peut-être aussi vos propres inquiétudes qui servent de fil conducteur à votre talent. Il n'y a pas de raison pour ne pas plonger encore plus loin dans les eaux de votre propre conscience créative.

EXERCICE

Que votre film soit un idéal !

Étant donné que notre imagination est très habile à cohabiter avec le négatif, nous devons l'habituer à cohabiter avec le positif. Quand nous sommes en train de faire une percée, nous passons souvent en revue les critiques négatives ou une mauvaise journée. Nous imaginons le ridicule qui nous accablera parce que nous avons cru pouvoir réaliser nos rêves. Nous excellons à imaginer notre décrépitude créative.

Fort heureusement, le succès survient parfois, que nous puissions l'imaginer ou pas. Il reste qu'il nous vient plus aisément et se perpétue plus facilement si nous l'accueillons comme un invité attendu, comme quelque chose que l'on anticipe avec enthousiasme et non pas avec appréhension. Cet exercice en est un d'optimisme et le terme «exercice» est choisi intentionnellement, puisque certains d'entre vous devront

* * *

Il n'existe qu'un mot qui puisse nous libérer de tout le poids de notre souffrance dans la vie : c'est le mot Amour.

SOPHOCLE

particulièrement faire un effort pour imaginer de façon constructive leur journée idéale. Au travail !

Après vous être ménagé un minimum d'une demi-heure de liberté pour pouvoir écrire, prenez un crayon et du papier. Imaginez-vous au début de votre journée idéale, une journée au cours de laquelle tous vos rêves se sont réalisés et où vous accomplissez tous vos souhaits. Comment vous sentez-vous ? Jusqu'à quel point pouvez-vous imaginer vous sentir bien ? Instant après instant, heure après heure, événement après événement, personne après personne, donnez-vous le plaisir d'imaginer la journée précise que vous voudriez passer. Par exemple :

« Je me réveille tôt, alors qu'une belle lumière matinale envahit la chambre et frappe l'endroit sur le mur où j'ai accroché les pochettes des meilleurs disques de mes spectacles sur Broadway. Ma chambre est dotée d'une cheminée et mes Oscars et mes Tony s'alignent parfaitement sur son rebord. Je me faufile discrètement hors du lit pour ne pas réveiller mon bien-aimé qui dort encore profondément. Aujourd'hui est un grand jour. C'est le premier jour des répétitions d'un nouveau spectacle. La distribution est parfaite et le réalisateur, superbe. Tout le monde est enchanté et stimulé d'être au boulot, moi y compris. J'ai déjà travaillé avec beaucoup de ces personnes. Nous formons un groupe homogène, loyal, constructif et brillant de gens de talent qui œuvrent dans le cadre de ce qu'ils qualifient de « renaissance de Broadway », puisque les mélodies de notre comédie musicale font écho à ce qu'il y a de mieux chez Rodgers et Hammerstein.

Jouez de votre imagination sans retenue. N'épargnez aucun détail, aucune frivolité. Y a-t-il des télégrammes collés sur votre miroir à maquillage ? Quelqu'un vous a-t-il envoyé deux douzaines de roses et une douzaine de bagels frais pour le petit-déjeuner ? Lorsque le téléphone sonne, qui vous appelle pour vous féliciter ? Est-ce votre sœur préférée ou le président ? Cette journée est votre jour de gloire, faites-en exactement ce que vous voulez.

Permettez-vous d'imaginer votre idéal absolu du matin jusqu'au soir. Que votre famille, vos amis, vos animaux de compagnie, les siestes ou les goûters de fin d'après-midi y soient inclus. Savourez de délicieuses brioches aussi bien que de bonnes critiques. Acceptez une offre lucrative et prestigieuse pour un film. Prenez les dispositions nécessaires pour donner un pourcentage de vos immenses profits à une œuvre de charité. Creusez-vous les méninges et soyez généreux de vos émotions pour créer la meilleure journée que vous puissiez imaginer et pour susciter en vous un sentiment de paix, de calme et de respect pour avoir fait du bon boulot.

LA PEUR

La plupart d'entre nous avons peur de la peur parce que nous estimons qu'il s'agit d'une mauvaise chose. En fait, nous *savons* que quelque chose nous fait peur, mais nous avons peur d'avoir peur. Nous savons tous très bien que nos peurs peuvent devenir des terreurs et que celles-ci peuvent nous conduire à des actes véhéments ou à une inertie paralysante. Étant donné que la plupart des expériences de peur que nous avons connues ont été négatives, nous ne réussissons pas à voir la peur comme une chose positive ou utile. Elle est tout ça à la fois. Je le répète, la peur est quelque chose de positif et d'utile. La peur dit des choses comme : « Je crains que le second mouvement ne soit ennuyeux. Vous devriez peut-être changer un peu l'harmonie. » « J'ai peur que mes personnages ne parlent trop au début du deuxième acte et que les enjeux ne soient pas assez clairement énoncés. » « J'ai bien peur que quelque chose aille de travers avec le chevalet de mon alto. Il faudra que je le fasse vérifier. »

* * *

Il n'existe qu'un seul lieu dans l'univers que vous pouvez être assuré d'améliorer : c'est vous-même.

ALDOUS HUXLEY

« Je crains d'avoir abusé du vermillon dans cette série de peintures et j'ai besoin que mes yeux s'amourachent d'une autre
couleur. »

La peur est un « bip » avertisseur sur le radar de notre conscience. La peur nous signale de vérifier quelque chose que nous
apercevons du coin de l'œil. Elle pénètre dans nos pensées à la
façon dont une ombre se profile derrière une porte vitrée. « Y
a-t-il quelqu'un ? » demandons-nous, le souffle court. Oui, il y
a quelqu'un. Souvent, il s'agit d'une impression exprimée par
une partie de nous que nous avons négligée. La partie pointilleuse chez nous peut à raison s'inquiéter du fait que nous
aurions dû écrire les basses au complet, pas seulement sous
forme sténographiée en nous disant que « tout en clef de sol, ça
va ». Ça ne va pas pour la partie de nous qui, comme les boy-
scouts, croit qu'il faut toujours être prêt. Cette partie inquiète
se préoccupe du fait que nous donnerons peut-être l'impression
de manquer de professionnalisme. Et elle pourrait fort bien
avoir raison. La peur nous demande de vérifier quelque chose
par besoin de clarté. Elle nous demande de passer à l'action, pas
d'être rassurés.

En tant qu'êtres créatifs, nous sommes des mécanismes
complexes dotés de senseurs très délicats qui captent tout ce
qui est au-delà du royaume ordinaire des cinq sens. Certains
jours, nous sentons que quelque chose de grandiose et de bon
est sur le point de se produire. Nous sortons du sommeil avec
un sentiment d'anticipation et d'ouverture, attitudes qui se cul-
tivent grâce aux Pages du matin et aux Rendez-vous d'artiste. À
d'autres occasions, cette même ouverture nous donne accès à un
pressentiment. Si nous avons avalisé la croyance largement
répandue que la peur est quelque chose de mal ou même de

* * *

*Je ne voulais pas voyager en cabine, mais plutôt sur le pont près du mât, pour
pouvoir voir le monde, le clair de lune et les montagnes. Même maintenant, je ne
veux pas voyager en cabine.*

HENRY DAVID THOREAU

non spirituel, nous essayerons de nous en défaire sans explorer ce qu'elle a à nous dire.

« Il ne faut pas que tu te sentes comme ça ! Qu'est-ce qui ne va pas ? », disons-nous à la partie de nous qui a peur. En mettant l'accent sur nous comme si nous étions la source de ce qui va mal, nous nous empêchons de voir qu'il pourrait y avoir quelque chose ou quelqu'un de néfaste dans notre entourage.

Dramaturge et engagé dans la production d'envergure de sa toute dernière et excellente pièce de théâtre, Edward repoussait sans cesse le sentiment d'appréhension qu'il éprouvait au creux de l'estomac chaque fois qu'il parlait avec le metteur en scène, qui était tout sourire, gentil comme tout, plein de belles promesses et de projets.

« Arrête ça, Edward ! Qu'est-ce qui te prend ? As-tu peur du succès ? » se disait-il. Ses peurs augmentant, Edward continua à se fustiger sans merci. « J'ai peur que ce soit trop beau pour être vrai », lui disait son instinct à certains moments d'insomnie ou par des rêves révélateurs sur des jeux d'enfants dans lesquels son metteur en scène refusait de jouer le jeu selon les règles de l'art. La date des premiers essais de mise en scène se rapprochant, Edward vit ses peurs augmenter davantage.

« Tout est sous contrôle », lui disait le metteur en scène pour le rassurer. Mais cela ne rassurait pas Edward. Se fustigeant encore d'avoir peur pour rien, Edward se résolut tout de même à prendre le téléphone pour poser quelques questions à certaines personnes. C'est ainsi qu'il apprit que le metteur en scène n'avait rien mis en scène du tout. Le lieu de la représentation n'avait pas été choisi, les annonces pas faites, les notes de service concernant les rafraîchissements et les concessions pas finalisées.

* * *

Tout être humain sent d'instinct que tous les beaux sentiments du monde pèsent moins lourd qu'une seule bonne action.

JAMES RUSSELL LOWELL

« Je suis tellement content que tu aies appelé, dirent plusieurs personnes à Edward. J'ai besoin de pouvoir établir un échéancier et, sans un engagement ferme de ta part, je n'y arriverai pas. »

Le metteur en scène d'Edward ne faisait rien. Les peurs d'Edward étaient donc très bien fondées. Les quelques recherches qu'Edward entreprit enfin personnellement au sujet de ce metteur en scène lui firent comprendre qu'il était en mauvaise compagnie et qu'il ne pouvait se le permettre. Quelques coups de fil subséquents lui apprirent que, à cause de certaines démarches et attitudes, le metteur en scène s'était mis à dos plusieurs personnes. Edward ne pouvait se permettre de laisser son nom être associé avec une pomme véreuse. Il avait affaire à un opportuniste, pas à une opportunité d'expérience intéressante. À contrecœur mais de façon bien réfléchie, Edward arrêta tout et se dissocia de cet ami à problèmes.

« Je suis tellement soulagé que tu aies fait ça ! » lui dit un ami qui l'appela exprès pour ça.

« Je ne savais pas comment te le dire », lui dit un autre ami aussi au téléphone.

« J'ai entendu dire que vous cherchiez un nouveau metteur en scène. J'aimerais beaucoup travailler avec vous », lui dit un troisième.

Edward et ce nouveau metteur en scène travaillèrent rapidement et efficacement. Edward ne ressentit aucune des peurs et aucun des doutes mystérieux qu'il avait ressentis auparavant. Sa peur avait simplement joué un rôle de messager pour lui dire qu'il avait mieux à faire, qu'il devait mieux se traiter et qu'il avait eu raison de pressentir le pire.

Lorsque la peur s'insinue dans notre vie, c'est un peu comme si une souris passait à toute vitesse sur le plancher de notre conscience. *Ai-je vraiment vu quelque chose passer ou est-ce juste un effet de la lumière ?* nous demandons-nous. En nous immobilisant, nous pouvons écouter ce qui se passe. Entendons-nous un bruissement léger ? Le bruit d'une branche contre la fenêtre ? Un vrai problème avec le dénouement du deuxième acte... ou serait-ce... tiens, ça le fait encore. Cette fois-ci, nous allumons notre lampe. Nous déplaçons les meubles en douceur. Tout en nous efforçant de calmer nos battements de cœur, nous dirigeons la lumière de notre conscience dans l'obscurité et les recoins négligés. Et là, nous voyons bien qu'il y a effectivement une souris... ou bien seulement une boule de poussière grosse comme un rat qu'il faudra bientôt donner en pâture à l'aspira-teur. Bref, considéré comme un précieux indicateur, la peur nous amène à bien vérifier l'exactitude de nos perceptions, à écouter attentivement *toutes* les parties de notre conscience. En règle générale, la peur est *toujours* fondée et nous pouvons tou-jours poser un geste réfléchi pour lui donner suite.

Nous sommes souvent si empressés à qualifier nos peurs de névrosées, de maladives ou de paranoïaques, que nous ne nous demandons même pas quel signal celles-ci pourraient effecti-vement nous envoyer.

Lorsque vous avez peur, dites-vous que c'est bien, pas que c'est mal. Que c'est une énergie mobilisée pour un usage pro-ductif. Pas besoin de prendre de médicaments ni de méditer pour la faire partir. Il suffit de l'accepter et de passer à l'action. Posez-vous les questions suivantes :

1. Quel signal ma peur m'envoie-t-elle ?

2. Quel surnom affectueux puis-je donner à ce messager intérieur ?

3. Quel geste assuré puis-je poser pour bien réagir à cette peur ?

Bien des peurs sont fondées sur un manque d'information précise. Plutôt que de poser un geste exploratoire dans la direction

* * *

Que de choses perd-on lorsqu'on décide d'être quelqu'un au lieu d'être quelque chose !

COCO CHANEL

voulue (trouver un nouveau professeur de diction ou s'inscrire à un cours d'informatique), nous laissons nos peurs jouer aux croque-mitaine et nous empêcher de réaliser nos rêves. « J'ai peur que ma voix ne porte pas assez » devrait se traduire par « Je dois renforcer ma voix. » Chacun d'entre nous a des peurs qui correspondent à des besoins particuliers. Lorsque nous leur prêtons une oreille attentive et affectueuse, lorsque nous acceptons qu'elles sont des messagères plutôt que des terroristes, nous commençons à comprendre et à combler les besoins non satisfaits dont elles émanent. Lorsque nous mettons notre humour et notre tendresse au service du moi qui a peur, ce dernier s'arrêtera de trembler suffisamment longtemps pour pouvoir nous envoyer le message salutaire voulu.

EXERCICE

Admettez vos peurs et acceptez l'aide des autres

Très souvent, l'aspect le plus dommageable de nos peurs est le sentiment d'isolement et de clandestinité qu'elles instillent en nous. Nous avons peur et nous avons peur d'admettre que nous avons peur. Enfermés seuls dans nos peurs, nous oublions que nous ne sommes jamais seuls, que nous sommes en tout temps accompagnés d'une puissance supérieure bienveillante qui sympathise avec nos problèmes et qui en détient les solutions.

Prenez un crayon. L'outil que je vous demande d'apprivoiser maintenant est extrêmement puissant et positif. Vous pouvez l'employer dans tous les moments de difficultés émotionnelles et pour n'importe quel problème, qu'il soit de nature personnelle ou professionnelle. Il s'agit d'une prière d'af-

* * *

Seigneur, le mécréant que je suis te demande de venir en aide à l'incrédule qui m'habite.

E. M. FORSTER

firmation où chaque situation négative est cernée et où l'attention et l'intervention divines sont sollicitées. Supposons que le problème soit de la procrastination fondée sur la peur de se lancer dans la réalisation d'un projet. Voici ce à quoi cette prière pourrait ressembler :

« J'ai une aide attentive et experte qui me montre exactement comment je dois entamer mon travail pour la réalisation de mon nouveau projet. Chaque étape à entreprendre m'est indiquée avec précision et clarté. Je reçois un soutien total et positif pour que chacune de ces étapes soit fructueuse. Je sais précisément et intuitivement comment démarrer et quoi faire pour bien mettre mon projet en marche. »

Lorsque nous mettons nos prières d'affirmation par écrit, il est important de ne pas demander d'aide, mais d'affirmer que nous la recevons. Écrire une prière d'affirmation ne revient pas à écrire une pétition, mais à reconnaître et à accepter l'aide divine qui est à notre disposition. Très souvent, le fait de rédiger une telle prière libère notre perception de la peur. Nous réalisons soudainement que nous sommes guidés, que l'esprit divin répond à notre appel à l'aide. Souvent, nous sentons intuitivement le geste juste à poser et ressentons en nous la force qui nous permettra de le poser. À la longue, nous pouvons associer la peur avec le besoin de prier et d'approfondir l'aspect spirituel de la créativité en nous.

Une fois que vous avez rédigé votre prière d'affirmation, choisissez-en la phrase la plus puissante et la plus frappante, et répétez-la comme un mantra pendant que vous irez marcher. Si vous avez écrit « Le moi qui a peur est bien guidé », vous pouvez réduire la phrase à « Je suis bien guidé. » Répétez cette phrase pendant que vous marchez jusqu'à ce qu'elle acquière une note sentie.

* * *

Rien n'est si parfaitement amusant qu'un changement total d'avis.

LAURENCE STERNE

L'AGITATION

Pour les artistes, un accès d'agitation est abordé avec curiosité, pas avec la conclusion que votre vrai caractère grincheux reprend le dessus. L'irritabilité est le signe avant-coureur de l'agitation, cette dernière indiquant que le processus de créativité est activé en vous. Le problème vient du fait que vous ne savez pas dans quelle direction il est activé.

À l'instar des sentiers de montagnes, l'agitation comporte bien des détours. Nous sentons une chose, puis nous en sentons une autre. Nous fonctionnons par contradictions : *Je suis plein d'énergie et je n'ai aucune énergie*, pensons-nous. Nous renversons les choses : *Je n'ai aucune énergie et je suis plein d'énergie.* Nous sommes un tissu de contradictions. Le nord nous attire, puis c'est le sud qui a notre faveur. Rien ne nous semble juste et tout nous semble faux. Rien n'est juste, mais après tout, rien n'est vraiment faux. Nous ne sommes pas dans notre assiette. Nous sommes lunatiques et d'humeur changeante. Évidemment que nous le sommes puisque nous sommes agités ! Nous ne pouvons pas compter sur nous-mêmes pour adopter une ligne de conduite. Fort heureusement, nous n'avons pas à le faire.

« L'inspiration entre par la fenêtre de l'incongruité », disait l'artiste M. C. Richards. D'ailleurs, bien des artistes vous diront la même chose. C'est comme si la création de certaines œuvres d'art sur certains thèmes se trouvait inscrite dans votre destinée, juste en dessous de la pensée consciente, juste en-dessous de la pensée à partir de laquelle nous avons l'impression de choisir. Entre autres, choisir comment notre vie et notre travail se dérouleront. Un indice à la fois, un hasard à la fois, notre destinée et le travail qui en fait partie nous sont révélés. Puis, un jour, souvent sans crier gare, la clarté se fait et nous nous disons : « Ah, c'est pour ça que... »

Si vous parlez à un assez grand nombre d'artistes, vous en conclurez que les coups de chance et les rencontres fortuites sont des éléments ordinaires qui se présentent lorsque l'agitation atteint un paroxysme. C'est comme si l'agitation invoquait les cieux pour que quelque chose se produise. Et effectivement une chose se produit inévitablement, ou même plusieurs. C'est pour cette raison que l'agitation, aussi désagréable et insupportable soit-elle, est un bon présage. Si vous allez observer les reptiles d'un jardin zoologique alors qu'un orage se prépare, vous les verrez ramper avec agitation. Ils savent qu'il y a du changement dans l'air. Lorsqu'on est prêt pour un éventuel changement, nos yeux et nos oreilles restent grands ouverts pour capter plus rapidement et plus souvent les signaux. Irrités, agités et prêts pour un changement, nous disons d'un ton sec quand la destinée frappe à notre porte : « Bon Dieu ! Mais qu'est-ce que c'est ? » Mais la destinée frappe bel et bien à notre porte, haute en couleurs et de grande envergure, si nous lui permettons de l'être. Quand nous sommes agités et que notre vie semble terne, c'est le signe qu'elle va se colorer, pourvu que nous coopérions. Nos prières sont exaucées, surtout celles dans le domaine de la créativité. Mais elles sont exaucées d'une façon que nous ne pouvons ni prévoir ni appréhender. Une fois de plus, c'est pour cette raison que les artistes évoquent ce mot à résonance spirituelle, l'inspiration. Loin d'être un lieu commun, il fait partie de notre expérience réelle. Les artistes sont instamment inspirés de façon irrationnelle et intuitive. Après avoir visité une exposition d'art japonais, sir Arthur Sullivan rentra chez lui pour écrire *Le mikado*.

Il y a environ dix ans, alors que je vivais à Manhattan, je fus atteinte d'une crise aiguë d'isolement. Je mis ça sur le dos de la ville. « Cette foutue île, ronchonnai-je, c'est comme un paquebot géant qui traverse des mers houleuses avec nous tous à son bord enfermés dans nos minuscules cabines. Je la déteste. Je veux partir. Partir n'importe où ! » Et je me suis mise à marcher beaucoup.

* * *

Faites-vous ami avec les anges qui, même s'ils sont invisibles, sont toujours à vos côtés. Invoquez-les souvent, louez-les constamment et faites bon usage de leur appui dans toutes vos activités, qu'elles soient temporelles ou spirituelles.

SAINT FRANÇOIS DE SALES

Un jour, en m'approchant de la bibliothèque Morgan sur Madison Avenue, je remarquai une petite librairie sur un coin de rue, dotée d'une jolie enseigne qui disait: *The Complete Traveler* (*Le voyageur accompli*). Impulsivement, je poussai la porte. C'est idiot, Julia, me dit mon côté rationnel. Tu as des engagements qui te retiennent ici, alors tout ça n'est qu'une incursion dans la futilité. Je remarquai alors une étagère croulant sous le poids de vieux livres élimés traitant d'explorateurs. J'en pris un au hasard. Les pages épaisses de couleur crème portaient la poussière du temps. Un peu collées les unes aux autres, elles laissaient même échapper un peu de poudre au toucher. Je me dis que je n'avais rien à perdre et l'achetai. Après tout, mon père n'avait-il pas adoré les bateaux et la mer?

Plusieurs mois plus tard, alors que j'étais en tournée pour présenter un livre, j'habitais une résidence qui surplombait une falaise de Los Angeles et qui donnait sur l'océan Pacifique. Je regardais sans but précis par la fenêtre. Vers l'Australie, Hawaï? En tout cas vers quelque part. Soudain, le livre me revint à l'esprit. Je l'avais fourré dans ma valise sous le coup de l'impulsion. Tout en regardant la vaste étendue marine par la fenêtre de ma chambre, quelques feuilles de palmiers entrant et sortant de mon champ de vision, j'ouvris le livre. Et s'ouvrit également une porte intérieure. Soudain, j'entendis de la musique, beaucoup de musique, des vagues et des vagues de musique qui déferlaient vers moi, accompagnées de paroles. J'attrapai un carnet et un crayon, mon petit clavier portatif, un autre truc que j'avais aussi apporté dans ma valise au dernier moment, et commençai à prendre en note la musique que j'entendais.

Mon hôtel, le *Shangrila*, ce vieil hôtel Art déco des musiciens, se trouvait à peine à un pâté de maisons ou deux d'un centre commercial où je me procurai un magnétophone bon

* * *

Dès l'instant où nous allons dans le sens de ce qui nous est cher, la terre se métamorphose. Il n'y a plus d'hiver, plus de nuit. Toutes les tragédies, tous les ennuis et même toutes les obligations s'effacent.

RALPH WALDO EMERSON

marché. La musique me venait si rapidement qu'il fallait que je l'enregistre au cas où je viendrais à en oublier sur le carnet. J'entendais des arias de soprano, des basses retentissantes, un grand chœur. Tout ça parce que j'avais eu un accès d'irritabilité et que je m'étais rendue dans une petite librairie de voyage ! Cette boutique était comme le pays des merveilles d'Alice, où m'attendait toute une comédie musicale.

Cette histoire ne vous convaincra peut-être pas de la magie qu'il y avait dans l'air et vous ne voudrez peut-être pas non plus imaginer qu'un être invisible ait pu me donner un coup de coude dans les côtes. Je vous comprends. Pourtant, mon expérience me fait dire que, lorsque nous sommes disposés à l'irrationnel et l'intuitif, même si nous détestons ces mots, des appels et des inspirations nous viennent de quelque source mystérieuse bien exercée qui nous guide et nous pousse vers ce que nous pourrions appeler la destinée.

« Je ne vois pas pourquoi je devrais entrer dans ce magasin d'antiquités », ronchonnons-nous. Pourtant, en feuilletant un vieil album de photos, une page se tourne en nous qui laisse apparaître le thème d'un nouveau roman.

Lorsque nous donnons la préférence à la routine et à la linéarité, la destinée vient tout de même frapper à notre porte. Par contre, elle devra frapper plus fort pour attirer notre attention. Mon expérience me fait dire que la destinée est toute disposée à travailler fort, puisque c'est nous qui, en général, faisons la sourde oreille et fermons les yeux. Nous nous vautrons dans la mauvaise humeur et les idées préconçues sur la façon dont le changement doit s'effectuer dans notre vie. Ce devrait être de la façon A, B ou C, pensons-nous. Mais quand le changement survient, il survient souvent, ainsi que le fait amèrement remarquer mon amie actrice Julianna McCarthy, d'une façon tout à fait inattendue et imprévue.

* * *

Le ridicule ne vient jamais de ce que nous sommes, mais de ce que nous prétendons être.

La Rochefoucauld

C'est l'insatisfaction intérieure qui déclenche le changement à l'extérieur, pour peu que nous écoutions cette insatisfaction avec l'esprit ouvert et que nous laissions venir à nous les vagues d'inspiration irrationnelle. Ce sont ces envies et impulsions excentriques, écervelées, et ces pressentiments non linéaires et cinglés qui nous font sortir des sentiers battus. Quand vous suivez vos étranges pulsions créatives, le changement se manifeste une étape à la fois. Je ne peux prouver ce que j'avance et n'en ai aucune intention. Vous devez vous-même en faire l'expérience. Vous ne croirez jamais à l'aide invisible et bienveillante des dimensions supérieures à moins d'en faire personnellement l'expérience. Étant une personne de nature extrêmement sceptique et également extrêmement ouverte d'esprit et aventureuse, je m'exprime en fonction de mes idiosyncrasies et de deux décennies d'observation d'autres artistes qui ont expérimenté la chose et observé les résultats.

« C'est tellement stupide ! Qu'est-ce que je fais ici ? » nous demandons-nous lorsque nous allons, sur l'impulsion du moment, assister à un cours pour adultes sur l'origami.

Et pourtant, nos vies sont pliées de façon aussi compliquée, aussi intelligente et aussi particulière que le papier l'est grâce à ce vieil art. Lorsque nous reconnaissons au mystère le droit de nous intercepter et de nous guider, nous reconnaissons également que la vie est une danse spirituelle et que notre partenaire invisible a des pas à nous enseigner. Il faut évidemment que nous le laissions faire. La prochaine fois que vous vous sentirez agités, souvenez-vous que c'est l'univers qui vous demande si vous voulez bien danser avec lui.

EXERCICE

Trouvez le repos dans l'excitation

Quand il écrit un morceau de musique, le compositeur se sert de « silences » pour indiquer une minuscule pause, presque imperceptible, qui est parfois nécessaire avant un déferlement de notes.

Parfois, en particulier quand nous sommes agités, il vaut mieux se reposer afin de pouvoir retrouver le fil conducteur. Certaines ambiances ou endroits se prêtent particulièrement à cela. Bien que nous ayons nos préférences individuelles, les quelques suggestions suivantes pourraient parler à la plupart de ceux qui ont besoin de reprendre leur souffle.

1. **L'arrière d'une église ou d'une synagogue**: Il émerge en nous une humilité apaisante lorsque nous passons quelques instants sur un banc d'église, que nous soyons pratiquants ou pas. Nous respirons la foi.

2. **Un grand magasin de plantes vertes ou une serre**: Il se dégage d'une serre la sensation palpable que nous nous trouvons dans une autre dimension. Les plantes ont bel et bien une vie cachée, qu'elles sont prêtes à partager avec nous.

3. **Une forêt**: Même si vous habitez en ville et que votre forêt se trouve dans un parc citadin, vous sentirez en y allant un tout autre rythme vital.

4. **Un magasin de tapis orientaux de qualité**: Le sens du sacré émane des dessins complexes et de l'excellence de la confection à la main des tapis de Perse. Le temps qu'il a fallu pour faire un beau tapis nous rappelle la beauté de la trame de notre vie.

5. **Une boutique de voyage**: En allant dans une boutique de voyage, nous nous rappelons que notre monde est riche d'aventures. Aussi bizarre que cela puisse paraître, ce genre d'endroit réussit à calmer un cœur agité. Une descente de

* * *

Il n'y a qu'insinuations et conjonctures,
Insinuations suivies de conjonctures.
Le reste n'est que prière, observance, discipline, pensée et action.

T. S. ELIOT

rivière dans la jungle, une grande randonnée pédestre dans les Highlands d'Écosse ou un voyage en bicyclette en France sont autant de choix imaginaires qui peuvent étrangement nous calmer du fait que nous savons qu'ils sont à notre disposition.

L'INSÉCURITÉ

En ce moment, j'essaie d'apprendre à jouer du piano. J'ai un ami pianiste qui joue de cet instrument comme un alpiniste chevronné escalade les sommets sans aucune peur de tomber. Il est agile et audacieux, et n'a absolument pas besoin de forcer tellement il est alerte. J'aimerais bien jouer comme lui.

Aujourd'hui, j'ai fait l'erreur de regarder la montagne et de constater que le sommet était encore loin au-dessus de moi, enveloppé d'un grand nuage mystérieux. J'ai vu que le chemin de l'ascension était jonché de traîtres crevasses et de lacets. Je savais que je tomberais. Je savais que je tomberais. Je savais que le danger et l'échec m'attendaient. Autrement dit, je me comparais à mon ami très doué.

La comparaison naît de quelque chose d'un peu plus déplaisant : l'insécurité. Au lieu de dire « J'aimerais être meilleur que *je* ne le suis », nous disons « J'aimerais être meilleur que *lui* ou *elle*. » D'un seul coup, nous venons de nier notre travail et notre originalité. Il n'y a pas deux personnes qui jouent de la même façon. Il ne faut pas oublier le mot *jouer* non plus. En effet, en tant qu'artistes, nous devons plus focaliser sur l'aspect ludique de l'apprentissage que sur l'aspect laborieux de nos progrès. Quand nous restons axés sur notre propre trajectoire créative, le moindre progrès est très encourageant. La moindre

* * *

Toute autobiographie parle toujours de deux personnages : de Don Quichotte, l'ego, et de Sancho Pança, le moi profond.

W. H. AUDEN

amélioration de la maîtrise de notre art laisse agréablement présager que les journées de répétitions fastidieuses et de bévues frustrantes nous mèneront après tout quelque part. Quand nous entrons en rivalité avec les autres et que nous nous comparons à eux, nous accueillons leur grand talent avec hostilité et notre talent moindre avec dépit. Nous devrions plutôt être les émules les uns des autres et faire preuve d'empathie les uns envers les autres. Lorsque nous prenons pour acquis que tous les artistes, de quelque niveau qu'ils soient, apprennent toujours, se débattent toujours, évoluent toujours, progressent toujours et sont toujours aux prises avec leur art, mais à des niveaux différents, la maîtrise que certains acquièrent ne peut que nous encourager puisqu'elle nous apprend que nous pouvons y arriver nous aussi. Nous avons besoin de ce genre d'encouragement. Même si notre talent est grand, cela ne veut pas dire que les efforts à faire ne le soient pas.

Ce matin, alors que j'essayais de jouer *When the Saints Go Marching In*, je me suis mise à pleurer de rage et de frustration. Pourquoi n'avais-je pas appris ce morceau à dix ans comme tout le monde ? Où étais-je à ce moment-là ?

Presque tous les artistes recèlent en eux un perfectionniste très évolué aux griffes bien aiguisées. Mais, malheureusement, ce perfectionniste oublie trop ses normes de perfection au profit de l'autopunition, de l'autoflagellation et de l'autodéfaitisme, «grâce» à ses jugements prématurés sur son potentiel. Étymologiquement, le terme «potentiel» vient du latin «potentia» qui veut dire «puissance» ou «force». Le petit de l'aigle n'a pas le même panache que l'aigle adulte, mais il en a par contre le potentiel. Les progrès embryonnaires que nous faisons dans une nouvelle forme d'art ne laissent pas non plus envisager les grandes envolées que nous pourrons prendre plus tard.

* * *

L'autorité empoisonne tous ceux qui s'y embrigadent.

LÉNINE

Ma salle de musique est peinte d'un beau rouge vermillon et le piano qui l'occupe est un piano droit de marque Chickoring. Les lettres dorées peintes sur l'avant, qui disent «Établis depuis 1823», laissent entendre que ce piano en sait beaucoup plus que moi sur la musique. Une des touches – le Ré – a tendance à coller, mais vu mes progrès laborieux et hésitants, cela n'a pas d'importance. Je tape au clavier d'ordinateur bien mieux que je ne joue. Et comme je le fais avec deux doigts seulement, c'est vous dire où j'en suis avec le piano. Cela ne m'a pas empêché d'écrire dix-sept livres, de nombreuses pièces de théâtre et de nombreux scénarios. Mes aptitudes primitives au piano m'ont tout de même permis de jouer quelques belles mélodies. Le mot clé ici est «permettre».

De toute façon, la grâce est toujours à notre disposition, peu importe l'étape où nous sommes rendus dans notre périple créatif. Les débutants ont besoin de grâce pour débuter, les apprentis en ont besoin pour continuer, et les artistes accomplis ont besoin de la grâce qui permet d'accomplir toujours et encore ce qui nous est donné de pouvoir accomplir. Le Créateur est présent et nous aide à tous les niveaux de nos démarches créatives.

«Nous avançons comme des guerriers», fait remarquer la respectable actrice Julianna McCarthy. Elle veut dire par là que le Tout-Puissant nous procure toujours suffisamment de force et d'aide pour affronter les défis précis du moment. Il se peut que nous soyons dépassés par les événements. Dieu ne l'est pas. Si le plan A échoue, Dieu a un nombre infinis de plans B. Non seulement il a des plans de réserve, mais un filet de sécurité. C'est ce filet qui nous redonne le courage d'essayer de nouveau.

Lorsque nous disons que faire de l'art, c'est faire un acte de foi et suivre une voie spirituelle, ce ne sont pas paroles en l'air. Toute démarche artistique est empreinte de grâce, et des miracles se produisent effectivement. Nous ne les planifions pas, même si nous les souhaitons et que nous restons ouverts à ce que Dieu nous donne un petit coup de pouce. Ce qui semble difficile ou impossible pour nous, ne l'est pas pour le Tout-Puissant. En mettant de côté notre ego et en laissant cette force créative œuvrer à travers nous, des miracles peuvent s'accomplir quotidiennement, même s'ils semblent être notre œuvre. L'énergie de la créativité peut se comparer à l'électricité : elle passe, que nous le lui permettions ou pas. Lorsque nous ouvrons nos circuits pour travailler consciemment en collaboration avec les forces supérieures, l'énergie qui passe à travers nous nous façonne pour que nous devenions les artistes que nous rêvons d'être. Dès l'instant où nous renonçons à croire que les rêves créatifs partent de l'ego, dès l'instant où nous commençons à les considérer comme des aventures spirituelles, nous laissons le Créateur nous façonner comme lui seul le veut et le peut.

Si j'avance un pas à la fois, je peux gravir la montagne. Si je vais lentement et tranquillement quand je joue *Twinkle, Twinkle, Little Star*, je peux être fière d'avoir gravi ne serait-ce qu'un escarpement. Je peux me dire que j'y suis arrivée. Il me faut une certaine vigilance pour être patiente avec moi-même. Il est plus facile de pleurer en me disant que je n'y arriverai jamais.

Nous ne savons pas comment nous y prendre pour vraiment nous épanouir. Nous ne savons pas comment nous y prendre pour y aller à fond de façon réaliste. Nous faisons de notre art une montagne que nous ne pouvons gravir au lieu de tenter notre chance, pour commencer, avec une pente moins abrupte, puis ensuite avec une pente un peu plus raide et une autre encore plus raide. Au lieu de nous laisser inspirer par ces grimpeurs novateurs qui sautent à quatre pattes d'escarpement en escarpement, nous nous laissons décourager.

J'adore le piano, mais la façon dont j'en joue me fait tiquer. Par contre, le fait que je puisse en jouer, à l'âge de cinquante-quatre ans, comme si j'allais à un rendez-vous avec un inconnu et que l'insécurité me tiraillait, est un miracle qui me transporte.

* * *

Il n'existe pas de norme absolue de la beauté. C'est justement ce qui rend sa quête si intéressante.

JOHN KENNETH GALBRAITH

EXERCICE

Exactement comme je suis

À la base de toute insécurité, il y a la conviction que nous devons être meilleurs ou autres que ce que nous sommes afin d'être acceptables. Nous voulons être meilleurs – ou du moins aussi bons – qu'un autre. Dans cette aspiration à l'amélioration et à la perfection se cache la notion qu'il y a beaucoup à aimer chez nous tels que nous sommes déjà.

Prenez un crayon et faites une liste numérotée de un à cinquante. Énumérez cinquante choses précises et positives que vous aimez et approuvez chez vous, tel ou telle que vous êtes. Il peut s'agir de caractéristiques physiques, intellectuelless, spirituelles, personnelles ou même professionnelles. Pour vous donner une idée de leur diversité, consultez les exemples suivants :

1. Mes belles mains.

2. La forme de mon nez.

3. Ma connaissance de la grammaire.

4. La forme de mes pieds.

5. Mon accent espagnol.

6. Ma connaissance de l'histoire américaine.

7. Ma connaissance de l'art du vingtième siècle.

8. Mon talent pour faire des tartes aux pommes.

9. Le choix de mes chaussures de marche.

10. Ma persistance à écrire des lettres à mes amis.

Nous mettons si souvent l'accent sur ce que nous aimerions changer – pour le mieux, il va sans dire – que nous ne réussis-

* * *

Il y a autant de sortes de beauté qu'il y a de façons de chercher le bonheur.

CHARLES BAUDELAIRE

sons pas à jouir de ce qui est merveilleux tel quel. Nous sommes souvent plus près de notre idéal et de nos idéaux que nous n'osons le reconnaître. L'estime de soi est un choix délibéré, pas une donnée spontanée. Nous pouvons effectivement choisir d'avoir de l'estime pour nos côtés positifs. En reconnaissant les bienfaits dans notre vie, nous verrons que nous sommes vraiment bénis des dieux et que nous n'avons pas besoin de nous comparer à quiconque.

L'APITOIEMENT SUR SOI

Hier, alors que je pataugeais dans la réécriture d'une pièce, je suis tombée dans le trou noir que j'appelle l'apitoiement sur soi. Je me suis effondrée en murmurant: «Mais c'est ridicule! Avec tout ce que j'ai!»

Le fait que j'écrive depuis trente ans ne me met pas vraiment à l'abri d'une attaque d'apitoiement sur moi-même. Peu importe si j'ai connu de durs moments de réécriture dans le passé et si j'en connaîtrai certainement d'autres plus tard. Comme tous les autres artistes, je suis heureuse quand le travail se déroule bien et malheureuse quand le travail ressemble trop à du travail. J'écris autant parce que j'aime l'écriture que parce que je dois écrire. Je sens un appel à le faire et si je ne réponds pas à ce dernier, il augmente sans arrêt de volume jusqu'à ce que je finisse par y répondre, ou je fais une crise d'apitoiement sur moi parce que je dois répondre.

À la base, l'apitoiement sur soi est un stratagème pour gagner du temps, une colère qu'on pique, un mélodrame que l'on crée qui a peu, ou pas, à voir avec les faits réels.

* * *

N'importe quel lâche peut se battre lorsqu'il est sûr de remporter la bagarre. Mais montrez-moi l'homme qui a le courage de se battre quand il est certain de la perdre.

GEORGE ELIOT

L'apitoiement sur soi s'intéresse très peu aux faits, mais beaucoup aux « histoires », aux mélodrames. Comme le fait remarquer l'éminente cantatrice Serah : « Les faits sont sans prétention. Les histoires, remplies d'émotions. » L'apitoiement sur soi se repaît d'histoires du genre « Moi, la pauvre innocente et eux les terribles méchants... » L'apitoiement sur soi aime nous faire sentir que le monde est contre nous et que toutes les chances sont également contre nous. L'apitoiement sur soi aime toujours pointer du doigt que nous ne sommes jamais vraiment appréciés, valorisés, voulus. L'apitoiement sur soi réclame à cor et à cris une foule d'admirateurs qui nous acclament. Ça ne nous ferait pas de mal non plus de posséder quelques ensembles de grands couturiers pour traîner sur un récamier, pendant que, pourquoi pas, notre amoureux affairé rôde autour et nous sert un petit quelque chose de frais à siroter. L'apitoiement sur soi n'est pas intéressé à ce que nous l'oublions, mais à ce qu'on nous oublie. Quand une crise d'apitoiement sur nous-mêmes nous prend, nous voulons qu'une cour sache apprécier notre souffrance, pas nous améliorer.

L'apitoiement sur soi n'a que faire de notre statut spirituel et fait la sourde oreille à nos affirmations pleines d'allant. Il constitue un blocage chronique et énorme de la créativité chez les artistes. L'apitoiement sur soi n'a qu'un seul objectif : nous faire dérailler. Et s'il réussit à nous maintenir dans la fange du « À quoi bon ? », nous n'aurons justement pas besoin de faire quoi que ce soit pour répondre à cette question. Je suis pas mal convaincue que l'apitoiement sur soi avait été invité au jardin de Gethsémani. C'était cette petite voix satanique qui murmurait : « Tu peux encore t'éclipser de l'affaire. De toute façon, ils ne t'apprécieront pas. »

Ce « ils ne t'apprécieront pas » est souvent ce qui déclenche l'apitoiement sur soi. Veuillez remarquer cependant que ces

* * *

La beauté est aussi relative que la lumière et l'obscurité.

PAUL KLEE

«ils» (désignant souvent les critiques ou même encore la vague créature qu'est le public) ont très peu ou rien à voir avec le respect que nous devons nous porter.

L'apitoiement sur soi est axé sur la façon dont nous sommes perçus, non pas sur ce que nous percevons. Il nous écarte de notre puissance créative, nous dit que nous sommes impuissants, que nous ne réussirons jamais. Même si nous avons déjà réussi, l'apitoiement sur soi n'a que faire des évaluations personnelles terre-à-terre. Il veut surtout nous faire réchauffer le banc. Quand les artistes axent leur attention sur les chances qui sont contre eux, c'est comme s'ils sirotaient une boisson empoisonnée, qui les affaiblit. Lorsqu'ils mettent l'accent sur leur impossibilité à réaliser quelque chose dans un monde de dimension mégalithique parce qu'ils sont petits, faibles, impuissants et minuscules, ils se disent «À quoi bon!» Et ce défaitisme n'améliore pas non plus les choses, n'est-ce pas?

L'apitoiement sur soi ne demande jamais: «Alors, que penses-tu de ce que tu es en train de faire, de la façon dont tu vis, de ce que tu crées?» Ces questions viendraient remuer les choses pour ouvrir sur des avenues intéressantes. L'apitoiement sur soi ne veut surtout pas que nous remuions les choses: il veut nous remuer, nous, comme on remue un double martini qui vous assène le coup de grâce sur place.

L'apitoiement sur soi vous veut sur le carreau, même s'il s'agit des carreaux de céramique du penthouse branché où vous vivez. Tous les artistes font des crises d'apitoiement sur eux-mêmes, même quand leurs Oscars les reluquent du haut du rebord de la cheminée, que leurs prix littéraires rayonnent dans la lumière dorée qui entre par la fenêtre de leur studio. Ils font des crises d'apitoiement sur eux parce que, s'ils ne font pas attention, ils pourraient créer quelque chose de grand.

L'apitoiement sur soi ne fait pas long feu. Ce qui veut dire qu'une fois que la crise est passée, nous repartons de plus belle. Comme nous le savons tous, l'apitoiement sur soi diffère de l'engourdissement vague et gris de la dépression. Il comporte un tranchant qui se compare à un éclat de verre, éclat dont nous pouvons nous servir pour tailler en pièces notre sentiment d'impuissance. Autrement dit, si nous nous en servons à bon escient, l'apitoiement sur soi est un tremplin pour passer à l'action. Notre «À quoi bon?» se transforme rapidement en «Et maintenant?»

Si vous n'essayez pas de noyer l'apitoiement dans des litres de martinis, des liaisons amoureuses mal choisies, des excès de travail ou de table, une belle attaque d'apitoiement sur soi vient vous signaler que vous allez soit vous rendre malade, soit retrouver la santé. Comme la partie saine en nous ne peut pas encaisser l'apitoiement sur soi, elle aura tendance à passer à l'action. Étrangement, cette action ne naît pas comme sous un coup de cravache, mais plutôt comme un sentiment de compassion. «Bien sûr que tu te sens heurté! Ta création a été injustement mal accueillie. Pleure un peu!»

Même s'il semble que l'apitoiement sur soi provienne du manque d'appréciation des autres, c'est en fait de notre propre manque d'appréciation face à nous-mêmes et de notre bataille intérieure qu'il provient. Mais quelques larmes sur le travail maladroitement mis à contribution, un moment de lâcher-prise face à notre fatigue et notre découragement réels peuvent nous aider à sortir des griffes de l'apitoiement sur soi. Quand nous disons «Bien sûr que je me sens mal!», c'est que nous sommes sur le point de passer à quelque chose d'intéressant. Nous sommes en fait sur le point de nous poser la question suivante: «Si cette situation me rend si malheureux, qu'est-ce que je peux faire pour la changer?»

Las des poètes érudits qui nous parlent avec condescendance, nous envisageons des études de second cycle. Si quelqu'un mentionne publiquement que notre peinture a une tendance impardonnable, par exemple le tic de nos touches romantiques de bleu, nous réagissons en nous disant que *nous*

* * *

La foi consiste à accepter les affirmations de l'âme. L'incrédulité, à les nier.

RALPH WALDO EMERSON

allons leur en donner de la romance, que nous allons leur en faire voir des luminosités chatoyantes. Et nous nous mettons à l'ouvrage, nous perfectionnons notre technique et nous améliorons encore davantage la qualité en question. Nous persistons à un point tel, que ce soi-disant défaut artistique devient notre force. Ce fut le cas chez la violoniste Nadja Salerno-Sonnenberg avec son hyperexpressivité. Ce fut aussi le cas chez Hemingway, avec sa prose dénudée et martiale.

Les réponses à la question «Qu'est-ce que je peux changer?» peuvent souvent nous prendre par surprise. «Rien! J'aime ce morceau et je pense que je continuerai à le jouer tel quel!» Ou nous dirons peut-être: «Ce programme m'ennuie et j'aimerais bien y ajouter autre chose.» Ou encore: «Voici ce que j'aimerais faire...» Autrement dit, la question «Qu'est-ce que je peux changer?» nous ramène au centre de notre créativité et nous permet de poser les questions dont nous sommes les seuls à détenir les réponses: «Qu'est-ce qui suscite le respect en nous? Qu'est-ce que nous aimons? Qu'est-ce que nous voulons faire de façon permanente?» Et nous passons à l'action à partir de là.

Ai-je mentionné le fait que l'apitoiement sur soi naît souvent de la fatigue? Qu'il nous met sur le carreau? Il va donc de soi que le retour à l'action après l'apitoiement sur soi s'effectue après une sieste. La position naturelle à l'horizontale permet de s'adonner à la rêverie intuitive. Quand nous nous levons, les pensées souffrantes se sont transformées en pensée du genre «Tiens, je pourrais essayer ça.» Et nous le faisons.

EXERCICE

Ayez un peu pitié de vous

Le plus souvent, lorsqu'une crise d'apitoiement nous frappe, c'est parce que nous ne nous sentons pas appréciés à notre juste mesure. La vérité, c'est que, parfois, c'est effectivement le cas. Les efforts que nous faisons pour être appréciés semblent passer inaperçus aux yeux de tous sauf aux nôtres. C'est comme si un minuscule baromètre intérieur intégré prenait la température de la réalité par à-coups et nous disait : « Tu vois ? Pas apprécié une fois de plus. »

Nous ne pouvons certes pas obliger les autres à nous apprécier. Par contre, nous pouvons mettre temps, soin et attention à profit pour nous apprécier nous-mêmes. « C'était vraiment gentil de ta part » ou « Quelle délicatesse ! », pouvons-nous nous dire. Selon une loi spirituelle, « les opinions des autres à mon égard ne me regardent pas ». On pourrait reformuler cette phrase plus positivement de la façon suivante : « Ma propre opinion sur moi est tout ce qui compte. »

Prenez un crayon et tout en écrivant rapidement afin d'outrepasser le critique intérieur, complétez les phrases suivantes.

1. C'était généreux de ma part de _____.

2. C'était délicat de ma part de _____.

3. C'était bien de _____.

4. J'ai été un bon ami (une bonne amie) quand j'ai _____.

5. Je me suis montré sensible quand j'ai _____.

6. J'ai fait du bon boulot quand j'ai _____.

7. Je me suis comporté de façon très professionnelle au sujet de _____.

8. J'ai dépassé l'appel du devoir quand j'ai _____.

9. Je mérite des remerciements pour _____.

10. Je devrais recevoir un Oscar pour _____.

L'appréciation de soi vient avec la pratique et le temps. Elle est le seul antidote fiable à l'apitoiement sur soi.

* * *

Il n'y a que deux façons de vivre votre vie : l'une, comme si rien n'était miraculeux et l'autre, comme si tout l'était.

ALBERT EINSTEIN

LE DOUTE

Le doute signale qu'un processus créatif est en marche, que vous êtes en train de bien faire une chose, et non que vous la faites mal ni que vous êtes fou ou stupide. La peur que le doute déclenche en vous n'ouvre pas un abîme dans lequel vous allez dégringoler en spirale comme si vous tombiez dans les feux de l'enfer. Non, le doute vous signale le plus souvent que vous faites quelque chose de la bonne façon.

L'art relève du domaine spirituel et, même si nous regardons rarement les choses en face, une voie artistique comporte les mêmes obstacles spirituels que toute autre voie spirituelle. L'expression « nuit noire de l'âme » s'utilise couramment pour désigner les éprouvantes périodes de doute et de vide qui assaillent ceux qui sont en quête spirituelle.

Les chercheurs spirituels, tous genres confondus, endurent ses ravages douloureux, qu'il s'agisse de moines trappistes comme Thomas Merton ou de Siddharta Gautama, le jeune Bouddha. Mais on ne mentionne pas souvent le fait que les artistes sont, eux aussi, des adeptes spirituels à part entière et qu'ils entrent fréquemment dans la nuit noire de l'âme pour ce qui est de leur vocation artistique. Le pire, c'est que cela se produit souvent publiquement.

Pour être un artiste accompli, il faut entretenir un niveau de sensibilité très élevé. Les artistes qui se produisent en spectacle, par exemple, sont tout ouïe pour déceler les questionnements spirituels déclenchés par un grand morceau de musique ou un grand rôle. Ils s'ouvrent pour recevoir l'énergie nécessaire afin de manifester ces questionnements de façon créative. S'attaquant à ces apogées créatives, ils s'apparentent aux délicats oiseaux qui ont appris à se percher aussi bien sur les gratte-ciel que sur les branches d'arbre. Ils ont encore la vive

* * *

La beauté est une des rares choses qui ne nous fait pas douter de Dieu.

JEAN ANOUILH

sensibilité qu'ils ont toujours eue et ont également appris à s'adapter aux vents violents des spectacles de haute voltige. Mais ça ne veut pas pour autant dire que ce soit facile. Les artistes se comparent aux athlètes olympiques : ils s'entraînent à la perfection, sont tendus et très sujets aux blessures physiques et psychiques.

Au moment où j'écris, un de mes amis très talentueux rentre chez lui l'âme claudicante après une grande tournée. Musicien doté de talents prodigieux, il peut entreprendre des morceaux dont les sommets et les abîmes, les plongeons créatifs, les entrelacs et les décrochés exigent des qualités de virtuose. Il les a, s'en sert et en doute. Le doute est dangereux lorsque vous sautez d'un escarpement à un autre au-dessus de l'abîme. Un doute peut vous faire chuter. Il se souvient d'une tournée au Japon rendue invivable parce que le décalage horaire lui donnait des problèmes de mémoire. Il ne s'est pas trompé mais a eu très peur de le faire. Cette peur le suivit d'escarpement musical en escarpement musical, comme un handicap. Ce genre d'anxiété peut expédier un artiste dans une obscurité et une terreur que la plupart des gens ne peuvent imaginer.

Dans un sens, la façon dont nous jouons en spectacle n'est pas de nos affaires, mais de celles de Dieu. Nous sommes comme les moines qui font leurs matines, qui accomplissent des gestes beaucoup plus vastes que ce qu'il n'y paraît. Très souvent, la beauté d'une voix bien placée peut élever un cœur néophyte vers de nouveaux sommets, vers quelque chose ou quelqu'un qui a plus d'envergure. Un grand concert peut se comparer à une initiation tribale. L'envergure de l'interprète nous donne accès à l'envergure de la vie. Quand Judy Garland chante la nostalgie et l'amour, nous sentons tous la nostalgie et l'amour vibrer en nous. Cet endroit au-delà de l'arc-en-ciel

* * *

Ce n'est pas parce que les anges sont plus angéliques que les hommes ou les diables qu'ils sont des anges. C'est parce qu'ils n'attendent pas la sainteté les uns des autres, mais de Dieu.

WILLIAM BLAKE

auquel elle fait allusion dans la chanson, se trouve dans le cœur humain. Et ce sont les artistes et l'art qui nous y donnent accès.

Hier soir, j'ai soupé avec trois jeunes musiciens classiques, tous dotés de talents éblouissants grandement prometteurs. Autour de cette table, il y avait de quoi soulever une audience comme à un spectacle haut en couleurs. Tellement de talents, de force créatrice et de lumière étaient réunis, commandant pâtes au pesto, roquette, fettucine à la livournaise et penne à la vodka !

« Vos professeurs vous préparent-ils au doute ? », leur demandai-je.

Un ange passa. La question venait de semer un certain malaise. Un des musiciens partait en tournée au Japon avec le Metropolitan de New York. L'idée seule l'effrayait.

« Pas vraiment », dit un violoniste.

« On nous a dit de l'ignorer, je pense », dit le violiste.

« Les critiques sont souvent jaloux, dit le second violoniste, une femme sur la défensive. Elle n'avait pas encore subi de critiques mais en avait ouï dire.

Malgré leur vernis cosmopolite, ces jeunes artistes étaient encore des novices espérant s'en tirer avec la chance du débutant.

Non, ils n'étaient pas préparés au doute.

« Ne relève surtout pas le premier doute », me dit pour me prévenir l'actrice d'expérience Julianna McCarthy, qui avec soixante ans d'expérience de scène, vient ainsi d'établir la règle.

Pour un artiste, le premier doute peut se comparer au premier verre que prend l'alcoolique devenu sobre. Le premier doute ne se négocie pas, car il conduit au second et le second

* * *

Les bébés sont une nécessité pour les adultes. Un nouveau-né, c'est comme le commencement de toute chose. C'est l'émerveillement, l'espoir, un rêve de possibilités.

EDA J. LE SHAN

au troisième. Et en moins de temps que vous ne le réalisez, vous titubez, vous heurtant aux coins des meubles.

Une des raisons pour laquelle les artistes ont besoin d'échanger avec d'autres artistes, c'est que la presse n'est pas un système digne de confiance pour communiquer des informations en ce qui concerne la vie artistique. Aux yeux de la presse, les artistes sont soit des angoissés, soit des héros. Ils ne sont pas ce qu'ils doivent être, c'est-à-dire des gens adroits comme des samouraïs spirituels qui savent garder leur équilibre même quand les turbulences du doute les ébranlent.

Lorsque le doute vient assaillir l'artiste, ce dernier doit apprendre à s'esquiver et à laisser la charge émotive passer. L'artiste ne peut pas se permettre de se laisser transpercer par le doute s'il veut terminer une tournée.

Pour un artiste, le doute est un danger qui fait partie du paysage en permanence. Le doute, c'est la tornade au Kansas, la subite baisse de température qui vous rend malade et la violente tempête qui fait rage à quatre mille mètres. Le doute, c'est le tremblement de terre dans le cœur, le feu de forêt de l'autocritique qui menace d'anéantir tout sur son passage. En d'autres termes, le doute est aussi bien normal que mortel, comme les serpents arlequin de Floride. Il ne faut pas s'amuser avec lui.

Il existe une différence entre le doute et l'évaluation de soi. Le doute aime se présenter à votre porte sous les atours de l'évaluation de soi : « Peut-être devrais-tu travailler sur... » Bien entendu, il faut peser le pour et le contre. Mais sous le couvert de ce vernis de respectabilité se cache la lame du désespoir qui dit : « Tu es peut-être nul. » Il ne faut laisser entrer le doute sous aucun prétexte, et il essaiera à tout coup d'entrer. À trois heures du matin, dans une ville étrangère, en frappant de façon polie,

* * *

Lorsqu'il n'est pas nécessaire de changer, il est nécessaire de ne pas changer.

LUCIUS CARY, LORD FALKLAND

comme le tueur en série qui demande à prendre un café avec vous pendant que vous appelez la police.

Les annales des arts regorgent d'exemples de ce satané saboteur. Combien de symphonies et de romans ont été jetés aux flammes ? Stradivarius avait l'habitude de briser des violons qui étaient bien mieux que ceux de ses concurrents. « Sentez l'émotion, mais ne la laissez pas vous diriger. Elle finira par passer elle aussi », doivent se répéter les artistes les uns aux autres.

Le doute de soi et l'évaluation de soi sont différents. Avec le temps, l'artiste peut apprendre à les distinguer. L'évaluation de soi comporte quelque chose de soutenu. Elle frappe à notre porte en plein jour et pose une simple question. Si vous n'écoutez pas, elle repart. Puis, elle revient, frappe de nouveau doucement à votre porte et repose la même question. Doucement. Une question sur laquelle vous pencher, sur laquelle réfléchir. Un changement à envisager. « Peut-être est-il temps de me procurer un nouvel arc ? » L'évaluation vous propose une opinion, une réflexion à considérer. Elle vous soumet une idée, pas une mise en accusation. Elle ne vient pas chuchoter à votre oreille à minuit quand vous êtes seul et épuisé. C'est ce que le doute fait.

Le doute est celui qui aime isoler ses victimes du troupeau, qui aime isoler l'agneau des autres et ensuite faire appel à ses comparses. Le doute frappe quand *vous* êtes seul, mais il se déplace toujours en meute. Le doute s'accompagne de ses sinistres amis que sont le désespoir, le dégoût de soi, le sentiment d'être bête et l'humiliation. Lorsque le doute frappe, il le fait toujours en compagnie de ces comparses-là, comme le font les voyous dans un film italien de gangsters. Un artiste doit apprendre à repérer ces personnages comme étant des tyrans de bas étage et non pas comme de gentils éclaireurs qui portent le flambeau de la vérité.

Le doute se présente à votre porte en catimini, prétendant être seul et avoir besoin de votre oreille attentive. Comme il peut être très persuasif, si vous le laissez entrer, il amènera ses amis dans son sillage.

Le doute est un grand séducteur qui vous chuchote : « Je veux juste que tu penses à ... » Si vous tendez l'oreille, il sort le poignard : « Peut-être n'as-tu pas assez de talent après tout... » Sentez-vous la pointe du poignard pénétrer et vous vider de votre souffle créatif ?

Les artistes ont besoin d'évaluation personnelle lucide, pas de l'ombrageux et sinistre doute. L'évaluation de soi s'effectue au grand jour, dans le confort de votre foyer et en compagnie d'amis de confiance.

Tous les artistes connaissent le doute. Les grands réalisateurs ne visionnent-ils pas leur film du fond des salles de projection en tenant à la main leur sac de papier pour soulager leur hyperventilation ? Et les actrices de grand talent n'ont-elles pas un trac monstre aussi douloureux que débilitant ? Le doute fait automatiquement partie du paysage de l'artiste. Le dépassement du doute et la capacité à faire la distinction entre le terrorisme émotionnel et les suggestions appropriées d'ajustement s'acquièrent avec le temps, souvent uniquement avec l'aide de gens d'expérience qui ont déjà connu les affres du doute.

Aux questions sur le doute que le moine ou la religieuse adresse à son directeur spirituel dans un monastère ou un couvent, la réponse est sans équivoque : « Le doute est normal. Sans cela, pourquoi aurions-nous besoin de la foi ? » Quand les artistes souffrent du doute, il vaut mieux qu'ils sollicitent des conseils compatissants. « Le doute ? Mais, ça fait partie du paysage, ma belle ! » avait l'habitude de me dire, en grognant tendrement, le réalisateur John Newland.

L'art est une pratique spirituelle. Puisque le doute est normal, nous avons besoin de la foi pour le dépasser, ainsi que de l'assistance des autres. Lorsque le doute frappe, nous devons faire preuve d'amour envers nous-mêmes, et ce, avec toute

* * *

Les changements dans notre vie doivent émaner de l'impossibilité de vivre autrement qu'en fonction des exigences de notre conscience.

TOLSTOÏ

notre attention. Nous ne devons pas ouvrir la porte à l'étranger qui nous tend la bouteille de scotch, les cachets ou le pistolet. Laissez la chaîne de sécurité sur votre porte et repoussez poliment, ou pas si poliment, le doute qui a frappé. Laissez la lumière allumée pour dormir si c'est nécessaire ou appelez un ami en pleine nuit. Regardez une vieille comédie à la télévision. Déplacez-vous avec un livre d'enfant que vous affectionnez, *Harry Potter* par exemple. L'artiste en vous n'a pas besoin d'être effrayé par les choses sur lesquelles on se bute la nuit. Mais tous les artistes connaissent la nuit noire de l'âme. Quand cela vous arrive, sachez que celle-ci est un tronçon délicat de votre cheminement et que vous y verrez plus clair le lendemain matin.

EXERCICE
Doutez de vos doutes

Tous les artistes connaissent le doute. Ceux d'expérience apprennent à le surmonter sans succomber à l'autosabotage. Quand le doute obscurcit le cœur, les artistes avisés doivent considérer cette ombre au tableau comme une intempérie passagère, comme un temps couvert pour quelques jours, pas comme la « réalité » définitive. Pendant les moments de doute, notre jugement n'est pas au point et ne doit pas servir de base pour passer à l'action. Il faut faire avec le doute comme on fait avec un rhume : prendre son mal en patience et attendre qu'il passe. Les gestes que nous posons doivent être chaleureux, aimants, doux et certainement pas autodestructeurs. Dans ces moments, il ne faut pas viser l'amélioration de soi, mais le soin de soi. Essayez donc d'être activement égoïste pour vous faire du bien.

* * *

L'imagination est plus importante que la connaissance.

ALBERT EINSTEIN

EXERCICE

Le soi, comme dans expression de soi

Prenez un crayon et énumérez dix petites façons dont vous pourriez être égoïste. Cela vous permettra justement par la suite d'être moins axé sur le soi. Par exemple :

1. Je pourrais me permettre de faire un appel interurbain à mon ami Laura.

2. Je pourrais m'autoriser à m'abonner à *Vie équestre*.

3. Je pourrais me permettre de m'acheter un couple de perruches pour mon atelier.

4. Je pourrais m'autoriser à m'acheter un nouveau chevalet.

5. Je pourrais me donner l'autorisation de me déclarer en « zone intouchable » après 19 h 00, une fois par semaine, et profiter de ce temps pour écrire.

6. Je pourrais m'autoriser à débrancher mon téléphone pendant que je crée.

7. Je pourrais me permettre de prendre un cours de portrait pour acquérir des trucs professionnels.

8. Je pourrais m'autoriser à prendre toute une pellicule en noir et blanc simplement parce que l'envie m'en prend.

9. Je pourrais m'autoriser à consacrer un moment particulier à la rédaction de ma thèse pour me délester du poids qu'elle représente pour moi.

10. Je pourrais me permettre d'acquérir ce nouvel enregistrement qui m'intrigue.

* * *

Ce sont nos cheminements individuels qui nous marquent.

DAVID HALBERSTAM

Si vous éprouvez des difficultés à trouver ces dix petites façons d'être créativement égoïste, complétez dix fois de suite et différemment la phrase suivante :

Si je n'étais pas aussi égoïste, je _____.

VÉRIFICATION

1. **Combien de fois cette semaine avez-vous rédigé vos Pages du matin ?** Si vous avez sauté un matin, pour quelle raison l'avez-vous fait ? Quel genre d'expérience avez-vous vécu en écrivant ces pages ? Sentez-vous plus de clarté ? Une plus vaste palette d'émotions ? Une plus grande impression de détachement, de finalité et de calme ? Quelque chose vous a-t-il surpris ? Voyez-vous un scénario répétitif qui demande à être examiné ?

2. **Avez-vous été à votre Rendez-vous d'artiste cette semaine ?** Avez-vous ressenti une amélioration de votre bien-être ? Qu'avez-vous fait et qu'est-ce que cela vous a fait ? Rappelez-vous que les Rendez-vous d'artiste sont difficiles et qu'il faudra peut-être vous pousser un peu pour les respecter.

3. **Avez-vous fait votre Promenade hebdomadaire ?** Quelle impression cela vous a-t-il fait ? Quelles émotions ou intuitions ont fait surface en vous ? Avez-vous pu aller vous promener plus d'une fois ? De quelle façon cette promenade a-t-elle modifié votre optimisme et votre perspective des choses ?

4. **Y a-t-il eu d'autres questions cette semaine qui vous ont paru significatives dans la découverte de ce que vous êtes ?** Décrivez-les.

Découverte de la notion de camaraderie

En dépit du mythe qui court que les artistes sont des ermites, leur vie n'en est pas une de solitude. Cette semaine vous donnera l'occasion de vous concentrer sur la nature de vos amitiés et de vos collaborations artistiques. La loyauté, la durabilité, l'intégrité, l'ingénuité, la grâce et la générosité sont autant d'attributs nécessaires à un échange créatif sain. Le thème et les exercices de cette semaine visent l'art difficile qu'est le tri des relations personnelles.

RÉSERVER LE MÉLODRAME POUR LA SCÈNE

Les artistes aiment le mélodrame.

L'art a quelque chose de dramatique, et lorsque les artistes ne versent pas dans le mélodrame artistique, ils versent dans le mélodrame personnel. Quand ils sont décentrés, ils veulent être au centre de l'action théâtrale. Quand ils vont de travers, ils penchent vers les moulins à vent de Don Quichotte.

« Cette relation ne va pas du tout, annoncent-ils à l'autre. Il y a toutes sortes de problèmes. » Ou bien « Je suis certain que ce n'est pas grave, mais il est possible que je devienne sourd ! Est-ce que tu as entendu ce que je viens de dire ? »

Nous sommes tous créatifs, mais ceux qui font de l'art leur gagne-pain feraient mieux d'apprendre à créer avec la même grâce quotidienne que nos cousins qui travaillent dans une banque, notre père qui administre une faculté universitaire ou notre voisin qui dirige une quincaillerie.

Lorsque nous dramatisons trop la créativité dans notre travail et dans notre vie, nous perdons le contact avec la continuité et la collectivité. En fait, c'est exactement ce que nous aimons faire quand nous devenons trop nerveux. Et la nervosité nous amène à dramatiser davantage et à nous énerver encore plus.

Nous disons à l'autre : « J'ai réfléchi à ton caractère et je ne suis pas sûr que je devrais m'y fier. Qu'en penses-tu ? »

Ici, la personne avisée saura dédramatiser le ton réactionnaire de ces remarques soudainement harcelantes. La réalité n'est probablement pas en cause, et la relation non plus. La surdité et votre caractère sont moins en cause ici que le personnage avec qui vous devez composer, c'est-à-dire un artiste nerveux.

Un de mes amis, musicien de calibre international, a toujours des problèmes de santé la veille d'entreprendre une tournée importante de concerts. Sa peur d'être malade est son talon d'Achille. De mystérieuses maladies font leur apparition lorsque la date de départ approche. Un autre de mes amis, un excellent écrivain, perd tout son sens de l'humour et toute perspective chaque fois qu'il arrive près de la date de remise d'un manuscrit. Son mariage est toujours « à l'eau », ou du moins « sur la glace », jusqu'à ce qu'il se mette à écrire. Ces gens-là devraient fournir des ceintures de sécurité à tous ceux qui voyagent avec eux dans la vie. On serait porté à croire que quelqu'un aurait le courage de leur dire « Ça suffit ! » C'est ce que nous, artistes, ferions si le mélodrame ne nous fournissait une excuse pour ne pas nous adonner à notre art. L'anorexie artistique devient alors

* * *

La compassion élimine les toxines de l'âme. Là où il y a compassion, même les impulsions les plus venimeuses restent relativement inoffensives.

ERIC HOFFER

une accoutumance. L'anxiété survoltée nous ronge parce que nous ne créons pas. Nous nous nourrissons de ces montagnes russes hormonales lorsque les échéances approchent.

Les artistes aiment faire de l'art comme les amants aiment faire l'amour. Tout comme les amants peuvent devenir brusques et nerveux quand ils ont besoin de se retrouver au lit pour faire l'amour, les artistes deviennent également blessants quand ils ont besoin de faire de l'art. L'anorexie artistique, c'est-à-dire la négation du plaisir de créer, est une accoutumance pernicieuse qui frappe la plupart des artistes de temps en temps et qui les prend toujours par surprise. Au lieu de créer de l'art, nous créons des problèmes. Pourquoi ? Parce que nous nous gavons émotionnellement d'une anorexie créative. Tout ce dont nous avons besoin, c'est de nous mettre au piano et de pratiquer, d'exercer nos cordes vocales, de nous planter devant notre chevalet ou de nous asseoir devant notre feuille de papier avec un crayon. Tout ce dont nous avons besoin, c'est d'y aller à toute vapeur sinon nous laisserons sortir la vapeur à n'importe quelle occasion injustifiée sous des prétextes futiles. Tous nos maux sont les maux de la terre entière. Bon Dieu, l'art est une affaire sérieuse ! Il va y avoir du grabuge si quelqu'un s'amuse trop dans notre entourage !

« Vous ne comprenez rien », disons-nous d'un ton blessant aux gens qui ne comprennent que trop bien. On devrait exiger que tous les artistes sujets à la suffisance voient les éclats impérieux et théâtraux de l'imprésario joué par John Barrymore dans le film *Twentieth Century*. Tout ce qui importe, c'est l'art. Nous sommes censés servir notre art, pas traiter nos amis et notre famille comme des moins que rien. L'archétype de l'artiste suffisant trouve sans aucun doute son origine alambiquée dans la faible estime personnelle de ce dernier et dans son besoin de masquer sa vulnérabilité. Si notre ego est trop investi dans notre

* * *

Son grand mérite est d'avoir découvert le mien. Il n'y a rien de plus avenant que le discernement.

LORD BYRON

travail et pas assez dans le reste de notre vie, l'artiste tombe facilement dans l'archétype de l'artiste arrogant.

Nous avons fondamentalement perdu notre sens de l'humour et, par conséquent, notre sens des nuances. Lorsque nous nous prenons trop au sérieux et que nous exigeons des autres qu'ils en fassent autant, nous crispons sans le savoir nos muscles créatifs et limitons notre portée artistique. Les artistes qui se produisent en tournée devraient emporter dans leur valise quelques comédies d'appoint. En nous rappelant ou en regardant une grosse comédie télévisée, nous nous détendrons, nous allégerons et livrerons le calibre de travail auquel nous aspirons. Aux États-Unis, certains pare-chocs arborent des autocollants où on peut lire : « Les anges volent parce qu'ils se prennent à la légère. »

Le paradoxe inhérent à la carrière artistique est que cette carrière prend justement son envol lorsque nous permettons à notre ego apeuré de relâcher son emprise. Le sens de l'humour est séduisant et indique un sens des nuances, qui donne à notre travail ampleur, perspective et personnalité. Comme les artistes doivent éviter de se « péter des neurones », ils ne doivent pas s'enfler la tête en réaction à leur manque de confiance. En règle générale, les artistes devraient répéter le mantra suivant : « L'avènement soudain de problèmes dans ma vie me signale habituellement que j'ai besoin de travailler à mon art. » De crainte d'avoir l'air de vouloir parler contre les artistes, laissez-moi simplement admettre que je me suis heurtée à d'innombrables reprises sur les écueils de mon imagination avant d'en arriver à cette conclusion.

La date de remise d'un manuscrit n'est pas un lancement de fusée à la NASA. Une date de concert n'est pas un compte à rebours pour un test nucléaire. Comme un violoncelliste le fait

* * *

L'humain est un organisme d'une extrême complexité. S'il est condamné à s'éteindre en tant qu'espèce, il le fera faute de simplicité.

EZRA POUND

remarquer en blaguant : « Je pourrais très bien me faire renverser par un autobus en ce moment. Au lieu de ça, j'avance sur scène pour jouer un sextuor de Brahms. » Il ne faut pas automatiquement associer célébrité et haute tension. Par contre, la tentation de le faire est immense, en particulier si nous nous sentons un peu à côté de nos « pompes ».

Nos chiens devraient nous mordre lorsqu'ils sentent qu'un mélodrame insensé couve. Le mien, Tiger Lily, un cocker blanc et fauve, a appris à lever les yeux au ciel et à faire la moue chaque fois que mon humeur et mon humour se gâtent. L'acolyte de Tiger Lily, Charlotte, y voit anguille sous roche lorsque l'ambiance de la maisonnée s'assombrit sans raison. Elle a un petit jouet mauve qu'elle va chercher dans de tels moments. Lorsqu'il y a trop de mélodrame dans l'air, elle amène le jouet au pied du coupable et suggère en aboyant qu'un petit jeu de « lance et attrape » donnerait de meilleurs résultats que le jeu innommable qui se joue dans le moment.

Ce n'est probablement pas un hasard si les verbes *exorciser* et *exercer* impliquent un mouvement à l'extérieur de soi. La plupart du temps, quand un artiste est pris dans un mélodrame, c'est qu'il a besoin de sortir de sa tête et de descendre dans son corps. Une marche soutenue dans une colline escarpée, quelques longueurs intenses en piscine et la réalité apparaît clairement : le seul mélodrame dans notre vie est celui que nous créons nous-mêmes. Avec leur imagination débordante, les artistes que nous sommes peuvent devenir des drogués du mélodrame, et physiquement dépendants de l'anxiété survoltée plutôt que de la création authentique. Trop de mélodrames n'est pas agréable, mais ça nous donne quelque chose avec quoi nous occuper au lieu de faire de l'art. À moins de casser le programme qui régit cet évitement, nous croyons bel et bien à nos petits mélodrames.

« Je sais que je devrais peindre, geignons-nous, mais est-ce qu'il m'aime ? »

« Oui, je sais, je devrais me mettre au piano, mais je ne suis pas certaine d'avoir tout le respect que je souhaite de la part de mes pairs. »

« Je me mettrai au clavier et travaillerai à mon livre dès que j'aurai envoyé une plainte par écrit à la compagnie qui a fabriqué ces foutues chaussures de tennis qui ne tiennent pas le coup. »

« Je pratiquerai l'alto une fois que je saurai où ma carrière s'en va. »

Les artistes peuvent être de drôles d'arnaqueurs. Non pas que nous arnaquons les autres, puisqu'habituellement nous ne le faisons pas, mais nous nous arnaquons nous-mêmes. Nous nous arnaquons en nous faisant croire que nos petits dilemmes sont plus significatifs que notre art et qu'en cédant au mélodrame, nous satisfaisons à jamais nos pulsions créatives.

Pour peu que nous réussissions à céder un tant soit peu à un doute terrible sur notre talent, notre valeur, nos compétences et notre créativité, nous nous embourberons dans nos ornières créatives et nous donnerons *vraiment* de quoi nous inquiéter. Si nous pouvons mettre en scène un beau petit mélodrame, nous pouvons à coup sûr enrayer ou saboter nos véritables progrès créatifs.

Quel soulagement ! Il est certainement plus facile de se préoccuper des dilemmes relationnels que de voir à ce que notre livre ait la bonne couverture, de répéter tellement que la musique soit imprégnée dans nos mains et notre cœur, que la maîtrise de notre équipement photographique rende notre technique très pointue.

Les artistes se vautrent dans le mélodrame. Quand ce dernier est canalisé dans le travail, ce n'est pas si grave. Mais, les artistes ont la triste tendance à se vautrer dans les mélodrames personnels de nature émotionnelle. Ils affichent une prédilection alarmante pour cela alors qu'ils se tiennent au bord d'un précipice et en regardent le fond tout en demandant aux amis

* * *

Quels sont les ennuis plus souffrants que ceux dont nous ne pouvons pas nous plaindre ?

MARQUIS DE CUSTINE

crédules : « Pensez-vous que je vais tomber ? », ou « Devrais-je sauter ? » Pourquoi quelqu'un voudrait-il faire ça, vous demanderez-vous ? Parce que ça lui donne quelque chose avec quoi s'occuper au lieu de s'adonner à son art.

Quand l'art nous démange, nous sommes les seuls à pouvoir nous gratter. Si nous refusons ne serait-ce que de gratter le vernis de notre résistance, si nous refusons de nous autoriser la dignité de prendre un authentique risque créatif, alors vous nous reconnaîtrez à la distance dont nous nous tenons du bord du précipice.

EXERCICE

Faites une liste de vos réussites

Le contraire du mélodrame, ce sont les faits. Si vous faites vos Pages du matin, vous devez avoir acquis une grande précision à dresser des listes de choses à faire en fonction des priorités quotidiennes qui apparaissent dans vos pages. Afin de bien assimiler le sens du respect qu'ils doivent se porter, les artistes doivent quotidiennement dresser un deuxième genre de liste, celle des choses accomplies.

Plutôt que de toujours mettre l'accent sur les choses qui restent à faire, nous avons besoin de nous féliciter pour les choses que nous avons déjà accomplies, nous avons besoin de nous dire « Chapeau ! ». Avec cette liste, c'est comme si, chapeau à la main, vous vous saluiez bien bas pour vous féliciter d'avoir accompli une multitude de petites choses dans votre journée. Voici ce à quoi peut ressembler une telle liste :

1. J'ai rédigé mes Pages du matin.

* * *

À notre époque, le chemin vers l'éveil passe nécessairement par le monde de l'action.

DAG HAMMARSKJÖLD

2. J'ai laissé un petit mot à Carolina.

3. J'ai pratiqué quinze minutes au piano.

4. J'ai rempoté mes géraniums.

5. J'ai lu l'essai, dans *The Atlantic*, qui est relié à ma thèse.

6. J'ai préparé une grosse chaudronnée de soupe.

7. J'ai saisi toutes mes factures dans mon programme de gestion domestique.

8. J'ai parlé à Bruce pour m'aider à retrouver mon équilibre émotionnel.

9. J'ai travaillé à la rédaction de ma thèse pendant une heure.

10. J'ai pris un rendez-vous pour faire toiletter mon chien.

11. J'ai refait l'ourlet de ma jupe qui pendait.

12. J'ai commandé des livres reliés à ma thèse sur amazon.com.

13. J'ai choisi la peinture pour le rebord de ma fenêtre de cuisine.

14. Je me suis syntonisée sur une station de musique classique.

15. J'ai lavé le linge de couleur foncée.

La liste des choses accomplies peut facilement être le double de celle-ci. Souvent, nos journées sont plus remplies et plus productives que nous ne le réalisons. De plus, la liste des choses accomplies peut jouer un rôle incitateur. « Je sens que je vais aimer écrire sur ma liste ce que je suis en train de faire », pensons-nous en entreprenant une activité que nous évitions. Si les listes des choses à faire expriment nos priorités, celles des choses accomplies reconnaissent nos accomplissements.

* * *

Même dans la plus grande des confusions, il y a toujours un fil conducteur vers l'âme. Ce dernier est peut-être difficile à trouver vers le milieu de la vie parce qu'il est enfoui sous les épais buissons de ce que nous appelons le conditionnement et l'éducation. Mais ce fil conducteur est là en permanence. C'est à nous de le trouver et de le suivre pour pouvoir accéder au tréfonds de ce que nous sommes.

SAUL BELLOW

Chapeau ! Je me suis adonnée à mon art aujourd'hui. Une vie créative est faite de minutes de travail qui s'accumulent.

CE QU'IL Y A DE BIEN À DEVENIR MEILLEUR

Les artistes ne sont pas seulement intéressés à parler d'eux-mêmes, chose qui relève probablement plus du domaine de la thérapie, ils sont davantage intéressés à s'exprimer de plus en plus précisément, de plus en plus esthétiquement. Cela nous amène directement au thème de ce chapitre, c'est-à-dire à notre besoin d'être évalués de façon juste par nous et par les autres.

La précision et l'utilité sont le plus souvent associées à la combinaison bien ancrée de l'expérience personnelle et de l'excellence. C'est pour cette raison que les artistes ont toujours pris d'autres artistes sous leur aile. Un grand professeur de musique modèle et colore sans aucun doute la façon de jouer de ses étudiants. Ces derniers deviennent en même temps davantage eux-mêmes et d'une certaine façon un peu comme leur professeur. Cela est en partie dû à la technique qu'ils ont en commun, mais surtout à leurs valeurs musicales communes. Un grand professeur attire et génère de grands étudiants. Il s'agit en quelque sorte de sa lignée spirituelle ou, comme on le dit dans le jargon du métier, de sa « griffe ». Un grand conservatoire où enseignent de grands professeurs laisse une « marque de commerce » sur ses étudiants.

Parfois, les professeurs et les étudiants semblent se rencontrer par décision divine plutôt que par le hasard des programmes d'enseignement. Ce fut le cas d'Emma et de son professeur.

La grande violoniste et altiste Joyce Robbins s'était retirée dans le sud de la Californie après avoir enseigné toute sa vie à New York. Une élève douée pour l'alto, qui passait fortuitement une année en Californie, tomba sur Joyce Robbins et entreprit des études qui changèrent sa façon de jouer et la perception qu'elle avait de la façon dont il fallait jouer. Elle apprit à écouter.

« J'avais manqué de peu de pouvoir étudier avec ce grand professeur dans l'est des États-Unis parce qu'elle avait pris sa retraite en Californie l'année où je m'étais inscrite à l'école. Je ne pensais jamais aller en Californie. Par contre, quand j'y suis arrivée, j'ai pris la décision d'aller la voir dans l'intention de suivre ses cours. Comme l'aller-retour me prenait trois heures et demie, c'est vous dire si je connais maintenant le réseau des autoroutes de la Californie ! Avec elle, j'ai appris à m'écouter jouer, ce qui m'a amenée à jouer plus en douceur, avec moins de véhémence, à écouter le son que je produisais au lieu de seulement me concentrer sur la technique à employer pour le produire. J'ai donc commencé à mieux jouer, à produire un plus beau son. Depuis, chaque fois que j'entends un élève qui joue de l'alto produire un son plein et doux, je me demande s'il n'a pas lui aussi étudié avec mon professeur et acquis les mêmes précieuses aptitudes que moi. »

Il y a des artistes partout. Ce n'est pas le cas des écoles de Beaux-Arts. Un jeune et brillant peintre du quartier sud de Milwaukee ne disposera peut-être pas du support familial ni social pour étudier. Il est possible que sa collectivité offre quelques professeurs très respectables, comme il est possible qu'elle ne dispose que de professeurs peu formés et dont le travail est peu développé et influencé par la sophistication exagérée de quelques grandes publications sur les arts.

Comme nous voulons nous épanouir là où nous sommes, nous chercherons des professeurs dans notre secteur. Ou nous aurons de la chance, ou nous tomberons sur des personnes que nous savons être étriquées dans leur appel artistique, appel qui nous étriquera à notre tour. Par crainte d'égotisme, bien des étudiants persistent à vouloir continuer leurs études avec des professeurs qu'ils ont eux-mêmes dépassés. Cette situation donne lieu à une inconfortable rétraction créative, ou même encore à

* * *

Essayez de découvrir votre véritable moi, celui qui est honnête et terre-à-terre.

BRENDA UELAND

de la rivalité, qui se manifeste entre le professeur et l'étudiant par une tension que ni l'un ni l'autre ne peut aborder directement. Comment dire à l'autre :»Voyez-vous, je pense que je vous ai dépassé.» La meilleure façon de le dire, le plus souvent, c'est de simplement remercier notre mentor pour le temps et le talent qu'il a mis à notre disposition, puis de poursuivre notre route.

Alors qu'un excellent professeur peut renforcer et confirmer le talent d'un artiste, un mauvais professeur peut abîmer, étouffer et embrouiller un artiste. Ce sont les mauvais professeurs qui forcent bien de jeunes artistes à se retrancher dans un hermétisme qui est tout d'abord salutaire, mais qui va ensuite à l'encontre du but recherché. Se déclarant au-dessus, au-delà ou en dehors du marché, ces jeunes artistes flirtent avec deux éventualités et finissent par tâter des deux. Tout d'abord, chose positive, libérés des influences extérieures, il se peut qu'ils incubent tout seul un style original marqué. Ensuite, chose négative, toujours libérés des influences extérieures, il se peut qu'ils plafonnent rapidement puisqu'ils n'auront pas eu l'apport nécessaire pour davantage pousser leur travail.

D'une certaine façon, l'art ressemble à toute autre habileté que nous cherchons à acquérir : d'abord, nous aimons nous y adonne ; ensuite, nous aimons nous y adonner bien et avec application ; puis, plus tard, nous aimons nous y adonner mieux, avec encore plus d'application. Quand nous refusons d'adopter les outils et les techniques qui nous permettent de passer du « bien » au « mieux », sous prétexte de rester dans la pureté, le résultat n'a de pur que le nom. Tout ce que nous avons réussi à faire, c'est de laisser notre fierté et notre peur colorer notre processus créatif. Le créateur à l'intérieur de nous est peut-être enfantin, mais notre attitude est infantile. Sur la défensive et

* * *

Je vais vous dire ce que j'ai appris toute seule. Une longue promenade de huit ou dix kilomètres aide beaucoup. Et il faut la faire seul et tous les jours.

BRENDA UELAND

bien cloisonnés, nous avons esquivé notre développement authentique.

Un jeune talent provincial qui joue d'un instrument à cordes se battra pendant des années avec ce qu'il perçoit comme étant des défauts, pour finir par se faire dire par un professeur de grande expérience qu'il a dépassé son instrument depuis des années, que ce dernier l'handicape et qu'il doit s'en débarrasser. Ce n'est pas une conclusion à laquelle on peut arriver tout seul en tant qu'artiste isolé.

Comme l'art est une façon d'être, les artistes sont souvent dirigés par des perceptions intellectuelles et spirituelles qui guident et talonnent leur besoin d'amélioration technique. Nous pouvons voir ce que nous voulons peindre, mais nous ne pouvons le peindre. Nous pouvons entendre ce que nous voulons jouer, mais nous ne pouvons le jouer. Nous avons donc besoin d'aide. Nous pouvons soit la solliciter, soit baisser les bras, découragés que nous sommes par le fossé qui existe entre nos standards intérieurs et notre capacité à les atteindre. L'écrivain Tillie Olsen nous dit avec raison de nous méfier du danger que pose « le couteau du perfectionnisme dans l'art ». En effet, si nous en tenons la lame constamment sous notre gorge, nous ne pourrons progresser puisque nous figerons, nous limitant ainsi dans notre apprentissage. Le professeur est le guide qui nous permet d'éviter de tels pièges.

Chacun d'entre nous apprend à sa façon et à son rythme. Par contre, l'excellente méthode d'un maître aura quelque chose à nous apporter si nous sommes disposés à apprendre.

Le but dans tout cela cependant, c'est de vraiment se développer, chose qui ne se produira pas si nous nous inscrivons à des cours et des programmes qui sont au point mort, étouffants ou tout bonnement impropres et mal conçus. Ce que nous recherchons, c'est l'excellence. On peut la trouver si on cherche, pas seulement en nous, mais chez les autres. Nous ne devons pas nous laisser aveugler ou trop impressionner par les gens qui ont des références célèbres : aveugler par la possibilité qu'ils pourraient effectivement nous apporter quelque chose de très valable, ou alors trop impressionner par ce que nous souhaite-rions voir chez ces individus. Autrement dit, nous devons être ouverts aux professeurs et à notre propre capacité d'apprentis-sage, en restant simultanément alertes quant à nos perceptions et à nos talents, qui sont tout autant valables et vrais, et ont besoin d'être protégés.

On entend souvent dire que « quand l'élève est prêt, le maître apparaît ». Au fil des années, j'ai entendu d'innombrables histoires de rencontres miraculeuses de la sorte. La distance ne compte pas pour l'esprit divin. C'est pour cette raison que la prière d'un étudiant à Omaha est entendue aussi clairement que celle d'un étudiant à Manhattan. Lorsque nous demandons à être dirigés, nous le sommes. Lorsque nous demandons à être guidés, nous le sommes. Lorsque nous demandons à être ins-truits, nous le sommes. Un jeune sculpteur travaillant dans une petite ville industrielle du centre des États-Unis demande de l'aide et est conduit vers un sculpteur célèbre qui vit à quinze kilomètres de chez lui dans le même bled perdu. Un acteur de talent résidant dans une toute petite ville du Nouveau-Mexique croise un metteur en scène d'Hollywood à la retraite qui l'aide à se trouver une bourse d'études pour fréquenter une célèbre école de comédiens. L'aide et la générosité sont toujours plus à notre portée que nous ne le pensons. C'est toujours à nous d'être ouverts à l'aide et de prier pour reconnaître le moment où celle-ci arrive.

Une loi spirituelle veut que, pour leur bien, nos projets et notre évolution en tant qu'artistes soient entre les mains de Dieu, pas seulement entre celles des humains. C'est le Créateur qui met sur notre route un professeur, puis un autre, une pos-sibilité, puis une autre. C'est lui qui reste la source suprême de

* * *

Le meilleur conseil que l'on puisse donner à un jeune artiste qui veut faire car-rière est de trouver ce qu'il aime le plus faire et de dénicher des gens qui le paie-ront pour ça.

KATHERINE WHILEHAEN

toute notre créativité. Il est facile d'oublier cela et de rendre notre agent ou notre professeur responsable de ce qui nous arrive de bien. Lorsque nous accordons foi à l'aide divine sous-jacente, nous savons clairement reconnaître les signes, remercier de leur aide ceux qui entrent dans notre vie et reconduire ceux qui nous mettent des bâtons dans les roues. Lorsque nous accordons foi à l'aide divine sous-jacente, nous évoluons comme des artistes qui savent que l'Artiste divin sait précisément ce qui est le mieux pour nous et qu'il peut nous aider à trouver notre chemin, peu importe la distance qui nous sépare de notre rêve. Dans le cœur de Dieu, tout est à portée de main, y compris l'aide, le soutien et le succès. Quand nous demandons, croyons et sommes ouverts, le chemin nous est montré sans difficulté.

EXERCICE
Sachez apprendre

Prenez un crayon et énumérez cinq situations personnelles où subsistent du ressentiment, des regrets, de l'amertume et de l'apitoiement sur soi en raison d'un manque d'enseignement de qualité.

1. Mes parents sont tombés malades en même temps et je n'ai jamais pu aller à Stanford pour faire ma maîtrise en poésie.

2. Mon alto était si difficile à jouer que j'ai déformé ma technique et que je suis toujours aux prises avec de mauvaises habitudes.

* * *

J'ai l'impression que le niveau d'intelligence d'une personne se reflète directement dans le nombre d'attitudes conflictuelles qu'elle peut arriver à supporter dans le même domaine.

LISA ALTHER

3. Ma famille ne savait que faire d'un écrivain. Elle voulait faire de moi un avocat. Je n'ai eu aucun soutien dans le domaine de la littérature.

4. Dans ma ville natale, on ne savait pas ce qu'était la danse moderne. Au moment où j'ai compris ce que c'était, j'avais déjà vingt ans et je me dirigeais vers une carrière de physiothérapeute.

5. Ma sœur aînée qui avait un grand talent musical a eu tous les encouragements nécessaires pour devenir musicienne. Je devais faire la vaisselle pendant qu'elle jouait ses sérénades à la guitare.

Ces doléances sont réelles et vous ne pouvez rien y changer. Par contre, vous pouvez vous interroger sur certaines questions précises et poser des gestes constructifs.

1. Est-ce que j'aimerais encore passer une maîtrise de poésie ? Il existe de nombreux et excellents programmes d'études pour adultes en dehors de l'université.

2. En ce qui concerne la technique pour jouer de l'alto, si vous n'êtes pas inscrit à un programme de musique, il existe de nombreux et excellents professeurs à votre disposition pour des cours privés. Le bon professeur peut déprogrammer vos mauvaises habitudes assez rapidement.

Abordez chacune de vos doléances en affirmant, au temps présent, un geste à poser qui viendra panser la blessure de l'artiste en vous. Posez ces gestes, car le moindre d'entre eux peut amoindrir la brûlure de l'apitoiement sur soi.

LES AMIS, AVANT, PENDANT ET APRÈS

Une des choses essentielles dans nos avancés créatives, peu importe la façon dont elles sont accueillies, c'est l'encouragement et le soutien des autres. En tant qu'artistes, nous n'avons pas besoin d'être adulés par nos amis, mais nous avons par contre besoin d'eux, avant, pendant et après la phase créative dans laquelle nous nous trouvons. Nous avons besoin de gens qui nous aiment et qui nous acceptent, peu importe où nous en sommes. Nous avons besoin d'amis qui comprennent que le succès dans le monde de la créativité peut causer des tensions aussi dévastatrices qu'un échec.

Nous devons avoir une variété d'amis qui comprendront la diversité de nos besoins. Nous sommes parfois des larves solitaires et parfois de merveilleux papillons. Nos besoins varient avec le temps et avec notre capacité à composer avec notre processus créatif.

Il est bon avant tout de prendre conscience par nous-mêmes de nos propres besoins. Nous pourrons ainsi en faire part à ceux en qui nous avons confiance. Trop souvent, nous essayons de faire cavalier seul ou ne demandons pas ce dont nous avons besoin assez clairement pour que ce soit compris. Lorsque le puits de notre créativité est presque vide parce que nous avons travaillé trop longtemps à la réalisation d'un projet difficile, nous devons arriver à être suffisamment notre propre ami pour nous permettre d'aller remplir notre puits d'images et d'aventures en allant à notre Rendez-vous d'artiste. Mais, quand une échéance approche et que nous sommes épuisés d'avoir trop travaillé, il n'est pas facile de prendre de telles pauses. À la place, nous avons tendance à nous flageller pour avancer, et nous en souffrons, tout comme notre travail. Dans des moments pareils, vous pourriez appeler un ami pour lui dire : « J'espère que je pourrai sortir de la maison pour aller voir *Harry Potter*. »

Les gens qui participent aux programmes dits « en douze étapes » apprennent ce qu'on nomme « l'appel en sandwich ». Sur le point d'entreprendre quelque chose de difficile, ils doi-

* * *

Il nous importe moins de ne pas arriver quelque part que de ne pas avoir de compagnon de route.

FRANK MOORE COLBY

vent appeler un ami. Ensuite, ils font ce quelque chose de difficile, puis ils rappellent le même ami pour lui rapporter que la «mission est accomplie». Il y a des passages dans le travail créatif où nous sommes tellement contrariés qu'un «appel sandwich» sert vraiment de secours d'urgence. Nous pourrons dire à l'ami que nous appelons: «Je ne réussis tout simplement pas à mettre les pieds dans mon atelier. Et le travail s'accumule! Je vais y aller pour une demi-heure et seulement nettoyer mes pinceaux.» Ou bien: «Je vais faire les corrections voulues sur deux pages et ensuite je te rappelle pour te dire que je l'ai fait.» Ou encore: «Je vais lire les vingt-cinq premières pages du manuscrit pour voir ce que j'en pense.» Ou bien alors: «Je vais ébaucher la chorégraphie du premier mouvement.»

Nous avons presque tous des amis qui sont prêts à nous aider pourvu que nous leur expliquions de quelle façon. Au début de ma sobriété, j'ai vendu un scénario à Paramount. J'étais tellement effrayée de le réviser que j'avais demandé à mon amie Jupiter de venir chez moi. Assise dans ma chaise berçante, elle me lisait le scénario une heure par jour pendant que je tapais toute tremblante sur mon clavier. Une heure par jour, c'est bien plus que pas d'heure du tout. Et, comme les amis apprennent que de petits dons de leur temps et de leur aide sont plus utiles que de larges gestes, ils commencent à connaître la musique: «Accroche-toi pendant une demi-heure et rappelle-moi.» Ou bien: «Essaie de lire les vingt premières pages et rappelle-moi.» Très souvent, nous avons besoin d'aide seulement pour mettre le gros orteil dans l'eau. Une fois que c'est fait, nous arrivons à nager. L'aide peut prendre la forme d'un coup de téléphone, d'une rencontre dans un café pour écrire ensemble pendant une heure, d'une confirmation par télécopieur, ou d'un courriel disant «Ça y est, c'est fait!» L'ère électronique donne

* * *

Tous ceux qui sont habités par la joie doivent la partager.
Le bonheur est le revers de la médaille de la joie partagée.

LORD BYRON

aux artistes et aux créateurs une grande liberté de mouvement. Nous pouvons également amadouer le propriétaire d'un petit café où nous mangerons tranquillement un *grilled cheese* tout en travaillant chaque jour pendant une heure dans un cubicule au fond de la salle. Pendant des années, un café de Taos, Dori's Bakery, était toujours plein à craquer d'écrivains, chacun ayant sa table et saluant d'un signe de tête les autres et Dori tout en se mettant à la besogne. Nos amis pourront nous aider pour peu que nous leur expliquions de quelle façon ils peuvent le faire. Souvent, tout ce dont nous avons besoin, c'est d'un peu de compagnie.

Un artiste qui est sur le point de faire un grand saut dans le domaine de la créativité – une tournée de concerts, une séance de signature pour un livre, un spectacle solo – est une créature vulnérable et parfois lunatique. Il y a ceux qui profiteront de cette vulnérabilité et ceux qui la protégeront. Un artiste qui devient soudainement très en vue, peut se brûler les ailes. Sans l'ancrage solide d'amis fiables qui lui permettent de garder le cap, comment un artiste peut-il faire la distinction entre opportunité et opportunisme, entre management et manipulation ? Dans le domaine créatif comme dans la vie, les tireurs d'élite restent des tireurs d'élite. Ils s'embusqueront et vous tirerez dessus. Des collègues de travail peuvent très bien être des tireurs d'élite, tout comme peuvent l'être certains amis et membres de la famille. Inconsciemment jaloux et pleins de ressentiment, ils accueillent souvent avec froideur la chance qui vous sourit. Une conversation avec eux peut vous laisser totalement découragés et désemparés.

Parfois, les coups fusent sous la forme de taquineries sarcastiques : « Alors, comment on se sent quand on est le sujet de

* * *

Le transport du courrier, le transport de la voix humaine, le transport d'images en mouvement – au cours de ce siècle comme au cours des autres, nos plus grands accomplissements ont toujours eu comme unique but de rassembler les hommes.

ANTOINE DE SAINT-EXUPÉRY

toutes les discussions ? » D'autres fois, sous la forme de conseils gratuits d'ordre spirituel : « Tu devrais faire attention à ne pas être dépassée par tout cela. » Ou bien sous la forme du chantage par la culpabilité : « J'avais l'impression que ça s'en venait, que tu serais trop occupé pour m'accorder du temps une fois que tu entreprendrais ce projet. Ce doit être fantastique d'être autant en demande. » Une de mes amies, une ancienne actrice, dit en blaguant : « Je me demande pourquoi nous nous évertuons à arriver au sommet, vu que ce qui nous attend là, c'est l'envie et le ressentiment. » Oui, il peut entre autres choses être difficile de trouver une oreille compatissante pour entendre nos histoires à succès. Je me rappelle avoir pensé : « Qui puis-je appeler pour raconter que Sammy Davis Jr m'a invitée chez lui et m'a dit que j'étais une excellente danseuse ? » (Je ne suis pas sûre d'avoir fait le bon choix en appelant ma mère.) De la nouveauté dans notre vie peut parfois avoir l'air de vantardise ou de snobisme, même à nos yeux. C'est pourquoi il nous faut trouver des gens qui peuvent voir notre vulnérabilité dans de tels moments, sans mettre l'accent sur elle ni la nier.

En tant qu'artistes, nous avons besoin d'être entourés de gens qui peuvent nous voir tels que nous sommes, que nous soyons grands ou petits, compétents et puissants ou terrifiés et terriblement diminués. En tant qu'artistes, nous avons besoin d'être entourés de gens qui croient en nous et sont capables de voir nos dimensions supérieures et en même temps d'être délicats et compatissants envers notre petit moi. Je dispose d'une très petite liste de gens précieux que je pourrais appeler en pleine nuit advenant le cas où je paniquerais : Ed, Jim, Bill, Bob, Julie, Emma, Bruce. Je ne dis pas que je les appelle effectivement à deux heures du matin pour leur confier que je ne suis pas capable d'écrire, que je ne l'ai jamais été, que j'ai mystifié le monde entier et que la supercherie va être découverte à l'aube. Par contre, s'il fallait que je les appelle, ils comprendraient très bien. Je figure sur leur liste d'urgence et ils en feraient autant le cas échéant. Aucun de nous ne veut se sentir d'humeur suicidaire à quatre heures du matin, mais nous le sommes tous parfois. Sachant que nous pouvons appeler nos amis quand besoin est, ces démons nocturnes plient bagages. Prenez quelques instants pour composer votre équipe médicale d'urgence de nuit pour les crises éventuelles. Parfois, il est difficile de trouver des gens qui se sentent autant à l'aise avec notre grandeur qu'avec notre petitesse.

Pour cette raison, il est donc extrêmement important de distinguer parmi vos amis ceux qui peuvent composer avec votre grandeur et ceux qui peuvent composer avec votre petitesse. Si vous appelez un ami qui aime votre petitesse pour lui donner une grande nouvelle, son silence embarrassé sera suivi d'un tiède « C'est fantastique ! » qui vous donnera l'impression d'avoir dit que votre maladie de sang tropicale est dorénavant en rémission. Si, quand vous vous sentez petit, vous appelez un ami qui aime votre grandeur, il vous accueillera peut-être comme il accueillerait un moustique porteur de malaria. Ces situations se produisent en particulier si vous êtes entourés de gens qui ne sont pas, ou très peu, en contact avec leur propre créativité. En effet, ils ne pourront peut-être jamais apprécier votre besoin de validation et de soutien en tant qu'artiste. À leurs yeux, vous êtes seulement celui ou celle qui a de la chance. Alors, où est le problème ? Cette attitude de leur part vous amènera peut-être à adopter à votre tour l'attitude de celui ou celle qui prend soin de l'autre, négligeant votre artiste par le fait même que vous les rejoignez dans leur camp. Un jeune romancier qui venait d'écrire un best-seller donna tous ses avoirs aux bonnes œuvres de ses amis, « pour que tout le monde soit dans le même bateau, pour que tout le monde réussisse à garder la tête hors de l'eau. » Un musicien qui avait enregistré un succès se mit frénétiquement à monter des projets pour les nouveaux venus du métier dans le besoin. Lorsque les gens portent des

* * *

Sachez que si vous êtes un Monsieur ou une Madame-je-sais-tout qui prend plaisir à pointer du doigt ce qui est ou n'est pas bien, à faire de la discrimination, à raisonner et à comparer, vous serez assurément asservi. Je vous souhaite de pouvoir vous libérer de ce joug.

BRENDA UELAND

jugements sur notre réussite, ou bien qu'ils ne disent rien mais n'en pensent pas moins, nous essayons inconsciemment de les circonvenir, d'obtenir la paix à tout prix, même si nous devons payer de nous-mêmes.

Quand les gens n'expriment ni approbation ni appréciation, mais n'en pensent pas moins, consciemment ou pas, ils vous manipulent fortement, chose qui vous fait dévier de votre perspective personnelle et vous amène à essayer de plaire. Cela peut coûter cher. Quand les gens eux-mêmes ont peur d'être diminués sur le plan artistique, ils ne sauront peut-être rien faire d'autre que vous diminuer. Nous avons besoin de trouver des gens capables de faire preuve de générosité envers nous et envers notre artiste.

Nous devons apprendre à éviter ceux qui nous font du chantage en nous faisant remarquer que nous les laissons tomber alors que, en réalité, nous rassemblons nos forces pour faire un saut dans le domaine de la créativité. Nous devons trouver les gens qui pourront aussi bien nous servir d'ancrage que nous soutenir alors que nous faisons le saut.

Pour un artiste, la meilleure façon de composer avec une apparition en public, c'est d'avoir une idée bien claire du contrecoup inhérent à la célébrité. Les amis qui voient la gloire, mais pas le sang et l'eau que nous avons sués auparavant, sont justement les amis que nous ne pouvons pas nous permettre d'avoir. À l'instar de la caféine et de l'alcool qui ont un effet choc sur un estomac vide, les feux de la rampe peuvent nous décentrer, à moins que nous sachions nous nourrir spirituellement, avant et après. Les amis qui voient notre succès mais pas

* * *

Si le livre est bon, qu'il traite de quelque chose qui vous parle, qu'il est écrit sincèrement et que, en le lisant, vous réalisez que c'est effectivement le cas, vous pouvez laisser les autres jacasser et ce bruit fera à vos oreilles le même effet que le hurlement des coyotes quand ils sortent dans la neige au cours d'une nuit glaciale et que vous êtes dans la cabane que vous avez vous-même construite ou payée de votre labeur.

ERNEST HEMINGWAY

tout le stress qui vient avec, auront peut-être tendance à nous demander de prendre soin d'eux justement au moment où nous avons nous-mêmes besoin que les autres prennent soin de nous. C'est pour cette raison que nous avons besoin d'amis, avant, pendant et après. Nous avons besoin d'amis pour nous aider à faire le saut et à nous stabiliser, d'amis pour nous aider à célébrer et à pleurer. Comme certains amis ne peuvent faire que l'un ou l'autre, il nous faut trouver des gens suffisamment généreux de tempérament pour faire les deux.

Il pourrait s'agir de votre tante, de votre sœur cadette, du concierge de votre immeuble ou de votre meilleure amie de la petite école. Nous avons tous besoin d'encouragement lorsque nous décidons de faire le saut publiquement. Nous avons besoin de ces quelques précieux amis et membres de la famille qui sauront nous soutenir de leur amour et de leurs encouragements. Si les gens voient uniquement en vous le beau cygne, la gracieuse créature publique, mais qu'ils ne voient pas les efforts derrière la grâce, ce ne sont pas les amis dont vous avez vraiment besoin.

Même si l'eau est transparente et éphémère en quelque sorte, elle n'en supporte pas moins le cygne, car elle est là. Il en va de même pour les forces supérieures invisibles et éphémères qui sont à l'œuvre pour nous. Les prières sincères sont exaucées. De plus, si nous sommes seuls et que nous prions pour recevoir un peu de soutien humain, ce dernier se manifestera.

Dernièrement, alors que je vivais à Manhattan, loin de mon nid du Nouveau-Mexique, j'avais une immense nostalgie de mes «amis d'avant, pendant et après», ceux qui faisaient partie de mon quotidien là-bas. À ma grande surprise et à mon grand soulagement, c'est exactement ce genre de personne qui est entré en contact avec moi ces derniers temps. Un ami acteur que je connais depuis vingt-cinq ans est réapparu, tout comme

* * *

En parlant avec toi, j'oublie tout.

JOHN MILTON

un professeur que j'aimais beaucoup et qui m'enseignait il y a trente-cinq ans. Est apparu également un autre professeur d'il y a quinze ans et une amie avec qui je faisais de l'équitation bien avant ça. Ces amis m'ont connue jeune, impétueuse, mélancolique et aussi de bien d'autres façons qu'il m'arrive d'être quand l'occasion m'en est donnée. Aujourd'hui, j'ai trouvé dans mon courrier un petit mot de deux de ces amis rencontrés de nouveau récemment. Et j'avais un message sur mon répondeur de ma meilleure amie du collège. Toutes ces retrouvailles « miraculeuses » se sont produites immédiatement après une prière plutôt désespérée. « Mon Dieu, envoie-moi de vrais amis. Je me sens trop seule avec toi et mes bonnes intentions comme seuls compagnons. »

C'est ce qui se passe pour la plupart d'entre nous et Dieu le sait parfaitement bien. Au lieu de vous sentir si atrocement seul, vous pourriez essayer, comme je l'ai fait, de vous mettre au téléphone et de jouer un peu au détective. Il m'a suffi de trois appels pour retrouver Sœur Julia Clare Green, mon professeur de rédaction au collège. Après avoir parlé avec elle, elle fit tout ce qu'un écrivain est censé faire : elle m'écrivit. Depuis, sa photo et sa lettre accrochées au-dessus de ma table de travail me rappellent que je peux avoir autant d'amis que je suis prête à en avoir.

EXERCICE

Il y a quelqu'un que j'aspire fortement à rencontrer

Rassemblez votre courage et passez à l'action. Il y a ceux qui vous diront que nous devrions être suffisamment mûrs pour ne pas avoir besoin d'encouragements. C'est un conseil mesquin, non fondé sur la réalité artistique. Nous avons besoin de l'encouragement des autres, ainsi que du nôtre.

Inventez-vous un supporter imaginaire. Prenez une feuille de papier et rédigez une petite annonce qui exprime exactement ce que vous aimeriez vraiment chez un ami artiste. Il se peut que vous connaissiez déjà une telle personne. Sinon, votre annonce vous aidera à reconnaître l'éventuel candidat lorsqu'il se présentera.

Recherché

Ami artiste doté d'un enthousiasme et d'une générosité authentiques envers moi et mon travail. Personne qui saura partager mes espoirs, mes rêves et mes déceptions, qui me gâtera un peu, qui m'encouragera beaucoup et qui croira en moi quand je n'arrive plus moi-même à croire en moi. Personne qui peut dire sincèrement « C'est beau ce que tu fais. Comme toi. »

LE POINT DE CHUTE

Les artistes doivent mettre l'accent sur le processus, pas sur le produit. Et pourtant, ils ont aussi besoin de quelqu'un qui puisse les attraper au vol. Ils ont besoin d'un « point de chute ». Afin que notre art suive bien sa trajectoire, il nous faut trouver le bon point de chute. C'est de cette façon que nous apprenons à bien viser. Idéalement, cette personne devra avoir suffisamment d'envergure pour que nos tentatives un peu osées ne l'effarouchent pas.

Nous faisons de l'art pour communiquer non seulement avec nous-mêmes mais aussi avec le reste du monde. Quelqu'un ou quelque chose doit représenter ce monde et être la bonne chose ou la bonne personne. Nous devons donc faire preuve de discernement à ce sujet.

Voici comment le formule le grand écrivain Italo Calvino : « Ce sont les oreilles qui créent l'histoire. » C'est une autre façon

* * *

Un compliment est comme un baiser que l'on donne à travers un voile.

VICTOR HUGO

de dire que si notre art est bien reçu, il s'épanouira. « Oh, que c'est beau ! » ou « J'adore votre formulation » apportent de l'eau à notre moulin.

Un « Dites-m'en un peu plus », ou « Faites-moi voir ça encore une fois » peut amener l'artiste en vous à s'épanouir. Mais l'indifférence ou le manque d'attention viendront retarder ou enrayer votre épanouissement. Et les critiques prématurées et biaisées peuvent l'obliger à compenser comme le fait un pin sous l'effet de vents forts, qui se tord dans une direction ne lui étant pas naturelle.

Au début, le travail est l'œuvre de l'enthousiasme, de la chaleur du cœur. «Ça va être formidable ! » Vous vous rappelez peut-être le conte de fée sur le pari fait par le vent et le soleil quant à savoir lequel des deux inciterait le premier un voyageur à ôter son manteau. Le vent se mit à souffler : le voyageur, notre artiste, empoigna son manteau autour de lui. Le soleil se mit à briller doucement, agréablement et chaleureusement. Notre artiste retira alors son manteau.

Si vous êtes écrivain, votre point de chute ne sera peut-être pas un éditeur mais un ami qui a la passion des mots. Certains des meilleurs écrits s'adressent à des personnes en particulier, entre autres les *Lettres à un jeune poète* de Rilke. L'auteur n'a pas adressé ces lettres aux jeunes en général mais bien à une personne jeune de cœur et d'esprit qui retenait son intérêt. Nous pouvons dire qu'une telle personne est une muse si nous le voulons, mais nous n'y sommes pas obligés. Nous pourrions dire aussi qu'elle est une étincelle, une amorce, un catalyseur. C'est une personne dont l'intelligence particulière allume la vôtre. C'est en raison de cette alchimie entre âmes que les artistes ont de tout temps pris soin d'autres artistes et se sont faits les

* * *

Ce n'est pas tant ce que nous apprenons dans les conversations qui nous enrichit. C'est l'élévation d'âme qui provient des furtifs contacts avec les courants de pensée stimulants.

AGNES REPPLIER

champions de leur travail. On avait donné à Haydn le sobriquet de «Papa» parce qu'il était le «point de chute» de Mozart.

À la fin de sa période intermédiaire, frustré par sa surdité grandissante et par la sourde oreille que faisaient les autres à sa musique, que lui seul semblait entendre, Beethoven, désespéré, fit de Dieu son «point de chute» et continua de composer certains de ses plus glorieux morceaux. Pourtant, son histoire de vie en est une de solitude.

Dieu peut jouer le rôle de «point de chute» pour nous aussi. Et tout comme la chrétienté a pris son essor parce que bien des gens avaient besoin d'un dieu incarné, de nombreux artistes ont besoin d'un «point de chute» sous forme humaine.

Croire que nous pouvons faire de l'art à partir de rien relève d'un romantisme insensé. Et ce n'est qu'une demi-vérité de dire que nous faisons de l'art pour notre propre plaisir. Même là, nous faisons plaisir à un certain côté réceptif de nous, à une sorte d'incarnation interne de notre spectateur, lecteur ou auditeur idéal. J'ai écrit *The Dark Room* pour pouvoir le lire épisode après épisode à mon amie Ellen Longo. J'ai écrit *Popcorn : Hollywood Stories* pour faire rire mon premier mari sur ma vision du monde, auquel nous avons tous deux survécu.

Le grand art naît du spécifique, pas du générique. Il ne trouve pas sa source dans un mouvement d'âme mitigé, mais dans un élan total. Une oreille peu attentive, un regard vague, un manque de concentration chez l'autre peuvent figer et même détruire une œuvre naissante et un artiste fragile. Oui, les artistes ont de la résilience, mais ils sont également de fragiles pousses. Leurs pensées et leurs idées doivent trouver preneur sinon, à l'instar du prétendant qui se fait repousser, ils se découragent et s'en vont.

* * *

Les conversations de guerre entre hommes ayant fait la guerre sont toujours inté-ressantes. Par contre, les déclarations à la lune par un poète qui n'a jamais été sur la lune promettent d'être ennuyeuses.

MARK TWAIN

Cela veut-il dire que nous voulons constamment être adulés et approuvés ? Probablement que oui. Cela veut-il dire que nous détestons la critique et que nous n'avons aucune rigueur, aucune discipline, aucun besoin d'amélioration ? Absolument pas ! Cela veut dire que notre « point de chute » doit être autant réceptif aux efforts que nous faisons pour bien ajuster notre tir dans l'enthousiasme qu'à nos bévues et à nos manquements. Notre « point de chute » est le creuset de nos énergies, est ouvert à chacune d'entre elles et a confiance en notre main d'artiste, même si elle est fatiguée. En d'autres termes, notre « point de chute » doit être généreux, mais également faire preuve de discernement.

Un de mes « points de chute » préférés est mon ami Ed. Quand je lui dis que mon écriture est un peu de travers, il me dit : « Je suis certain qu'elle l'est, mais elle va se redresser. C'est déjà fantastique que tu puisses écrire. » Lorsque je lui raconte que mon écriture semble souffrir de rhumatisme, il me répond : « Tout le monde a des raideurs de temps en temps. Il faut un peu de temps pour se réchauffer. Je suis certain que ce n'est pas aussi grave que tu le penses. Tu vas retrouver ta souplesse bientôt. » Quand je lui dis : « J'ai tellement de travail que je n'en reviens pas ! », il me rétorque : « C'est vrai, mais tu as survécu à bien des remaniements de texte avant. Si tu continues ton travail acharné, tu t'en tireras bien. »

L'aide affable et délicate de mon ami Ed provient peut-être du fait qu'il est lui-même écrivain. Peut-être aussi du fait qu'il a travaillé dans un cabinet d'avocats en tant qu'associé principal et qu'il conseillait de jeunes avocats assaillis par le trac avant d'entrer en cour. Peut-être aussi parce qu'il fait de la course à pied depuis des années sur de longues distances et qu'il a appris à soutenir un rythme modéré plutôt que de toujours sprinter.

* * *

Combien de gens en sont réduits au silence parce que, s'ils voulaient accéder à leur art, il leur faudrait hurler.

ANN CLARK

Peut-être aussi ai-je simplement de la chance et Ed est une personne très compatissante. Peu importe, j'ai besoin de lui. Il est l'ami qui se pointe au trente-cinquième kilomètre du marathon et qui m'accompagne en douceur jusqu'à la ligne d'arrivée. Je peux dire qu'Ed est un merveilleux « point de chute » parce que j'ai également connu l'autre sorte.

J'ai déjà fait l'erreur de faire voir une ébauche de livre à un ami extrêmement critique et difficile, qui m'a dit : « Il manque à ce livre ton aisance et ton aplomb habituels. C'est vraiment lourd et pas très sympathique. »

Que voulez-vous répondre à cela ? « C'est une première ébauche, pas une version finale, imbécile ! »

J'ai aussi fait voir des ébauches de livre à des amis qui manquaient de discernement. « Je ne vois pas comment tu pourrais changer quoi que ce soit dans ce livre. Il est parfait. Rien ne me semble ni trop long, ni trop vague. J'ai toujours compris ce que tu voulais dire. De toute façon, j'adore ta manière d'écrire. Je pourrais probablement lire le bottin téléphonique, si c'est toi qui le rédigeais... »

De telles remarques de la part de mes amis me donnent la terrible impression que j'ai effectivement écrit un bottin téléphonique. Si les louanges sont trop mielleuses, j'ai l'horrible sensation d'être la guêpe qui s'est pris les pattes dans le pot de miel et doit s'en dépêtrer. Non, vraiment, trop d'éloges doucereuses de la part de nos « points de chute » n'est pas ce dont nous avons besoin.

Nous voulons seulement quelqu'un qui a les pieds bien sur terre, quelqu'un qui peut calmement attraper ce que nous lui lançons.

* * *

Je crois que chaque esprit humain ressent du plaisir à faire du bien à un autre.

THOMAS JEFFERSON

EXERCICE
Trouvez votre point de chute

La partie en nous qui crée est jeune et vulnérable de caractère. Elle a besoin d'une ambiance amicale, ludique même, et surtout compatissante pour prendre de l'ampleur, expérimenter et s'exprimer. De bien des façons, un « point de chute » est en quelque sorte un acolyte spirituel. Même *The Lone Ranger* n'était pas réellement seul dans toutes ses grandes aventures puisqu'il avait Tonto à ses côtés.

Fréquemment, lorsque nous repensons aux moments particulièrement heureux de notre vie, nous découvrons que nous avions sans le savoir un acolyte, un compagnon de créativité qui nous encourageait par le seul fait qu'il portait grandement intérêt à nos aventures.

Prenez un crayon et fouillez un peu dans vos souvenirs pour découvrir qui étaient vos acolytes quand vous étiez jeune et quelles étaient les qualités chez eux qui vous faisaient rayonner.

1. Quand vous étiez enfant, aviez-vous un « point de chute » pour votre côté créatif ?

2. Qui a été votre premier « point de chute »? Le mien fut mon amie Lynnie.

3. Qu'est-ce qu'il vous a apporté pour que votre artiste intérieur se sente joyeux et enthousiaste ?

4. Connaissez-vous actuellement une personne qui vous fait le même effet ?

5. Se pourrait-il qu'elle puisse être votre « point de chute »?

6. Quand vous étiez enfant, aviez-vous un grand héros dans le domaine des arts (une personne que vous adoriez et à laquelle vous vous identifiiez, pas une personne qui vous intimidait au point de pousser votre artiste à se cacher)?

7. Qu'est-ce que votre artiste intérieur aimait chez cet artiste ?

8. Qu'est-ce que cet artiste aimerait chez votre artiste intérieur ?

9. Écrivez une lettre à votre « point de chute » ou votre héros d'enfance du domaine de la créativité.

10. Répondez à votre lettre par une autre lettre.

VÉRIFICATION

1. **Combien de fois cette semaine avez-vous rédigé vos Pages du matin?** Si vous avez sauté un matin, pour quelle raison l'avez-vous fait? Quel genre d'expérience avez-vous vécu en écrivant ces pages? Sentez-vous plus de clarté? Une plus vaste palette d'émotions? Une plus grande impression de détachement, de finalité et de calme? Quelque chose vous a-t-il surpris? Voyez-vous un scénario répétitif qui demande à être examiné?

2. **Avez-vous été à votre Rendez-vous d'artiste cette semaine?** Avez-vous ressenti une amélioration de votre bien-être? Qu'avez-vous fait et qu'est-ce que cela vous a fait? Rappelez-vous que les Rendez-vous d'artiste sont difficiles et qu'il faudra peut-être vous pousser un peu pour les respecter.

3. **Avez-vous fait votre Promenade hebdomadaire?** Quelle impression cela vous a-t-il fait? Quelles émotions ou intuitions ont fait surface en vous? Avez-vous pu aller vous promener plus d'une fois? De quelle façon cette promenade a-t-elle modifié votre optimisme et votre perspective des choses?

4. **Y a-t-il eu d'autres questions cette semaine qui vous ont paru significatives dans la découverte de ce que vous êtes?** Décrivez-les.

* * *

Avoir du caractère, c'est passer à l'action.

F. SCOTT FITZGERALD

Découverte de la notion d'authenticité

En fin de compte, la vie d'un artiste se fonde sur l'intégrité et sur la faculté à être le témoin de sa version de la vérité. Il n'existe aucun marché préétabli qui nous assurera la réussite. Cette semaine met l'accent sur la responsabilité qui nous incombe quant au calibre et à l'orientation de notre créativité. Le respect de soi trouve son essence dans ce qui est « à faire », pas dans ce qui est « fait ». C'est pour cette raison que la résilience personnelle est l'élément clé de la longévité artistique. L'échec devient une expérience quand nous avons la volonté de repartir à neuf. Le thème et les exercices de cette semaine nous demandent de mettre en pratique l'esprit de débutant et de nous ouvrir à de nouvelles tentatives même si nous connaissons des revers de fortune.

L'ENCOURAGEMENT

Peu importe l'emploi qu'ils occupent et qui les fait vivre, les artistes sont des gens dont le « vrai boulot » est de rechercher l'excellence en prêtant soigneusement attention à ce qui tente de naître à travers eux.

Les artistes ne sont pas fragiles, mais délicats, et subissent les intempéries de la vie. On sait à quel point un long hiver gris passé à l'intérieur peut être déprimant. Il en va de même dans le domaine artistique : si nous passons une trop longue période sans les rayons de soleil de l'encouragement, notre saison artistique en sera plutôt une de désespoir. En premier lieu, nous ne remarquons pas le ciel qui devient gris, mais nous n'avons pas vraiment envie de travailler. Si nous travaillons quand même, nous aurons l'impression de faire des travaux forcés ennuyeux, que ce soit au piano, au chevalet ou au clavier. Nous aurons également l'impression que l'ascension de notre colline prend du temps et que, si nous levons les yeux vers le sommet, nous ne pourrons jamais l'atteindre parce qu'il est trop loin.

Les artistes s'abreuvent quotidiennement à leur puits intérieur, qui est lui-même alimenté par leur état spirituel. Lorsqu'ils ont bien pris soin de leur côté spirituel, la créativité semble couler de source. Par contre, lorsque le découragement inconscient vient assécher leur esprit, leur source intérieure se tarit.

Le rire est l'antidote de la dépression. Nous aurons donc de la chance si certains de nos amis ont un bon sens de l'humour noir. Quelquefois, nous pourrons appeler un ami et lui dire : « Je suis déchirée. Je ne sais pas si je dois me suicider ou me faire les ongles », ou « Je suis déchiré. Je ne sais pas si je dois faire une liste de gratitude ou sauter de mon dixième étage. »

Un fait un peu troublant demeure : il existe toujours et encore quelque chose de positif à faire, même si nous n'avons pas le cœur à le faire. Nous devons admettre que notre découragement est, comme un plaisantin le dit, « un sale boulot, que nous avons cependant accepté de faire, bon dieu ».

Il existe des remontants éprouvés et parfaits que la plupart d'entre nous hésitent pourtant à employer. Par exemple, il est vraiment difficile de faire cuire une tarte et de rester suicidaire.

* * *

Pourquoi devrions-nous tous utiliser notre pouvoir créatif ? Parce qu'il n'existe rien d'autre qui puisse rendre les gens plus généreux, joyeux, vivants, hardis et compatissants. Parce que ce pouvoir créatif reste indifférent au conflit et à l'accumulation de biens et d'argent.

BRENDA UELAND

Il est difficile également d'envoyer des cartes postales sans nous admirer un tant soit peu et reconnaître notre cran et notre valeur, même si ça dit: «Mon Dieu, les temps sont durs pour moi. J'aimerais bien que vous soyez à mes côtés pour m'aider à passer à travers.» Il est très difficile d'être déprimé et de regarder une bonne comédie. Il est difficile d'être déprimé et de faire de la soupe aux légumes. Donc, quand on fait quoi que ce soit, on se tient loin des problèmes et, comme nous le savons presque tous d'intuition, il est facile de se mettre au lit et de laisser le découragement nous assommer complètement. Si nous sommes inscrits à un programme en douze étapes ou participons à un groupe de thérapie, les histoires de détresse d'un nouveau venu sauront alléger n'importe quel désespoir. Il y a quelque chose d'édifiant à entendre quelqu'un raconter une histoire vraiment catastrophique alors que ce qui nous préoccupe est quelque chose d'aussi insaisissable que l'inspiration. Le fait de lire l'histoire des sales coups qu'a encaissés un grand écrivain peut remonter le moral à la plupart des écrivains. Le fait de savoir que Rodgers et Hammerstein allaient de salon chic en salon chic pour lever des fonds pour la comédie musicale *Oklahoma!* en jouant du piano et en chantant – sans grands résultats –, peut rendre ridicule nos doléances concernant notre manque d'envie d'écrire une chanson. Par ailleurs, se laisser totalement aller à *la terrible histoire de la vie* fait l'effet d'un remontant. Enfin, chose qui peut faire des merveilles, il y a toujours la possibilité d'appeler quelqu'un de vraiment ennuyeux. Quand ce genre de personne se met à vous décrire dans le moindre détail quelque chose dont vous vous souciez comme votre dernière chaussette, l'idée de vous remettre au travail peut vous sembler agréable. Surtout, si vous répétez ce qui suit:

Tous les artistes se découragent à un moment ou à un autre. Tous les artistes disposent de profondes sources intérieures d'apitoiement sur soi auxquelles ils s'abreuvent de façon périodique. Tous les artistes s'en tirent mieux que certaines personnes et moins bien que d'autres. Tous les artistes s'en tirent mieux de nos jours qu'avant et moins bien que dans le futur. Tous les artistes se spécialisent dans le doute de soi. C'est de cette façon qu'ils aiguisent leur imagination.

Il nous est impossible de contrôler tous les événements et tous les gens dans notre milieu artistique. Vous ne pouvez pas bâillonner l'invité assis en face de vous qui vous lance avec désinvolture : « À votre âge, vous devez affronter le fait que plusieurs de vos rêves ne se réaliseront pas. » Nous ne pouvons pas – du moins nous ne le faisons pas – embaucher de tueur à gages pour faire passer l'arme à gauche aux gens parce qu'ils ont assassiné notre espoir. Une remarque désinvolte de ce genre peut effectivement avoir cet effet si nous n'avons pas la présence d'esprit de relever la chose sur le moment à la personne en question. Et nous n'avons que rarement cette présence d'esprit. Nous nous disons plutôt qu'il vaut mieux laisser passer, alors que la remarque passe dans les souterrains de notre psyché, où elle se transforme en poison.

Comme nous sommes des artistes, nous ne voulons pas être mesquins. La vérité, c'est que nous devons l'être. Si nous essayons de passer par dessus un affront, nous ne faisons que le repousser sous le tapis de notre conscience. Là, bien caché, il peut lentement faire son œuvre de poison. Trop embarrassé pour confier à un ami que le commentaire qu'il nous a fait en sortant de la salle d'audition nous a blessé, nous aurons plus de difficultés à passer la prochaine audition. Pour quelle raison ? Pour la simple raison que nous avons été découragés.

Étymologiquement, le mot « courage » vient du mot « cœur ». Vous pouvez facilement savoir si vous avez été découragé en vérifiant le timbre émotionnel de votre cœur. Si vous vous sentez vaguement morose, un peu de travers, un peu renfrogné, il y a des chances pour que vous soyez découragé.

Cela vaut la peine de jouer un peu au détective pour en trouver la cause, au lieu de vous dire « Je suis complètement cin-

* * *

Nous découvrirons la nature de notre génie particulier lorsque nous arrêterons de nous conformer aux modèles des autres ou au nôtre, que nous apprendrons à être nous-mêmes et que nous laisserons notre fil conducteur inné nous guider.

SHAKTI GAWAIN

glé ! Qu'est-ce qui ne tourne pas rond chez moi ? » Ce genre de remarque est une blessure additionnelle inconsciente, ne serait-ce que légère.

Un ami demande à voir votre vidéo, mais finalement ne le regarde pas. Les semaines passent et le réalisateur en vous se dit « À quoi bon ! » Vous rédigez un essai que vous envoyez à un collègue, dont vous n'entendez absolument pas parler. Pas d'accusé de réception. Rien ! Vous enregistrez un CD que vous envoyez aux membres de votre famille qui, de toute évidence, font la sourde oreille. Vous avez ramené un bel os à la maison, le trophée qui vient consacrer votre dur labeur, et il gît là par terre, inaperçu, ignoré.

« Ce n'est pas une grosse affaire », dit l'adulte en nous. Mais que dit l'artiste, lui ? Il est comme le jeune terrier, fier d'avoir creusé et découvert un bel os qu'il a ramené à la maison et déposé aux pieds du maître, après l'avoir défendu contre tous les chiens du voisinage. Une petite caresse sur la tête ne serait pas de reste ! Que cela nous plaise ou non, les artistes ont besoin de petites caresses sur la tête. Ils ont besoin d'encouragement. Ils ont besoin de louanges et de réconfort. Peu importe le degré de notre accomplissement artistique : il est éprouvant et blessant de voir notre travail ignoré.

Les piètres mots d'excuses des autres, qui auraient voulu nous encourager mais ont oublié de le faire, accentuent davantage notre découragement. Nous « devrions faire preuve de plus de maturité », mais non nous ne le devrions pas après tout. Nous devrions plutôt garder à l'esprit les dommages que le découragement peut causer et adopter littéralement les mesures voulues. Si personne ne nous encourage, nous devons nous-mêmes nous encourager par des marques d'estime qui reconnaissent le bon travail que nous avons fait. Nous devons prendre bien soin

* * *

Le mécontentement et le désordre sont des signes d'énergie et d'espoir, pas de désespoir.

DAME CICELY VERONICA WEDGWOOD

de nos manuscrits, ne pas les laisser traîner en pile désordonnée sur laquelle nous pourrions renverser du café. Nous devons respecter nos Rendez-vous d'artiste et fêter la nouvelle histoire que nous venons de terminer ou le portrait fignolé pour ce client grognon jamais content, alors que tout le monde ayant vu le portrait le trouvait réussi. Nous devons activement faire appel aux amis qui ne nous feront pas honte de notre découragement et qui sauront apprécier la moindre petite victoire. Bref, le découragement vient d'une mesquinerie faite à notre endroit, qu'il s'agisse d'un critique, d'un collègue, d'un ami ou d'un membre de notre famille. L'encouragement, quant à lui, vient de la générosité. Idéalement, celle des autres et la nôtre.

Le découragement part d'une décision en faveur de la mesquinerie. Nous décidons que l'univers a commis son dernier beau geste à notre égard et qu'il n'y a plus de jouets dans le sac du père Noël. Nous décidons que jamais plus personne ne sera spontanément gentil avec nous. Nous ne donnerons pas non plus l'exemple en faisant preuve de compassion envers nous.

Nous savons ce qu'il faut faire pour rester découragés quand nous le sommes : nous choisissons d'appeler le plus négatif de nos amis. Nous avons pour la plupart un numéro secrètement gravé dans notre conscient sous la rubrique « Signaler ce numéro pour souffrir et être rejeté ». Si nous nous sentons vraiment mal, nous savons pour la plupart comment nous sentir encore un peu plus mal justement en le signalant.

Jennifer dispose du parfait candidat comme étant la pire personne qu'elle pourrait appeler. C'est un ancien amoureux, quelqu'un qui lui doit encore beaucoup d'argent et qui réussit toujours à lui demander une faveur chaque fois qu'ils se parlent. Ne donnant sa place à personne pour mentionner à quel point ses relations amoureuses vont bien et durent longtemps, à quel

* * *

Je n'ai pas d'affaire à me refaire. Seulement à faire de ce que Dieu a fait le meilleur que je peux.

ROBERT BROWNING

point il se sent apprécié, cet ex-amoureux est très doué pour faire des remarques du genre : «J'ai entendu dire que tu étais dans une très mauvaise relation. C'est vrai ? » Pour Jennifer, la tentation d'appeler cet ancien amoureux est un signe que le diable est bel et bien vivant, et qu'il sait exactement où la trouver. Et pourtant, Jennifer réussit à résister à la tentation d'appeler cet homme autant qu'un alcoolique récemment abstinent peut résister à celle de boire un premier verre. Il lui semble tout bonnement impossible de se prémunir contre la souffrance et le rejet qu'un tel appel peut susciter. Surtout pas quand le choix entre s'encourager elle-même ou appeler M. Poison est clair.

Nous avons chacun notre version de ce genre de dilemme. Ce que nous devons faire, c'est choisir la façon dont nous pensons. Nous pouvons nous dire : « En fait, je me débrouille très bien et je devrais avoir du respect pour les progrès que je fais » ou, ainsi que nous le choisissons trop souvent, nous pouvons aussi nous dire : «Je suis un incroyable lâche qui manque de caractère, qui est incapable de rassembler l'intégrité, la détermination et l'inspiration ne serait-ce que pour envoyer une carte postale. » Nous avons tous dans notre entourage des gens qui pensent que nous sommes bien et réussissons plutôt bien. Et nous avons tous aussi dans notre entourage des gens qui pensent, comme nous le faisons, que nous pourrions faire mieux et être meilleur si seulement nous pouvions les écouter...

Pour la plupart d'entre nous, juste l'idée de nous écouter, de nous faire confiance et de nous valoriser est un acte de foi radical. L'idée que nous puissions nous dire « Eh, tu te débrouilles plutôt bien, bien mieux que l'an passé », représente une révolution. Envisager la possibilité d'avoir confiance en nous, en nos décisions et en nos progrès laborieux, envisager que cette confiance puisse suffire et même être louable, exige que nous fassions preuve d'un minimum d'optimisme face à

* * *

Faites-vous simplement confiance et vous saurez comment vivre votre vie.

GOETHE

nous-mêmes et aux chances que nous avons. Il s'agit d'une attitude consciemment voulue. Nous pouvons choisir de croire au meilleur et non au pire. Pour cela, nous devons être conscients de la voix hors-champ négative dans notre tête et décider de changer la cassette qui joue sempiternellement.

L'optimisme est essentiel à la santé spirituelle. Le verre de notre créativité est-il à moitié vide ou à moitié plein ? Avons-nous perdu dix ou vingt ans à ne pas arriver là où nous le voulions ou sommes-nous forts, aguerris et abordons-nous une autre décennie ou deux où notre âge, notre maturité et notre expérience nous permettront de manifester des choses qui étaient totalement hors de notre portée quand nous étions plus jeunes ? Tout est question de perception et de foi.

La bonne nouvelle, et la mauvaise aussi, c'est que les artistes, à l'instar des plantes, peuvent soit se développer magnifiquement, soit dépérir en raison de quelques variables toutes simples. Il est difficile d'anéantir un artiste, mais il est très facile de le décourager. Il suffit pour cela d'un peu de mutisme face à une œuvre d'art et le sort en est jeté.

Nous connaissons tous des gens qui nous disent que nos rêves sont insensés, pures fantaisies et fabulations. Que nous devrions nous contenter de la reconnaissance déjà obtenue et de miser moins haut que ce que notre rêve ambitieux ne l'exige. (Ces gens se sont donnés des paramètres sécuritaires et sont mal à l'aise avec quiconque est disposé à prendre des risques marqués.) Heureusement, nous connaissons également des gens qui ne se préoccupent ni de l'âge, ni des risques, ni de rien d'autre que du travail en cours. Ce sont ces gens-là que nous devons consciemment choisir d'écouter. Ce sont à ces gens-là que nous devons nous adresser pour panser et guérir nos blessures.

* * *

Aimer quelque chose est peut-être le seul point de départ qui existe pour vraiment vivre votre vie.

ALICE KOLLER

Nous devons prendre notre cœur au sérieux si nous voulons avoir le courage de continuer à nous adonner à notre art. Nous devons écouter ses peines et accueillir ses joies. Un cœur n'a pas besoin de s'entendre dire qu'il doit s'endurcir. Il a par contre besoin d'une petite cérémonie d'encouragement. Après cela, vous trouverez le cœur, le courage, de vous remettre à l'ouvrage.

EXERCICE

Reprenez courage

Pour reprendre courage, nous devons tout d'abord trouver notre cœur. Notre vérité se trouve dans ce que nous aimons. Alors, lorsque nous nous rappelons que nous avons aimé et que nous aimons, nous retrouvons rapidement le chemin vers le lieu à partir duquel l'accomplissement est possible.

Dans le milieu équestre, les bons cavaliers disent qu'ils «jettent leur cœur par-dessus l'obstacle pour sauter derrière lui». Ils parlent en fait du courage à s'engager, à être totalement enthousiastes. Lorsque nous sommes découragés, nous sommes littéralement coupés de notre cœur, nous oublions à quel point il est grand et audacieux. Lorsque nous faisons confiance à notre cœur, nous nous faisons également confiance. L'exercice suivant, si magnifiquement enseigné par Oscar Hammerstein sous le nom de *My Favorite Things*, est une leçon que nous pouvons tous nous donner chaque fois que les choses vont de travers.

Prenez un crayon et énumérez cinquante choses précises que votre cœur aime. Par exemple :

1. Les carouges à épaulettes.
2. La tarte aux framboises.
3. La crème au citron.
4. Les dessins de Beatrix Potter.
5. La frange et les cils noir de jais de ma fille Domenica.

6. Les terriers West Highlands.

7. Les rubans à carreaux.

8. Le pudding au riz maison.

9. L'huile essentielle de muguet.

10. La barbe au bout des épis de maïs.

11. Les bandes dessinées de William Hamilton.

12. Faire cette liste.

Il est quasiment impossible de dresser la liste des amours de notre cœur sans conclure que nous vivons dans un monde riche, délectable et appréciable où, si nous rassemblons notre courage, les choses fonctionneront tout naturellement bien.

Parfois, nous savons déguster, apprécier et mettre à bon escient l'encouragement. D'autres fois, cependant, nous en faisons peu de cas et ne nous l'approprions pas. Prenez votre crayon et faites une liste numérotée de un à dix, où vous énumérerez dix exemples d'encouragement que vous avez su mettre à bon escient ou ignorés. À côté de ceux que vous avez su mettre à bon escient, indiquez ce que vous avez fait. À côté de ceux dont vous n'avez pas fait cas, indiquez le geste que vous pourriez faire.

L'INTÉGRITÉ

Pourquoi ne pas jouer avec l'idée que la créativité est d'ordre spirituel plutôt qu'intellectuel? Il n'y a pas si longtemps,

* * *

« Je suis sans nom
Je n'ai que deux jours. »
Comment t'appellerai-je?
« Heureux je suis,
Joie est mon nom. »
Que la douce joie soit avec toi.

WILLIAM BLAKE

les cathédrales étaient érigées en l'honneur et à la gloire de Dieu. L'art et le talent artistique étaient systématiquement mis au service des dimensions supérieures, dimensions auxquelles on accordait tout le bénéfice lorsque les créateurs et les artistes réussissaient bien.

Brahms disait : « Immédiatement, les idées se sont mises à descendre vers moi directement de Dieu. » Puccini racontait un jour que la musique de son opéra *Madame Butterfly* lui avait été dictée par Dieu et qu'il avait simplement servi d'instrument en le mettant sur papier et en le rendant public.

Si ces hommes, passés maîtres dans leur art, ont pu s'incliner devant le mystère plutôt que devant la maîtrise de leur art, il se pourrait que nous puissions trouver dans leurs paroles quelque chose de thérapeutique. Et si la créativité elle-même, ainsi que nos ancêtres nous l'ont enseigné, était réellement une *expérience spirituelle*, une façon de toucher le divin et de le laisser nous toucher à son tour ? Et si nous faisions de notre art un droit inné ? Pas une parure sans valeur en lisière de l'activité sérieuse qu'est gagner sa vie. Et si nous nous rappelions instamment que l'art est digne, important et essentiel à l'expérience humaine ?

Puisque nous sommes l'expression du Créateur, nous sommes faits pour créer à notre tour. Nous ne parlons pas ici d'ego, mais de notre droit inné à créer. La créativité coule dans nos veines aussi certainement que le sang. En l'exprimant, nous exprimons ce qu'il y a de plus humain en nous, chose qui se situe bien au-delà du règne matériel. Lorsque nous faisons faux bond à cet appel, lorsque nous le mettons de côté pour écouter les voix qui nous en éloignent, nous ne sommes plus en harmonie avec notre véritable nature ni non plus avec ce que l'on pourrait appeler notre destinée.

* * *

Là où l'amour est grand, il y a toujours des miracles.

WILLA CATHER

Lorsque nous empruntons la bonne direction dans le domaine de la créativité, nous ressentons une joyeuse satisfaction à accomplir notre périple quotidien. Peut-être n'allons-nous pas aussi vite que nous le souhaiterions, mais au moins nous avançons dans la bonne direction et nous le savons. À la fin de la journée, nous pouvons sortir notre liste de choses accomplies et nous dire : « J'ai fait trois appels importants. Je me suis bougé pour obtenir les renseignements dont j'avais besoin. J'ai transcrit des notes et rédigé quelques bons paragraphes. »

Au contraire, lorsque nous n'allons pas dans la bonne direction, nous ressentons un certain malaise et avons la sensation croissante de faire fausse route. Quelque chose va de travers chez nous et nous avons l'impression de stagner ou d'être dans une impasse. Parfois, lorsque nous allons dans la mauvaise direction et que les événements s'accélèrent, nous sommes animés par la sensation effrayante d'avoir perdu tout contrôle. Quelque chose ne tourne pas rond, nous savons que les choses se dégradent. C'est le moment de mettre le pied sur le frein. Lorsque nous arrêtons finalement en dérapant et que le tourbillon cesse, nous pouvons dire que nous nous dirigions droit vers la falaise mais que nous n'avions pas besoin de tomber dans le vide.

Dans ces moments-là, nous avons pour la plupart l'impression qu'un petit voyant lumineux s'allume. C'est mon cas. Le signal lumineux s'allume pour m'avertir que quelque chose ne va pas. Si je n'en fais pas cas, il s'allume de nouveau, et ainsi de suite jusqu'à ce que j'y prête attention et que je m'occupe de cette impression de mauvais augure que j'essaie d'ignorer. Récemment, mon signal lumineux s'est activé, me laissant savoir que quelque chose que j'avais écrit n'allait pas. J'essayai de me rassurer en me disant que tout devait bien aller, qu'il ne devait rien y avoir de si important puisque trois réviseurs l'avaient lu, que je devais me faire des idées. Quand je constatai que mon signal

* * *

Deux choses font une histoire : le filet et l'air qui passe à travers ses mailles.

PABLO NERUDA

lumineux continuait de s'activer et qu'aucune parole ne réussissait plus à me rassurer, je me décidai à appeler la maison d'édition pour reprendre la page en question juste au moment où tout le texte s'en allait sous presse. Est-ce que tout était correct? Bien sûr que non! Mon signal m'avait indiqué que je devais complètement reprendre la première page. Ce que je fis avec grand plaisir. J'étais passé à deux doigts d'une bévue. La sensation que quelque chose ne tourne pas rond veut habituellement dire que quelque chose ne tourne effectivement pas rond.

Par contre, lorsque nous allons dans la bonne direction et que tout va bien, nous avons une sensation de justesse. Cela vaut toujours la peine de prendre le temps et de faire l'effort de tenir compte de ces intuitions. Lorsque nous laissons Dieu être Dieu et faire son œuvre à travers nous, nous ressentons de la sérénité et de l'enthousiasme. Nous ressentons de l'intégrité, dont la racine étymologique est *integer*, qui signifie « entier, complet », non divisé par le doute ou l'inconfort. Lorsque nous éprouvons une sensation d'unité avec Dieu, avec nous-mêmes et avec les autres, nous savons que nous sommes dans l'intégrité.

Si un tel langage peut paraître « sérieux » et « spirituel », c'est que l'art l'est aussi. Les Grecs de l'Antiquité faisaient graver l'inscription suivante au-dessus de la porte des temples: « Connais-toi toi-même! » En tant qu'artistes, nous devons prendre cela à cœur, œuvrer pour exprimer nos impératifs intérieurs et ne pas nous contenter de broder autour de ce que le marché nous fournit. Quand on se cantonne aux conventions plutôt que de viser la véritable expression de soi, nous tombons dans le panneau des faux dieux, ainsi que la Bible le dit. À long terme, cela ne fonctionne pas plus pour nous, artistes, que pour ceux qui adoraient le veau d'or. Et le marché, c'est le veau d'or. Quand nous le révérons, nous étouffons notre âme et, avec le temps, mettons en péril la syntonisation avec le travail qui pourrait s'effectuer à travers nous. Le commerce a bien sûr sa place, mais pas la première.

Vous entendrez souvent les artistes dire : « Ils avaient vraiment un petit budget, alors je ne leur ai pas facturé plein tarif. Mais j'ai eu beaucoup de plaisir à travailler sur ce film ! » Ou « Comme j'adore aider les nouveaux compositeurs à bien enregistrer leur musique, j'ai demandé à quelques amis de collaborer et nous avons fait du beau boulot. » Ou « Cette troupe de danse avait besoin de quelques photos publicitaires. J'ai adoré leur donner un coup de main. Qu'y a-t-il de plus agréable à photographier que de petites ballerines ? Et cette troupe est de première qualité. »

Les artistes ont une « comptabilité » qui diffère de celle de bien des gens. Ce qui nous fait vivre et qui paie à long terme, c'est vraiment l'excellence de notre travail.

Notre compteur Geiger intérieur se fait entendre haut et clair lorsque nous sommes en présence de quelque chose de valeur, d'un minerai de première qualité, de haut calibre. Cela veut dire que nous travaillons au meilleur de notre forme. Comme ce compteur est intériorisé, il ne se laisse pas facilement berner par le prestige d'un certain lieu ou le manque de prestige d'un autre. Il se contente d'en détecter la qualité. Il reconnaît « l'authentique » lorsqu'il s'en approche. Voici comment les artistes font leur « comptabilité », par l'évaluation catégorique suivante : Est-ce qu'il y a quelque chose de bon là-dedans ? Ni la célébrité, ni l'argent, ni le prestige ne peuvent tromper ce détecteur intérieur d'excellence. Cela revient fondamentalement à dire que les artistes respectent l'art digne de ce nom et qu'ils se respectent lorsque c'est ce genre d'art qu'ils produisent.

Le grand musicien Stephane Grappelli faisait remarquer : « Un grand improvisateur est comme un prêtre : il parle uniquement à son Dieu. » Dans un certain sens, tous les artistes

* * *

Si vous ne dites pas la vérité sur vous-même, vous ne pouvez pas non plus la dire au sujet des autres.

VIRGINIA WOOLF

sont comme des prêtres, car ils écoutent la seule voix de l'inspiration, aspirent à l'excellence et se sentent davantage redevables à leur grand idéal qu'à un patron ou un chèque de paie. Lorsque nous transgressons nos idéaux créatifs, nous transgressons notre conscience artistique. Et le malaise s'installe en nous.

Chaque fois que nous nous laissons aller à faire de l'art en suivant des recettes, nous cédons au cynisme et au scepticisme. À un niveau subtil, nous nous apprêtons à mystifier les gens. C'est comme si nous regardions notre audience de haut en lui disant: «Si je leur donne ce qu'ils sont habitués d'avoir, je peux les berner.» Cela veut-il dire que nous devons toujours et obstinément casser le moule? Non, car un premier acte de pièce de théâtre qui est deux fois plus long que la normale est trop long pour une audience. Par contre, un premier acte qui finit arbitrairement parce qu'il le doit n'est pas un acte qui est à l'écoute de «là où il veut s'arrêter» et de la forme qu'il veut prendre pour être une pièce d'art authentique.

Les artistes sont continuellement sur la corde raide. Ils savent comment les choses se font et doivent s'efforcer d'être attentifs pour s'assurer que l'objet artistique veut effectivement être fait de cette façon. Si nous faisons abstraction de toute convention, notre rébellion sera probablement aussi destructive et obstinée que si nous suivons aveuglément toutes les règles et que nous calculons cyniquement que, en faisant les choses correctement, nous pouvons nous en tirer avec quelque chose de moins bon, puisque «c'est comme ça que ça se fait tout le temps».

C'est ainsi que naissent les sceptiques, et une fausse race d'artistes hybrides, adaptés à leur milieu ambiant empoisonné et qui mettent de l'avant un mythe irréfléchi et idéalisé, à savoir

* * *

Je pense sincèrement que pour être un écrivain, il faut apprendre à être respectueux.

ANNE LAMOTT

que *leur* adaptation est «normale» et que tout «véritable» artiste devrait être capable de survivre à n'importe quoi. Foutaises! Les artistes de ce genre adorent participer à des émissions de fin de soirée au cours desquelles ils racontent des histoires d'horreur en mettant autant l'accent sur l'autopromotion de leur performance, leurs extraordinaires studios et leurs super agents que sur leur art. Promus par la presse et par eux-mêmes, ces artistes artificiellement imbus d'eux-mêmes peuvent intimider les véritables artistes de nature plus effacée.

Dans les sociétés où la créativité se tisse à même la trame et la chaîne de la vie quotidienne, les âmes plus effacées peuvent donner libre cours à leur créativité en toute impunité. Aux États-Unis, l'artiste est une espèce en voie de disparition. Les subventions diminuent, l'appréciation du public se fait plus rare, et trop de pouvoir réside entre les mains de trop peu de gens, c'est-à-dire entre celles des critiques qui filtrent tout pour le public.

Effarouchés par ce processus et doutant de leur capacité à y survivre, beaucoup d'artistes talentueux laissent le découragement assombrir leur paysage artistique. Et ce n'est pas étonnant qu'ils le fassent. En effet, ils végètent trop longtemps dans l'ombre parce qu'ils manquent du soutien (les amis de l'avant, du pendant et de l'après) qui les aiderait à devenir davantage des figures publiques. Bien des situations dans le domaine public de l'art constituent un poison pour les artistes. Ils apprennent certes à composer avec elles, mais pas facilement. Comme le corps qui doit fabriquer des anticorps pour se défendre contre les virus et les microbes, l'âme de l'artiste doit se fabriquer des anticorps pour se défendre contre la culture du moment. Mais ce ne sont pas tous les artistes qui réussissent à le faire. De nombreux excellents artistes n'y réussissent pas.

* * *

Si vous ne risquez rien, vous risquez encore bien plus.

ERICA JONG

Au cours des vingt-cinq années où j'ai enseigné aux gens comment se défaire de leurs blocages en regard de la créativité, j'ai compris que ce ne sont pas tant les artistes à qui la qualité manque, mais c'est à la société américaine que manque globalement la notion de qualité qui permet de nourrir et d'apprécier les artistes. À moins de vraiment être capables de plaider en notre faveur et de prendre soin de nous, nous suffoquons. À moins que notre artiste réticent ne produise plus d'art, nous risquons de continuer à avaliser les évaluations de ceux qui critiquent mais qui ne créent pas. Ce n'est pas la qualité de l'artiste qui est à remettre en question, c'est la qualité du climat des critiques, puisqu'il n'existe pas de véritable réceptivité envers les arts aux État-Unis.

Si on tient compte de ces faits, on peut affirmer sans erreur que de nombreux et excellents artistes ne reçoivent pas suffisamment l'approbation des critiques. Cela les fait douter de la qualité de leur art. Il faut du courage pour s'adonner à son art et bien que le mythe du cavalier solitaire, de l'artiste totalement autonome, prétende affirmer le contraire, les artistes et l'art ont besoin de soutien.

Les gens qui dédaignent l'art amateur parce que la qualité lui fait soi-disant défaut n'ont probablement pas assez vu de diamants bruts dans leur vie. Ils préfèrent acheter leur art chez Tiffany, car il porte le sceau d'un nom connu et l'approbation de quelqu'un d'autre. Ils n'ont jamais eu le courage d'aller dans une église pour écouter une jeune soprano qui n'a pas de formation et s'engager financièrement pour la lui donner. Ils ne sont pas allés dans le couloir d'une école ou sur un trottoir pour voir les dessins d'un étudiant qui pourraient les émouvoir à un point tel par leur virtuosité, qu'ils s'informeraient pour savoir comment ils pourraient aider ce jeune talent. Il faut du courage et du cœur pour s'adonner à son art, et il en faut également pour soutenir ceux qui s'y adonnent. Un pianiste célèbre originaire d'une petite ville du centre des États-Unis mentionne toujours la générosité d'un couple de l'âge d'or de sa ville qui a risqué sans aucune condition une somme représentant le loyer du jeune pianiste pour un an à New York alors que ce dernier essayait de faire son chemin dans la musique. Ce couple a eu la sagesse de servir l'art chez l'artiste, de repérer la pierre brute et d'aider à la polir. Ce genre de discernement et d'engagement est rare et inusité dans la société américaine.

En effet, elle a plutôt tendance à diminuer l'art aussi bien que les artistes. L'art est devenu quelque chose de mondain, de décoratif, alors qu'il figurait autrefois au centre de la vie civilisée. On considère les artistes comme superflus ou, au mieux, comme des gens marginaux peut-être talentueux mais qui doivent cependant rester en marge.

Même si les artistes sont partout, nous ne les voyons pas – et donc ne nous voyons pas nous-mêmes comme tels – parce que, en tant que société, nous avons relégué notre âme d'artiste dans la citadelle rassurante du cynisme. Nous acceptons que les critiques chics à « l'esprit critique » évaluent l'art alors qu'ils sont impotents sur le plan créatif. Le problème, ce n'est pas la qualité, mais la bienveillance. Lorsque je dis à mes étudiants que nous sommes tous créatifs et que nous devrions tous mettre cette créativité à l'œuvre pour nous exprimer, je suis parfois tournée en dérision par les sceptiques qui me disent: « Ne croyez-vous pas que vous pourriez vous-même débloquer des gens qui produiraient un art de piètre qualité ? »

Soyons réalistes: il existe déjà dans le monde de l'art beaucoup de manifestations qui sont loin d'être excellentes. En fait, ceux qui se retiennent « d'infliger leur art au monde » semblent souvent être ceux qui justement créent ce qu'il y a de plus beau.

En tant qu'artiste et enseignante, j'ai plus souvent appris l'humilité en constatant la grande qualité du travail d'une personne qui ne s'était pas encore ouvertement manifestée, que j'ai été humiliée par la qualité du travail d'une personne qui vient de s'illustrer. C'est souvent la force de l'ego et non celle de l'art

* * *

L'art digne de ce nom est une forme de prière, une façon de dire ce qui est indicible.

FREDERICH BUSCH

qui détermine jusqu'où un artiste est prêt à aller de l'avant. Aux États-Unis, nous avons fait des arts un spectacle à ce point navrant, où le vedettariat est la norme, que beaucoup de gens dotés d'une immense talent décident à raison de vivre en dehors des feux de la rampe.

Dans un tel climat socio-culturel, il y a un excès d'acidité dans le sol du jardin de la créativité. Les feux de la rampe brûlent tout ce qui est nécessaire aux arts et aux artistes pour bien s'épanouir. Nos critiques ressemblent à des jardiniers qui font de l'excès de zèle, qui éliminent les mauvaises herbes à renfort de produits chimiques, incapables qu'ils sont de nourrir les jeunes pousses vertes qui offrent la promesse d'une belle floraison.

Dans notre culture, nous devons consciemment mettre au point des «incubateurs» d'art. Nous devons trouver des gens et des lieux qui nous permettent de nous épanouir. Nous devons utiliser la créativité pour être créatifs.

Nous devons consciemment et attentivement joindre le geste à la parole. Nous devons prendre le véritable risque de nous améliorer. Réserver une heure chaque jour pour travailler sur une pièce de théâtre nous mènera plus loin, à long terme, que de nous dire que nous y travaillerons une fois que nous aurons refait la décoration de l'appartement, chose qui nous pousse à accepter un autre contrat à la pige pour pouvoir acheter le bon ordinateur pour «vraiment» pouvoir écrire. Les rêves deviennent des réalités quand nous les considérons comme tels, quand nous cessons de les fuir en les remettant à plus tard, quand nous pouvons dire avec preuves concrètes à l'appui : «Aujourd'hui, j'ai travaillé sur mon rêve.»

La créativité n'est pas quelque chose de vague que nous allons faire. C'est quelque chose de réel que nous faisons effectivement dans le moment présent. C'est refuser de sous-estimer

* * *

L'imagination dispose de ressources et de suggestions dont nous ne sommes même pas conscients.

CYNTHIA OZICK

l'artiste en nous par la tricherie des belles paroles ou de l'argent. Nous devrons peut-être occuper un emploi régulier pour assurer structure et soutien dans notre vie, mais il faut faire attention de ne pas nous mentir quand nous nous disons que notre agence publicitaire nous donnera la même satisfaction que d'écrire la pièce de théâtre que nous rêvons d'écrire depuis l'école secondaire.

Souvent, quand nous avons peur d'entreprendre ce que nous voulons vraiment, nous nous disons simplement que nous ne pouvons pas le faire. La vérité, c'est que nous le pourrions, mais que nous avons peur d'essayer. En n'essayant pas, nous ne savons pas vraiment si nous pourrions ou pas réaliser nos vrais désirs. Très souvent, lorsque nous disons que nous ne pouvons pas faire telle ou telle chose, nous avalisons une fois de plus un idéal de fausse indépendance et esquivons l'aide spirituelle. Nous avalisons une notion d'un Dieu avare dont les intentions vont à l'encontre de nos propres rêves. Quand nous croyons, ne serait-ce qu'inconsciemment, à un tel Dieu empoisonné, nous ne voyons par le Créateur comme un cocréateur, comme un partenaire à part entière pour la réalisation de nos rêves. Nous le voyons plutôt comme un obstacle, comme un parent sur la retenue qui désavoue nos rêves. Mais, la plupart du temps, c'est nous qui désavouons nos rêves.

C'est rendus à ce stade que nous devons faire appel à notre intégrité et à notre honnêteté pour déterminer ce que nous voulons vraiment. Nous devons poser le geste qui nous fera légèrement avancer vers notre vrai rêve. Ce geste d'honnêteté de notre part vient enclencher le soutien que nous pouvons enfin accorder à notre authenticité. Nous arrêtons alors de soutenir un faux moi que nous ne pouvons plus habiter aisément.

« Mais, et les risques ? » Vous vous surprendrez peut-être à vous raccrocher désespérément à un semblant d'espoir. Les

* * *

La surprise, c'est là où la créativité entre en jeu.

RAY BRADBURY

risques sont la mise préférée des faux dieux et le déni des miracles. Les risques sont la foi en l'absence de foi, la foi en l'absence d'espoir, la foi en l'impossibilité à changer de position, isolés que nous sommes de tout pouvoir qui pourrait surpasser ces fameux risques.

Quand nous nous dédions à nos véritables rêves, nous nous dédions à nous-mêmes. Ce faisant, nous nous dédions également au pouvoir qui nous a créés. Alors, nous nous syntonisons non pas sur des faux dieux, mais sur le véritable pouvoir de l'univers, sur le Créateur dont la puissance rend tous les rêves possibles.

EXERCICE

Donnez-vous une petite tape sur l'épaule

Vous avez déjà accompli dans votre vie bien des choses de valeur. Il est bon de garder sous la main une liste de vingt-cinq choses dont vous êtes fier. Avec cette liste, vous mettez noir sur blanc certaines des choses que vous avez bien faites dans votre vie, vous valorisant ainsi. Quand vous rédigez cette liste, il est important de le faire en fonction des choses dont vous êtes effectivement fier, pas en fonction de celles dont vous devriez l'être. Devrait figurer dans cette liste au moins une chose qui vous fait sourire en y pensant, par exemple un moment où vous avez tenu tête à un odieux personnage et avez réussi à trouver et à lancer la bonne réplique au bon moment.

Prenez un crayon et énumérez vingt-cinq choses dont vous êtes fier. Ne soyez pas surpris qu'une chose positive en amène d'autres, positives elles aussi.

1. Je suis fière d'avoir appris à ma fille Domenica à monter à cheval.

2. Je suis fière de lui avoir fait faire des promenades à dos de poney quand elle n'était qu'une enfant.

3. Je suis fière de l'avoir faite monter avec moi pour lui apprendre à trouver son équilibre.

4. Je suis fière de lui avoir fait prendre des leçons d'équitation et de la regarder pendant qu'elle les suivait.

5. Je suis fière d'avoir défendu Carolina pendant la classe de catéchisme.

6. Je suis fière d'avoir dit aux bonnes sœurs que les *Christian Scientists* étaient aussi bons que les catholiques.

7. Je suis fière d'avoir apporté des tonnes de violettes sauvages à ma mère pour son jardin.

8. Je suis fière d'avoir essayé de sauver la vie d'un ver de tomate en recollant ses deux morceaux avec du ruban adhésif.

9. Je suis fière d'avoir choisi Tiger Lily parmi tous les chiots du chenil.

10. Je suis fière de toujours écrire mes Pages du matin, même quand je n'enseigne pas.

Une telle liste ne pourra qu'établir un solide fond d'intégrité.

REPRENDRE LES RÊNES

Nous sommes destinés à faire quelque chose de nous-mêmes. Le sentiment que nous ressentons lorsque nous avons le soutien des autres en est un de célébration. Il y a dans l'air une sensation de communauté, de raison d'être et d'humour partagés, comme quand des femmes confectionnent en groupe

* * *

Le style fait son apparition quand vous cherchez et découvrez vos forces, et que vous misez ensuite sur elles au maximum.

SARAH BAN BREATHNACH

une courtepointe ou qu'une communauté rebâtit une grange. L'énergie collective est déterminée, belle et enlevante. Nous ne vacillons pas parce que des gens nous prêtent main-forte et tiennent l'échelle pendant que nous en gravissons les barreaux. Quand le soutien est là, il est facile d'accomplir quelque chose et de faire quelque chose de nous-mêmes par la même occasion. C'est pour cette raison que les grands camps de musique d'été, les académies de peinture, les ateliers d'écriture sont si prisés. Même si nous avons tous besoin d'un tel soutien, nous ne pouvons pas tous nous en payer le luxe.

Parfois, le soutien nous manque et nous faisons face aux obstacles. Parfois, nous subissons d'affreuses blessures, dans le domaine de la créativité. Nos os ne sont peut-être pas brisés, mais notre confiance, elle, peut l'être. Une actrice sera presque émotionnellement éviscérée par un réalisateur qui donne à Hannibal Lecter des allures d'amateur. Un pianiste fera l'objet d'un article par un critique qui confond le terme «*beat*» (rythme) et «*beat*» (frapper).

Des cataclysmes de la créativité de ce genre sont choses communes. Ce sont les dangers qui attendent l'artiste sur son chemin. Comme les artistes sont des animaux très sensibles, ils se laissent évidemment effrayer et désarçonner. « Jamais plus je ne m'essaierai à ça ! » jurons-nous, le «ça» désignant un roman, le concerto qui nous tord les doigts et le cœur ou la pièce qui nous torture l'esprit. Et plus nous prenons de temps à nous y remettre, plus nous nous convainquons que nous ne pourrons jamais nous y remettre. Nous nous sommes fait mal une fois, alors...

Il n'existe qu'une seule et unique cure pour la blessure de la créativité, c'est le passage à l'action. Si nous ne faisons pas un petit quelque chose, notre imagination blessée mais cependant

* * *

Essayez de nouveau. Échouez de nouveau, mais mieux.

SAMUEL BECKETT

active fera un immense cas de ce qui nous est arrivé. Parfois, le seul réconfort que nous pouvons trouver est de crier notre nom haut et fort. Si personne d'autre ne nous déclare « artiste », alors nous devons le faire nous-mêmes. Et la seule façon de le faire est par l'art. Le pansement doit être proportionnel à la blessure. Si c'est votre comédie musicale qui en a reçu un coup, vous devez écrire de la musique. Si c'est votre peinture que l'on a critiquée, peignez quelque chose, ne serait-ce qu'une chaise de cuisine. Si c'est votre poésie qui a été bafouée, allez en lire quelques extraits dans un récital amateur. Toujours conscient que l'accueil des critiques puisse compromettre ses chances d'entreprendre des films à gros budget, un réalisateur célèbre que je connais bien se dit à lui-même au cours d'une nuit d'insomnie : « Si je ne peux pas tourner en 35 mm, je peux tourner en 16 mm. Et si je ne peux pas tourner en 16 mm, je peux tourner en super 8. Si je ne peux pas tourner en super 8, je peux dessiner, faire des croquis... » Autrement dit, il sait quel onguent appliquer dans le cas d'échecs créatifs, même énormes et catastrophiques. Il sait que cet onguent tient à la phrase suivante : « Je peux créer et je créerai de nouveau. »

Nous sommes destinés à faire quelque chose de nous-mêmes, parfois sans aucun soutien tangible. Nos relations personnelles nous abattent et nous vident. Nous avons l'impression que les gens nous laissent tomber, ce qui est souvent réellement le cas. Mais ce qui est plus décourageant encore, c'est d'avoir l'impression de nous être laissé tomber nous-mêmes, de n'avoir pas été suffisamment avisés. Mais, parfois, nous l'avons été aussi. En tant qu'artistes, nous avons nos mauvais soirs et nos mauvaises années. Cela fait partie du paysage. On pourrait soutenir que cela fait nécessairement partie du paysage.

* * *

Nous trouvons notre véritable moi par le truchement de l'imprudence et de la liberté.

BRENDA UELAND

Quand j'étais dans la vingtaine, j'avais l'impression que tout ce que je touchais se transformait en or. Tout d'abord, je fus une journaliste primée pour un reportage réalisé en exclusivité pour le quotidien *The Washington Post*, et fis l'objet d'un article dans le *Time Magazine*. Ensuite, j'épousai mon grand amour, Martin Scorsese, et travaillai à ses côtés, écrivant des scénarios de films pour lui. Je devins par la suite la chroniqueuse célèbre d'un quotidien et connus une période de succès comme scénariste, vendant trois films à la Paramount et écrivant un film à succès pour la télévision, mettant en vedette Don Johnson dans le rôle d'Elvis. C'était une merveilleuse époque.

Dans la trentaine, je connus tout d'abord un divorce très éprouvant. Je réalisai un long métrage mais on me vola la bande sonore. Je fis doubler le film pour le faire sortir en Europe, où les critiques furent bonnes, alors qu'aux États-Unis, il ne sortit pas et ne produisit donc aucune rentrée d'argent même si j'avais mis trois ans à le réaliser. J'écrivis des romans qui ne furent jamais publiés. J'écrivis des pièces de théâtre qui obtinrent des prix mais qui ne furent jamais mises en scène.

Dans la quarantaine, je publiai *Libérez votre créativité*. Une douzaine d'autres livres suivirent au cours de cette même décennie, et les romans que j'avais écrits furent finalement publiés. Mes pièces furent mises en scène. Au lieu de souffrir des affres de l'échec et de l'anonymat, je souffris des dangers de la célébrité. Je dirais que le terme qui désignerait au mieux ma quarantaine serait celui de « rigueur ».

Pendant cette décennie-là, je n'ai jamais arrêté d'écrire chaque jour, m'en tenant aux outils de guérison créative, et même de survie, pour moi et les autres. Je savais d'expérience qu'il fallait de la foi pour faire carrière dans la créativité. Bref, aucun temps perdu quand je n'avais plus la faveur du public, ni

* * *

Vous visez ce que vous voulez avoir. Si vous ne l'obtenez pas, vous ne l'obtenez pas ! Mais si vous ne visez pas, vous n'obtiendrez rien du tout.

FRANCINE PROSE

aucun haut ni bas quand j'étais très en vogue, ne se sont jamais avérés plus tard inutiles. Tout, et je dis bien tout, sert de combustible à la créativité.

En tant qu'enseignante et artiste, le développement de ma créativité se caractérise par des périodes où la syntaxe et la confiance créatives fluctuent. Nous écrivons « mal » parce que nous n'écrivons plus comme nous le faisions et pas encore comme nous le ferons. Le processus du développement de la créativité chez un artiste est très peu compris dans notre société, processus qui se déroule souvent sur la place publique. En ce qui concerne les artistes très connus, en particulier les réalisateurs et les romanciers, il y a peu de place pour le travail qui se fait pendant les phases nécessaires de fluctuation créative. Les musiciens qui se produisent en concert rapportent le même dilemme : un style musical se développe de façon idiosyncrasique et spasmodique, passant non pas de la beauté à la beauté, mais de la beauté à quelque chose de différent, puis à encore plus de beauté. Peu de critiques accordent de la valeur à la phase du « quelque chose de différent ».

L'art est fait de talent et de caractère. L'adversité renforce notre caractère, ainsi que notre art. Elle nous permet de faire preuve de compassion et d'empathie envers l'adversité que connaissent les autres, ce qui a pour effet d'approfondir notre cœur et notre art. L'adversité est éducative et, comme toute éducation, elle est extrêmement difficile à dépasser sans aide. Cette aide, qu'elle prenne une forme humaine ou une autre, comme la synchronicité, l'à-propos, ou l'intuition de faire quelque chose d'inhabituel, est un guide et un soutien sur lequel nous pouvons compter. Par contre, nous devons lui donner suite et passer à l'action, car il s'agit d'un travail d'équipe.

* * *

L'art est le principal moyen dont nous disposons pour briser la glace avec l'idée de la mort.

W. H. AUDEN

Lorsque ma route a croisé celle du metteur en scène John Newland, nous vivions tous les deux dans une minuscule ville montagnarde. Officiellement, il s'y trouvait à la retraite après une longue et illustre carrière, retraite qui ne dura que le temps de le dire avant qu'il n'entreprenne de mettre en scène des pièces dans des écoles secondaires et dans le milieu communautaire, qu'il ne donne des cours d'art dramatique ou qu'il ne fasse tout autre chose lui permettant de mettre ses talents et son expérience à contribution, même de façon limitée, vu sa grande expérience. En ce qui me concerne, je me trouvais dans une phase de creux de vague. Je venais de me faire désarçonner à plusieurs reprises, en particulier dans le domaine musical où le découragement m'accablait, et j'étais peu disposée à me remettre en selle. Après tout, les chutes font mal et je me disais que je commençais à me faire un peu trop vieille pour en faire d'autres.

Me sentant plus que piteuse, je rencontrai donc, par hasard, John Newland. J'étais allée assister à une soirée de monologues qu'il avait organisée à l'école secondaire. Ma fille faisait partie de la distribution. De mon siège bancal dans le minuscule auditorium, je regardais chaque étudiant présenter un travail difficile pour les nerfs, un travail audacieux pour notre petite ville, un travail audacieux pour n'importe quelle ville. Le théâtre communautaire auquel j'étais habituée était beaucoup plus anodin.

Mais qui a fait ça ? me demandai-je. Quelqu'un avait vraiment fait du bon boulot. À la fin de la soirée, je me dirigeai vers un grand et bel homme au visage buriné comme la façade d'une vieille cathédrale, visage couronné par une touffe de cheveux blancs comme neige.

« John Newland, dit-il en me serrant la main. Votre fille a vraiment du talent. Et j'ai entendu dire que vous n'en manquez pas vous-même. Pourquoi n'irions-nous pas déjeuner ensemble pour discuter un peu de tout ça ? »

Au cours de ce repas, je découvris que l'optimisme de cet homme était ce qu'il y avait de mieux au menu. Mes préoccupations au sujet de mon âge? «Vous n'êtes encore qu'une enfant. J'ai quarante ans de plus que vous et je travaille encore.» Mes préoccupations au sujet de mon découragement? «Faites-moi lire votre comédie musicale. Je vous parie qu'elle est bonne. Nous allons la produire.» Mes préoccupations au sujet de ma carrière? «Vous avez encore quarante années devant vous! Alors, ressaisissez-vous et faisons quelque chose ensemble!»

Et nous avons effectivement fait quelque chose ensemble. Nous avons produit ma pièce musicale intitulée *Avalon*. Et dans ce minuscule auditorium à cinq mille kilomètres de New York, apparut la femme qui devait devenir ma collaboratrice musicale. Par hasard, elle jouait de la musique de chambre dans ce même auditorium. Cette altiste classique invita toute une troupe d'amis musiciens à venir voir la première d'*Avalon*.

Quelle belle composition, pensait-elle alors que je me recroquevillais sur un siège au fond de la salle, me demandant si je réussirais à survivre à l'expérience d'entendre ma musique être jouée pour la première fois. Elle se présenta à moi ce soir-là et le fit une seconde fois alors que je venais d'aménager à côté de chez elle à New York «par hasard», quatre mois plus tard. Quelques mois plus tard, nous commencions avec entrain notre collaboration musicale, non pas, je crois, parce que j'avais assez de jugeotte pour faire des calculs de carrière, mais parce que j'étais prête à me remettre en selle et à reconnaître que John Newland et cette altiste m'avaient secourue. Après bien des années d'enseignement, j'en suis venue à conclure que les «sauvetages» qui tombent à point nommé comme celui-ci sont ce à quoi il faut s'attendre. Lorsqu'un artiste lance une prière de désespoir, le Créateur l'entend et y répond.

* * *

On sait depuis toujours que les esprits créatifs survivent à n'importe quel mauvais conditionnement.

Anna Freud

Quand la force humaine manque aux artistes, ces derniers doivent se tourner vers le Créateur pour demander de l'aide. Nous devons lâcher prise et renoncer à notre sentiment d'isolement et de désespoir pour nous ouvrir à recevoir de l'aide spirituelle, que nous ressentons fréquemment comme une force intérieure inattendue. Je veux préciser une chose : les artistes connaissent l'adversité, quel que soit leur niveau. Certains la connaissent au vu et au su du public, d'autres dans l'intimité douloureuse. D'une façon ou d'une autre, mauvais collègues ou mauvaises critiques, nous sommes désarçonnés.

Une loi spirituelle veut que rien ne se perde sans que cela ait un sens pour la création toute entière. Par conséquent, le désistement consternant de nos collègues qui nous disent « Merci » et essaient par la suite de nous « faire tomber de l'échelle » (en oubliant de mentionner notre contribution lors de conférences de presse ou de s'attribuer le mérite de nos idées dans les réunions d'équipe) est en quelque sorte un bienfait pour nous. Oui, le coup bas fait mal, ainsi que la trahison et la déception. Mais, plus souvent qu'autrement, nous tombons sur un tas de foin. Notre chute est mystérieusement amortie. Des anges apparaissent soudainement. Parfois, nous les sentons même de l'intérieur, sous la forme de l'inspiration, alors que nous nous demandons « Quoi maintenant ? » au lieu de nous demander « Pourquoi moi ? »

Étant donné que la créativité relève de la spiritualité, les blessures qui lui sont occasionnées sont de nature spirituelle. Mon expérience me fait dire que le Créateur exauce toujours les prières de l'artiste angoissé. Même lorsque nous nous disons face au destin, en sanglotant, que nous ne pouvons plus avancer, nous avançons quand même. Nous avançons avec l'aide divine. Quelque chose est déjà en branle qui nous fait déjà avancer. Nous gagnons du terrain, d'abord sur le plan de la conscience, ensuite sur le plan de l'action. La créativité est une pratique spirituelle et, comme toutes les pratiques spirituelles, elle fait appel à la force de caractère.

Il faut aussi nous adjoindre des collaborateurs ayant talent et caractère. Pour les trouver, nous devons d'abord polir nos propres talent et caractère. Très souvent, les gens qui nous trahissent sont ceux au sujet desquels nous avons eu un vague sentiment de malaise, malaise que nous avons qualifié de paranoïa. Le plus grand cadeau que nous puissions nous faire à l'avenir, c'est de prendre nos pressentiments comme des télégrammes de nature spirituelle, pas comme une névrose.

Il arrive remarquablement souvent que les anges de la créativité se manifestent concrètement. En même temps que les traîtres quittent furtivement la scène du crime, nos héros et nos machinistes entrent en scène pour essayer de monter un nouveau et meilleur spectacle. « Pourquoi n'essayeriez-vous pas ceci ? » demande un ami. Immédiatement, nous entrevoyons une voie ou, du moins, le prochain bon pas à faire. Il ne nous reste qu'à le faire.

Quand les artistes se retrouvent le bec à l'eau, ils doivent vérifier de quelles façons ils se mettent eux-mêmes des bâtons dans les roues. Oui, les autres se sont comportés comme des salauds : c'est irréfutablement la douloureuse réalité. Mais ce qui l'est davantage, c'est de voir que nous avons contribué à la situation. En général, c'est au moment où nous avons commencé à manquer de confiance en nous que les événements se sont retournés contre nous. Cela ne veut pas dire pour autant que nous devrions mettre sur notre compte les intrigues des autres. Cela ne veut pas dire qu'ils n'auraient pas pu agir différemment ou mieux. Cela veut dire par contre que nous devons agir différemment et mieux à l'avenir. Voilà la partie que nous pouvons changer.

La façon de changer ne consiste pas cependant à nous réprimander d'avoir été stupides. Ni d'endosser les méfaits des

* * *

J'ai l'impression que des vies sont enfouies en moi qui s'efforcent de se manifester et de s'exprimer à travers moi.

MARGE PIERCY

autres. Ni de prétendre que nous les avons en quelque sorte poussés à les accomplir. Nous pouvons changer en nous traitant et en nous écoutant avec bienveillance, en disant aux personnes et aux forces compatissantes exactement la façon dont nous nous sentons et en admettant que nous avons besoin d'aide pour guérir. Appelez votre tante et dites-lui qu'un critique vous a brisé le cœur. Écrivez une lettre à Oscar Hammerstein fils, qui a connu dix ans d'échec après le succès de *Showboat*, pour lui dire que vous traversez une mauvaise passe et lui demander s'il a quelque chose à vous suggérer. Appelez votre ancien professeur de collège qui pense que vous réussissez superbement, peu importe la façon dont vous vous sentez dans le moment. Revenez à la partie de vous qui est suffisamment forte pour continuer. C'est à ce moment-là que l'aide arrive. Elle monte en nous comme les bulles d'air remontent à la surface de l'eau. Il y aura toujours de l'aide qui se présentera à nous. Pour faire quelque chose de nous, il nous incombe d'être ouverts à cette aide et de l'accepter sous les formes auxquelles nous ne nous attendons pas. Ensuite, nous devons absolument passer à l'action.

En tant qu'artistes, nous sommes toujours engagés dans un processus de collaboration avec le Créateur. Quand nous demandons de l'aide, des enjeux qui nous semblent trop élevés et une distribution qui paraît aller de travers sont autant d'aspects qui s'avèrent peut-être nécessaires à l'intrigue, ainsi qu'à la maturation et au développement de notre propre processus créatif. Il est important pour les artistes de se souvenir que tous les revers de fortune sont providentiels parce que les os deviennent souvent plus forts là où ils ont été cassés. L'art est guérison et les artistes guérissent.

* * *

Considérez-vous comme une force incandescente, illuminée peut-être, à qui Dieu et ses messagers s'adressent en tout temps.

BRENDA UELAND

Le Créateur aidera les artistes si les artistes s'aident eux-mêmes. Comment se prévaloir de l'aide du Créateur? En créant.

Même si les artistes n'ont pas de contrôle sur le monde de leur créativité, ils le contrôlent beaucoup plus qu'ils ne veulent l'admettre. Ils ne veulent pas savoir à quel point ils le contrôlent parce qu'il est plus aisé et plus réconfortant de ressasser le ressentiment que notre carrière peut occasionner que de plonger dans la terrifiante vulnérabilité d'essayer une fois de plus de mettre notre œuvre au monde.

À la seule idée de s'engager totalement dans leur travail, la plupart des artistes réagissent comme les amoureux qui ont été repoussés. Et comme le célibataire au cœur brisé ou la vieille fille timide qui ont vu leurs rêves galvaudés, ils refusent de retomber dans la vulnérabilité. Ils «savent» comment les choses se sont passées avant et craignent qu'elles ne se reproduisent de la même façon. C'est pour cette raison qu'ils ne reprennent pas le moindre rendez-vous avec leurs rêves pour voir si cette fois-ci serait différente.

Quand un agent sans expérience nous a repoussés, nous avons tendance à dire que tous les agents se ressemblent. Mais est-ce vraiment le cas? Critiqués sévèrement par un propriétaire de galerie d'art cynique ou un dramaturge amer, nous concluons que nous ne réussirons jamais à entrer dans cette galerie d'art ou que notre travail ne sera jamais accepté. Trop souvent, nous ne nous reprenons pas parce que nous avons peur de blesser davantage notre cœur d'artiste brisé. Nous savons trop bien que, au plus profond de notre cœur, nos rêves artistiques ne meurent pas, pas plus que ne meurent nos rêves amoureux. Ce sont les murmures de nos rêves qui nous font peur. Des pièces, peintures et romans toujours vivants que nous avons relégués dans

* * *

"La guérison, avait l'habitude de dire mon père, n'est pas une science, mais l'art intuitif de courtiser la nature."

W. H. AUDEN

les placards de la créativité et qui côtoient les fantômes grommelants de nos rêves déchus.

Comme les artistes sont des rêveurs, leur cauchemar est de voir leur travail être passé sous silence, maltraité ou mal compris. C'est cette crainte qui permet au découragement de transformer une personne en «ils», d'une seule critique un peu sévère en «toujours» et d'un rejet cuisant en «jamais». Nous optons pour un cynisme cérébral de défense.

Nous commençons par nous dire qu'«ils» n'apprécieront jamais notre travail. Nous nous sentons seuls et abandonnés, et nous le sommes effectivement. Non pas parce qu'ils nous ont abandonnés, mais parce que nous nous sommes abandonnés nous-mêmes. Nous avons renoncé non seulement à nous-mêmes, mais aussi à Dieu. «À quoi bon?» avons-nous dit au lieu de dire «Quoi maintenant?» Plutôt que de risquer la vulnérabilité en reprenant le collier de la foi, nous cachons nos rêves et nos espoirs derrière ce que nous appelons la «réalité du marché». Nous nous sommes dit qu'ils étaient tous «comme ça» au lieu d'envisager la terreur de découvrir que ce n'est peut-être pas le cas.

À l'instar des bons chevaux qui se sont blessés en voulant sauter un obstacle et qui ont peur d'essayer une autre fois de le faire, les artistes se rétractent. Pourtant, un bon cheval peut et doit être repris en main. Les artistes sont aussi bien la monture que le cavalier. Quand nous sommes désarçonnés, nous ne pouvons pas laisser cette chute nous abattre. Nous devons nous remettre en selle. Cela fait partie de notre réalité.

* * *

Soyez toujours la version de toute première qualité de vous-même, plutôt que la version de seconde qualité de quelqu'un d'autre.

JUDY GARLAND

EXERCICE
Laissez-moi arranger ça !

Dans le domaine artistique, les blessures font en général partie du domaine secret. Nous nous disons : «Cela ne devrait pas me déranger autant», ou «J'ai simplement perdu intérêt après l'incident. » Nous nions aux autres et à nous-mêmes l'impact dévastateur qu'un bouleversement dans le domaine artistique peut avoir sur nous. Nous sommes désarçonnés et plutôt que de nous remettre en selle, nous nous disons que nous avons perdu intérêt à monter à cheval.

Quand on n'a pas fait le deuil des blessures de ce genre, nous créons des cicatrices. Nous accusons le coup, mais, en dessous, la plaie s'infecte. «Je ne suis tout simplement pas intéressé», disons-nous, alors qu'en réalité nous sommes très intéressés, mais très blessés.

L'exercice suivant en est un de compassion et de pardon. Nous méritons la compassion pour la souffrance que nous avons subie. Et nous méritons le pardon parce que nous nous sommes laissés arrêter, bloquer ou coincer et que nous nous jugeons sévèrement pour ça.

Prenez un crayon et établissez une liste numérotée de un à dix. Énumérez dix coups durs ou déceptions, dans le domaine artistique, que vous ne vous êtes pas permis de transformer, dépasser ou enterrer après en avoir fait le deuil. Soyez particulièrement cléments à votre égard, car ce processus est extrêmement délicat et explosif.

En passant en revue cette liste, pensez à un petit geste délicat que vous pouvez poser pour revenir en arrière dans le cadre

* * *

La rationalisation assèche tout ce qui est riche, fascinant et croustillant.

ANNE LAMOTT

où l'incident s'est produit. Assurez-vous de la plus grande déli-catesse possible. Disons, par exemple, que vous aviez écrit un roman et que vous ayez reçu des réactions positives et négatives de la part des éditeurs. Le petit geste à poser serait de relire tout d'abord les lettres positives et les vingt-cinq premières pages de votre manuscrit. Allez-y lentement et avec précaution. Si vous aviez monté une pièce et qu'elle ait été accueillie par des cri-tiques désastreuses, il se peut que vous évitiez totalement le théâtre. Procurez-vous une série de billets de théâtre. Autrement dit, encouragez délicatement votre artiste à jouer. Ensuite, remettez-le au travail.

VÉRIFICATION

1. **Combien de fois cette semaine avez-vous rédigé vos Pages du matin?** Si vous avez sauté un matin, pour quelle raison l'avez-vous fait? Quel genre d'expérience avez-vous vécu en écrivant ces pages? Sentez-vous plus de clarté? Une plus vaste palette d'émotions? Une plus grande impression de détachement, de finalité et de calme? Quelque chose vous a-t-il surpris? Voyez-vous un scénario répétitif qui demande à être examiné?

2. **Avez-vous été à votre Rendez-vous d'artiste cette semaine?** Avez-vous ressenti une amélioration de votre bien-être? Qu'avez-vous fait et qu'est-ce que cela vous a fait? Rappelez-vous que les Rendez-vous d'artiste sont dif-ficiles et qu'il faudra peut-être vous pousser un peu pour les respecter.

3. **Avez-vous fait votre Promenade hebdomadaire?** Quelle impression cela vous a-t-il fait? Quelles émotions ou intuitions ont fait surface en vous? Avez-vous pu aller vous promener plus d'une fois? De quelle façon cette promenade a-t-elle modifié votre optimisme et votre perspective des choses?

4. **Y a-t-il eu d'autres questions cette semaine qui vous ont paru significatives dans la découverte de ce que vous êtes?** Décrivez-les.

Découverte de la notion de dignité

La clé pour réussir à mener une vie créative est de s'engager à accomplir des choses. Nous faisons ainsi du monde et de nous-mêmes quelque chose de meilleur. La créativité est un acte de foi. En tant qu'artistes, notre source se trouve dans le Créateur, c'est-à-dire que notre approvisionnement en force et pouvoir est illimité. Cette semaine met l'accent sur le dépassement des difficultés rencontrées aux plus hauts sommets de la créativité. La grâce avec laquelle nous sommes capables de composer avec ces difficultés repose sur notre aptitude à avoir la foi. Le thème et les exercices de cette semaine visent à familiariser l'artiste avec les outils de survie nécessaires pour mener sans cesse une vie créative.

LA MONTAGNE DE VERRE

Aujourd'hui, alors que sous de minuscules mains naissent des bonhommes de neige dans le parc Riverside sous ma fenêtre, je suis aux prises avec la pente glissante de la dépression. Je suis d'une humeur qui me fait penser à la légende de la montagne de verre : chaque fois que j'essaie de grimper, je glisse vers le bas.

« C'est le temps des Fêtes qui veut ça », me dit avec sérieux une amie au téléphone, assurée que sa propre dépression, sa forte impression de malchance, avait un point commun avec la mienne.

Ce n'était pas le cas.

Aujourd'hui, l'humeur de doute et de dépression n'est que le reflet de l'étape où je suis rendue avec un nouveau projet en cours de réalisation, une comédie musicale. Toutes les pièces du casse-tête sont étalées autour de moi sur le sol. Un coin est en place ici, un autre là-bas, mais le grand trou dans le milieu représente la source de mon anxiété. Arriverai-je un jour à en trouver la substance véritable? Quand on essaie de donner naissance à un projet, un livre, une pièce de théâtre, une chanson, c'est comme quand on essaie de ramener un gros poisson. Comme le décrit si bien Hemingway dans *Le vieil homme et la mer*, le monde se résume au pêcheur et au poisson, le pêcheur ayant peur que le poisson ne s'échappe. Les artistes s'efforcent souvent de ramener de gros poissons envers et contre tout. Pire encore, leur poisson est souvent invisible aux yeux des autres, qui eux nous voient comme papa, maman, professeur, petite amie ou petit ami, mais pas comme quelqu'un qui est pris dans une lutte héroïque afin de ramener une énorme prise de la mer créative des archétypes.

Parce que les artistes veulent passer pour des citoyens ordinaires, ils ne veulent pas débrancher leur téléphone ni aller se cacher dans les recoins les plus sombres des bibliothèques pour écrire. Et pourtant, la peinture, l'écriture, la sculpture et la composition nécessitent bel et bien de longues périodes de temps où il n'y aura aucune interruption. Comment se ménager de telles périodes sans paraître arrogants ou distants? Différents artistes trouvent des solutions diverses. En ce qui me concerne, je ne réponds pas au téléphone, mais mon répondeur donne aux gens les heures où je suis occupée à écrire et le moment où ils peuvent s'attendre à ce que je les rappelle. Le romancier John

* * *

Il n'existe qu'un seul périple possible : le retour à l'intérieur de soi.

RAINER MARIA RILKE

Nichols écrit de minuit à l'aube, habitude excentrique qui lui évite de sauter sur les autres pendant le jour en leur hurlant «Je suis en train d'écrire!» quand ces derniers lui adressent la parole.

Nous rechignons tellement à faire toute une histoire de notre travail, que nous le minimisons. Nous ne communiquons pas clairement la solitude et les grands moments de silence auxquels nous aspirons tant. Nous utilisons les moindres recoins de la vie pour effectuer notre travail. C'est parfait le plus souvent puisque cela nous permet de mener notre vie et en même temps d'enrichir notre art. Mais, nous passons souvent sous silence les moments où nous quittons furtivement le lit conjugal pour aller écrire ou peindre dans le salon en bas de deux heures à quatre heures du matin. Nous passons aussi sous silence les fugues que nous faisons pour écrire un roman policier, installés dans un hôtel miteux, au cours d'un week-end volé à notre tendre moitié ou notre cabinet d'avocat.

Un pianiste, qui est également professeur de musique, se prépare pour une tournée de concerts en se battant avec des tonnes de pages de partitions. Il lui faut néanmoins continuer d'assumer ses responsabilités de professeur de conservatoire. Un romancier qui écoute un livre lui chuchoter son histoire devra tendre l'oreille vers ce dernier même lorsqu'il doit écouter aussi ses enfants. Un dramaturge rendu à la délicate tâche de faire passer sa pièce de théâtre sur scène et inquiet de donner à sa progéniture cérébrale de bonnes assises aura tendance à dresser l'oreille la nuit, comme le fait une nouvelle maman, pour entendre ses propres enfants bouder et se plaindre à leurs amis que «Maman est en train d'écrire».

Parfois, les mamans et les papas, peu importe l'amour qu'ils éprouvent envers leurs enfants, ont vraiment besoin d'écrire. L'art non exprimé monte en eux jusqu'à ce qu'il atteigne un

* * *

C'est votre main qui se concentre pour vous. Je ne sais d'ailleurs pas pour quelle raison.

REBECCA WEST

niveau d'agitation et d'urgence tel, qu'il exige absolument son aboutissement par une création. Rien d'autre ne saura nous satisfaire. Il n'y a rien d'autre qui n'aille pas, bien qu'on puisse avoir l'impression du contraire.

« Qu'est-ce qui ne va pas, maman ? » nous demandent nos enfants, sentant chez nous distance et distraction. Nous devons faire l'effort de ne pas leur sauter dessus alors que nous sommes en train de ruminer la conclusion d'une intrigue.

« Rien. Maman a juste besoin d'écrire. »

« Qu'est-ce qui ne va pas, chérie ? » demande notre tendre moitié.

« Rien. J'ai juste besoin de peindre. »

L'année où j'ai enseigné la cinématographie à l'université Northwestern et à l'académie Chicago Filmmakers, tout en donnant des cours privés dans le cadre de *Libérez votre créativité* et de mon autre ouvrage, *The Right to Write* (Le droit d'écrire), je ressentais vraiment le besoin d'écrire. L'enseignement prenait beaucoup trop de mon temps et de mon attention, alors que ma famille prenait le reste. J'ai donc fait en sorte de m'échapper pour un petit bout de temps à Taos. Pendant que j'attendais pour embarquer dans l'avion, une voix d'homme se mit à parler dans ma tête. Saisissant mon crayon et mon carnet de notes, je me mis à prendre en notes ce qui m'était dicté. Le besoin d'écriture était si exacerbé en moi que le flot en était impérieux et impératif. J'ai donc écrit tout le long du vol entre Chicago et Albuquerque. J'ai aussi écrit dans l'autobus entre Albuquerque et Taos. Je me suis installée à l'hôtel et j'ai continué d'écrire, du matin jusqu'au soir, confortablement installée à une table de la terrasse du Dori's Café, cet endroit si familier aux écrivains. Tous les soirs, je recevais un appel de plainte de ma famille qui me demandait « Quand est-ce que tu reviens à la maison ? »

* * *

La liberté revient à choisir le fardeau que vous voulez porter.

HEPHZIBAH MENUHIN

« Pas encore, que je leur répondais. Je dois finir. » Je suis restée à Taos presqu'un mois, le temps d'écrire la majeure partie de l'ébauche du roman. C'est à contrecœur que je rentrai chez moi : il me fallut plusieurs jours avant de retrouver dans ma famille les rôles que celle-ci préférait me voir prendre, c'est-à-dire ceux de mère et d'épouse. J'allai littéralement me cacher dans une alcôve au fond d'un café pour écrire le reste de mon roman. Ma dette envers mon écrivain intérieur avait pris des proportions telles, qu'il fallait que je lui accorde absolument la priorité pendant un certain temps. Cette expérience m'apprit que je devais faire attention à toujours et régulièrement honorer celui-ci. Il est plus facile pour une famille de s'adapter à un programme quotidien d'écriture qu'à une longue période d'abandon. Il est aussi plus facile pour les autres membres de la famille de vivre avec les inconvénients et de s'adapter à la phase de course contre la montre qu'est la rédaction de la fin d'un livre que de se faire réconforter par téléphone de l'autre bout du pays. La réalisation de n'importe quel projet comporte cette phase de course folle, cette période où rien ne marche car le travail est simplement trop difficile. La famille et les amis le comprennent avec le temps et apprennent à s'en accommoder. Du moins le font-ils si nous leur en donnons la chance en le leur expliquant.

Les artistes s'efforcent de rester dans la « normalité » parce qu'ils ont beaucoup entendu dire que les artistes étaient des fous. Nous avons trop entendu d'histoires sur Jackson Pollock et Anne Sexton, sur Sylvia Plath, sur Zelda et ce pauvre F. Scott Fitzgerald. Notre répugnance à être ce *genre* de personne a fait de nous des menteurs expérimentés. Certains mensonges sont cependant nécessaires et servent à nous protéger. Les femmes le savent bien. En tant qu'artiste d'expérience, je garde le secret sur mon travail comme on le garde sur une grossesse. Je suis *toujours* consciente de ma vie intérieure et du besoin de la protéger. Je m'excuse si cette métaphore est reliée au genre féminin. Les hommes créatifs que j'ai connus et avec qui j'ai vécu abordaient souvent leurs réalisations créatives comme des campagnes militaires secrètes, métaphore qui quant à elle est reliée au genre masculin, faisant appel au secret, à la stratégie et à la protection.

Conditionnés que nous sommes à être des mamans et des papas, des professeurs et des banquiers, des juges et des avocats, écœurés par toutes les histoires que l'on raconte sur le compte des irresponsables monstres que sont les artistes, il n'est pas étonnant que nous ayons de la difficulté à faire suffisamment appel au sens de notre responsabilité face à notre art et à l'artiste en nous pour les protéger à l'occasion quand nous sommes sur le point de donner forme – ou pas – à une grande réalisation. Cette étape délicate et difficile, cette montagne de verre du doute créatif, est une pente glissante que nous affrontons seuls. C'est sur le flanc verglacé de la montagne que nous devons trouver de petites prises, pour nous hisser des concepts jusqu'à la conception comme telle. Cette phase, une mise au monde difficile, ressemble à notre conquête de l'Everest, ou presque. « Je l'entends ! Je l'entends ! Mais mes mains n'arrivent pas à l'articuler », se plaignait à moi un ami pianiste. Et moi je me plaignais : « Je l'entends ! Je l'entends ! Mais je n'arrive pas à tout transcrire » quand des vagues de musique m'inondaient et que j'écrivais les notes tellement vite que j'en perdais le fil.

Les artistes ne parlent pas souvent de l'anxiété quotidienne de la création, qui est à son apogée dans la phase de la montagne de verre, mais difficile en tout temps. Dans l'ensemble, pour la plupart d'entre nous, le besoin de faire de l'art, le prix qu'il nous faut payer et le prix encore plus élevé si nous n'en faisons pas n'est pas quelque chose que nous crions sur les toits. Notre montagne de verre nous appartient, et comme la plupart des contes de fées, elle est invisible aux yeux des autres mais très

* * *

C'est seulement lorsque nous savons et comprenons que nous n'avons que peu de temps à vivre sur terre et que nous n'avons aucune façon de savoir quand ce temps prendra fin, que nous commençons à vivre chaque jour le plus totalement possible, comme s'il était le seul que nous ayons.

ELISABETH KÜBLER-ROSS

réelle aux nôtres. L'art est une vocation, un appel, et si personne n'entend cet appel aussi fort que nous, cela ne veut pas dire qu'il n'existe pas, cela ne veut pas dire que nous ne l'entendons pas, cela ne veut pas dire que nous ne devons pas y répondre.

Avec le temps, la famille et les amis deviennent des experts pour reconnaître les symptômes de l'appel créatif. « As-tu besoin d'écrire ? » ou « As-tu besoin de te mettre au piano ? » nous demandent-ils enfin. La plupart des artistes attirent vers eux des conjoints qui apprécient leur artiste intérieur, surtout une fois qu'ils sont assurés que ce dernier ne voudra pas les quitter. La femme d'un romancier sait très bien qu'aucun repas ne sera jamais aussi satisfaisant qu'une bonne page d'écriture. Les sandwichs et les pointes de tarte apparaissent comme par magie sur le bord de notre table de travail, où ils sont dévorés avec reconnaissance. Il existe sans aucun doute un coin spécial au paradis pour ceux qui nous ont aidés à donner naissance à notre progéniture créative. Les dédicaces dans les livres ne suffisent pas comme remerciements quand on les compare à la gratitude que nous ressentons quand nous nous sentons compris. Cette gratitude ne trouve son égal que dans la terreur que nous pouvons ressentir lorsque nous sommes incompris, comme les artistes le sont parfois par les gens qui prennent notre besoin de créer quelque chose pour le simple besoin de nous distinguer.

Quand j'étais jeune, j'avais un grand ami, Nick Cariello, qui était friand de manigances. Il m'invitait parfois à aller avec lui chez des gens qui aimaient les manigances encore plus que lui. Je me souviens d'une soirée où tout le monde se plaignait, avec colère, des artistes et prétendait qu'ils étaient comme tout le monde, qu'ils ne devraient pas se considérer comme des gens spéciaux, qu'ils devraient sortir leurs ordures comme le reste des gens.

* * *

Nous sommes les héros de nos propres histoires.

MARY MCCARTHY

« Oui, nous pouvons effectivement le faire, dis-je, mais si vous demandez à un artiste de porter des ordures dix-huit heures par jour, il faudra tout de même qu'il produise son art. C'est sa vocation. » Et c'est effectivement notre vocation. Alors, même si nous portons les ordures sur le bord du trottoir, nous portons aussi nos histoires, nos symphonies, notre danse et nos rêves. Nous les portons dans la vie quotidienne et, de temps en temps, nous leur faisons grimper la montagne de verre qui est notre Everest.

EXERCICE

Escaladez la montagne de verre

Prenez un crayon et répondez aux questions suivantes aussi rapidement que possible :

1. Avez-vous un projet qui se trouve dans la phase de la montagne de verre ?
2. Pouvez-vous protéger votre horaire de travail un peu plus rigoureusement qu'à l'ordinaire ?
3. De quelle façon pouvez-vous vous ménager des moments de solitude additionnels, ne serait-ce qu'une demi-heure par jour ?
4. Comment pouvez-vous échapper à la famille, aux amis et au téléphone ?
5. Êtes-vous devenu ami avec le café du coin, la salle arrière de la bibliothèque, une alcôve dans un restaurant particulier ou votre voiture pour y écrire ?

Il existe probablement près de chez vous un centre spirituel où vous pouvez aller vous ressourcer et manger en compagnie des autres. Bien des prêtres, des religieuses et des moines peuvent servir de soutien dans les périodes de doute créatif. Bien des couvents et des monastères offrent des endroits de retraite où l'on peut rassembler ses forces pour finaliser des projets.

Chez les sœurs de Wisdom House à Litchfield, au Connecticut, des artistes elles-mêmes qui enseignent depuis longtemps les cours de *Libérez votre créativité*, je retrouve souvent le calme nécessaire pour renouveler ma foi et mettre un point final à mes réalisations.

L'ATTERRISSAGE

Pour pouvoir pratiquer notre art, nous prenons successivement de l'expansion et nous rétractons. Avec l'expansion, viennent les grandes idées. Avec la contraction, nous travaillons avec acharnement sur la précision des idées et des détails. Nous sommes donc vastes pour commencer et ensuite très pointus. Dans l'enthousiasme du moment créatif, le flot de nos pensées est chaud, épais, dense, rapide et léger, comme un bon vent.

À l'instar des marées, nous montons et nous descendons. Nous prenons de l'expansion et nous rétractons, changeant de formes et de dimensions comme un de ces mystères lumineux de la mer, la méduse, qui ressemble étrangement à un parachute. Lorsque nous sommes en plein vol créatif et que nous cherchons à atterrir, nous ressemblons à un beau parachute bien gonflé s'approchant du sol. Magnifique? Certainement. Mais sans danger? Pas nécessairement. Quand on met le point final à l'ébauche d'un roman, il peut arriver que cela suscite des pensées suicidaires plutôt que des pensées de célébration. Avec la créativité, il faut s'attendre à un grand *post-partum*.

Les parachutes atterrissent souvent dans une embardée. Cela peut aussi être le cas pour nos atterrissages créatifs. Notre parachute s'affaisse autour de nous et nous titubons à l'aveuglette. Ou bien le parachute reste un peu ouvert et nous culbutons dans le champ, emportés par le vent. Autrement dit, un

* * *

Peut-être que trop de quelque chose est aussi mauvais que trop peu.

EDNA FERBER

atterrissage créatif peut nous laisser des ecchymoses, des meurtrissures et un sentiment de claustrophobie, alors que notre parachute s'affaisse et que la vie normale menace de nous étouffer.

Lorsque nous accomplissons quelque chose, nous devenons parfois très, très grands. Ou simplement très, très libres. À l'apogée du geste créatif, nous ne sommes ni contraints ni rapetissés par nos charabias quotidiens, c'est-à-dire notre âge, les tensions familiales, notre impression d'être seulement un rouage. Il est difficile de revenir à notre taille habituelle après une telle envolée et, souvent, nous n'y arrivons pas au début.

Ces envolées créatives sont justement cela, des envolées. Nous avons une vue d'ensemble de notre vie, de nos rêves et, souvent, de bien d'autres choses aussi. Comme nous voyons les choses en perspective et avec du recul, notre perception ordinaire peut en être ébranlée. Nous sommes renversés par l'ampleur de ce que nous avons vu et notre petitesse nous semble étrange.

Pendant que nous essayons de retomber sur nos pieds, il est possible que nous descendions en-dessous de notre taille réelle et que nous nous sentions tout petits. C'est pour cette raison que les astronautes subissent des examens à leur retour sur la Terre et que les artistes d'expérience apprennent avec le temps des techniques spécifiques pour s'aider à s'acclimater de nouveau à leur vie et à leur famille. Finaliser la réalisation d'un long projet, c'est un peu comme traverser les États-Unis d'un océan à l'autre : quand vous rentrerez chez vous, vous aurez probablement besoin de vous isoler et de dormir avant d'aller voir

* * *

Ô monde invisible,
nous te voyons.
Ô monde intangible,
nous te touchons.
Ô monde insondable,
nous te connaissons.

FRANCIS THOMPSON

vos amis. Si vous ne le faites pas, les choses seront un peu caho-teuses. C'est normal, et un peu inquiétant aussi. Un peu hal-lucinant comme *Alice au pays des merveilles* qui dit « J'étais si grande et maintenant je suis si petite. » Ou alors, nous nous sen-tons un peu serrés dans nos petits souliers d'avant. Ce n'est pas tant que notre tête soit trop grosse, mais plutôt qu'elle est pleine de très grandes idées.

Le monde de la créativité est rempli de vieilles histoires connues de la façon dont les artistes agissent et de quoi ils ont l'air quand ils rendent visite à la stratosphère éthérée dans leurs envolées. Dans mon empressement à transcrire la musique de ma première comédie musicale, j'enfilai une robe-chemise en soie devant derrière et la portai ainsi, peut-être pendant plu-sieurs jours, sans le remarquer. Accaparés par une idée que nous essayons de matérialiser, nous n'avons pas le temps de penser aux vêtements, pas le temps de nous préoccuper de paraître normal. Un romancier célèbre que je connais oublie souvent de mettre son dentier.

Ce qui compte pendant les envolées créatives, c'est le confort. Tout le reste prend le bord. Quand l'envolée prend fin, vous vous dites : « Mon Dieu, je devrais me laver la tête, appe-ler mon frère, balayer la cuisine ou faire le ménage de mes tiroirs. » Intuitivement, nous essayons de revenir sur terre en fai-sant du ménage, du frottage, de la cuisine, en appelant nos amis. La rentrée dans l'atmosphère terrestre est un processus délicat qui nous prend du temps et auquel nous devenons aguerris avec le temps, puisque nous apprenons à dire aux autres que nous sommes encore en train de descendre et que nous ferons sur-face la semaine prochaine.

En tant qu'alcoolique abstinente, je me méfie de tout ce qui est trop intense et trop rapide. Pour moi, l'euphorie est davan-tage un souvenir qu'un état que je recherche. Pourtant, lors-qu'un courant de haut voltage me traverse, je trouve cela aussi bien palpitant qu'intimidant. Je sais que c'est dangereux et je dois me rappeler qu'il faut atterrir avec précaution.

Même si nous n'atterrissons pas avec grâce, nous pouvons apprendre à atterrir le plus possible en toute sécurité. Avec la pratique, nous pouvons apprendre à laisser l'intense énergie de notre envolée se dissiper plus en douceur. Pourquoi ne pas prendre un bain chaud? Faire du ménage? Appeler un vieil ami? Toutes ces petites choses peuvent vraiment nous ramener sur terre. Mais, par-dessus tout, nous pouvons simplement nous dire que la terre est là et que nous reprendrons pied.

Un romancier aguerri explique qu'il essaie de ne parler à personne pendant quelques jours. «Je sais que je suis un peu bizarre quand je termine un travail d'envergure. Je me réserve donc du temps pour être bizarre en solo.» Quant à moi, je prépare une chaudronnée de soupe, je lis un mauvais roman policier ou j'emmène mon chien faire de très longues promenades. À un moment donné, je commence à sentir que je redeviens normale. Je remarque que je dois nettoyer les planchers ou passer l'aspirateur dans la voiture. Je réalise que mes souliers de course sont vraiment usées et que je me sens assez assurée pour aller m'en acheter une nouvelle paire en ville. Parfois, je remets la chose jusqu'à ce que je sente l'absolue nécessité de le faire. En fait, la rédaction d'un ouvrage d'envergure peut avoir l'effet d'une tempête sur l'artiste : secoué et désorienté, ce dernier a besoin de temps pour se calmer. Ce n'est pas une bonne idée d'appeler des amis : ils auraient l'impression que vous avez été enlevé par des extraterrestres. Vous devez attendre de pouvoir leur demander comment vont leurs enfants et si le film qui passe en ce moment vaut la peine d'être vu. Autrement dit, vous ne voulez pas revenir dans le monde avant que vous ne puissiez pleinement l'apprécier. Dans mon cas, je prends quelques jours de transition. Si je ne le fais pas, j'agis bizarrement et les gens le remarquent. J'aime donc laisser la poussière retomber.

* * *

Apprenez l'art de savoir de quelle façon ouvrir votre cœur et de vous en remettre à votre créativité. La lumière est en vous.

JUDITH JAMISON

EXERCICE
Gardez les pieds sur terre

Prenez un crayon et énumérez les dix activités qui vous donnent l'impression de bien avoir les pieds sur terre. Par exemple :

1. Faire de la soupe.
2. Passer l'aspirateur.
3. Changer les draps.
4. Faire la lessive.
5. Faire une tarte.
6. Regarder des vidéos de dressage de chevaux.
7. Cirer la voiture.
8. Nettoyer le réfrigérateur.
9. Appeler ma meilleure amie de la petite école.
10. Ranger mon bureau et payer mes factures.

Quand vous mettez cet outil régulièrement en pratique, cela devient comme un rituel puissant. À l'instar de la liste des choses accomplies, cet outil ajoute un zeste de célébration terre-à-terre dans notre vie d'artiste. Pourquoi ? Parce qu'il met l'accent sur la vie elle-même. Même si nous ne vivons que pour notre travail, notre vie est et doit être plus vaste que ce dernier. En laissant le quotidien reprendre ses droits de cité, nous devenons en quelque sorte la figure parentale qui nous souhaite la bienvenue au retour de chacune de nos envolées. Une de mes étudiantes, devenue une collègue de travail, s'envoie toujours des cartes postales de félicitations. « Beau boulot ! » s'écrit-elle quand elle finalise un contrat d'arrangement, d'enregistrement ou d'atelier musical. Les cartes postales se multiplient au fur et

* * *

Une pincée de ce que vous aimez vous fait du bien.

MARIE LLOYD

à mesure que ses percées sont plus importantes et reconnues. Notre travail nous semble bien meilleur lorsque nous le replaçons dans le cadre rassurant de la routine et des relations courantes.

Il faut en fait sentir que l'on est bien concrètement en contact avec la vie et nos relations avant, pendant et après nos envolées artistiques.

L'ÂGE ET LE TEMPS

Irving Penn, un photographe qui s'est fait un nom en étant le photographe attitré du magazine *Vogue*, a publié un jour un remarquable livre de photographies de fleurs. Pour *Vogue*, il photographiait des mannequins dans leur prime jeunesse et parvenues au sommet de leur beauté, comme Suzy Parker. Glorieuse comme une orchidée de serre, cette femme arborait la beauté surfaite et topiaire des fleurs que l'on hybride jusqu'à la perfection. C'est peut-être en réaction à cette beauté hybridée du monde de la haute couture, qu'Irving Penn a tourné son appareil-photo vers le monde des fleurs en bouton, en éclosion, en pleine floraison et en décrépitude glorieuse.

Les clichés de ce photographe sont remarquables. Dans ce livre, on peut admirer des boutons de fleurs dans toute leur gloire naissante, ainsi que des fleurs en éclosion, vibrantes et pleines de force. Mais la révélation, dans cet ouvrage, c'est la beauté des fleurs qui ont dépassé la pleine floraison et entamé leur décrépitude, passant, ainsi que le montre le photographe, à une autre étape de leur perfection. Il y a quelque chose de fort et de poignant à la beauté sur le déclin : ce qu'elle était se perpétue et sa grandeur en déclin nous rappelle que nous mourons

* * *

Et vint le jour où le risque de rester enfermée dans le bourgeon était plus douloureux que le risque de s'épanouir.

ANAÏS NIN

pour refleurir. Nous redevenons graine, comme c'est écrit dans le plan original.

Si nous pouvions seulement nous inspirer du monde de la nature en ce qui concerne le vieillissement ! Si seulement nous pouvions observer les animaux adultes s'occuper de leurs rejetons avec grand soin, détermination et intelligence !

J'ai travaillé avec le metteur en scène John Newland alors qu'il était dans les soixante-dix, quatre-vingts ans. Homme de taille imposante aux cheveux blancs comme neige et au visage glorieusement buriné, sachant repérer à la façon d'un aigle les manigances et les belles paroles, John Newland était beaucoup plus audacieux que les jeunes metteurs en scène qui l'ont supplanté. Il avait appris, comme Miles Davis, à ne pas avoir peur des erreurs, puisque les erreurs n'existent pas. Il coupait les scènes minables avec une allégresse sans merci. Il acceptait des acteurs, et même exigeait d'eux, toute une gamme d'émotions, de colère et d'audace. Il connaissait l'étendue complète du clavier humain et s'attendait à ce que les acteurs lui jouent tous les octaves possibles et n'était pas satisfait quand ils ne le faisaient pas.

Oui, la jeunesse passe, mais nous restons souvent aveugles à ce que, en tant qu'artistes, nous acquérons et gagnons en beauté avec le temps. Il n'existe pas un son marqué par le temps ni un cheveu argenté qui ne soient parfaits ni beaux. Il est difficile de ne pas se mettre en colère face au déclin de la beauté et de la force physiques, de l'audace et de la dextérité extrêmes que nous possédions autrefois, de la tournure d'une phrase ou d'une inspiration aussi parfaite qu'une pêche mûre à point, aussi brillante et dorée que la pomme d'or bien méritée. Bien entendu que ces choses nous manquent !

* * *

J'aimerais que la vie ne soit pas médiocre, mais sacrée.
J'aimerais que les jours soient des siècles, pleins et odorants.

RALPH WALDO EMERSON

Par contre, nous gagnons en beauté. Nous gagnons en tendresse. Nous gagnons en aspiration, en désir et en satisfaction. Pas seulement sur le plan sexuel et physique, mais aussi sur le plan créatif.

Âgée de cinquante-quatre ans, je suis encore prête à apprendre. Et j'entretiens l'idée que toute personne apprenant quelque chose qui lui tient à cœur – qu'il s'agisse de jouer du piano, comme c'est mon cas, ou de reconnaître l'humeur d'une personne qui vient d'entrer dans notre vie – sent ce traître mélange de vulnérabilité et de frustration, d'espoir et de découragement. Sans oublier l'élément stimulant du respect de soi qui découle du fait que vous essayez.

J'estime que l'un des avantages de faire quelque chose « à mon âge » est que j'ai vécu assez longtemps pour ne pas penser que « difficile » veut dire « mal » ou encore « infaisable ». Cela veut simplement dire difficile. Je ne pense plus non plus que ce qui est difficile pour moi est pire que ce qui est difficile pour quelqu'un d'autre. Je crois que tous les débutants nourrissent de grands espoirs et se précipitent vers leurs propres attentes et leurs rêves, comme les vagues se précipitent vers les récifs. Oui, bien sûr, il faut revenir de façon incessante à la façon d'une vague, mais en douceur. L'eau use effectivement le rocher, et la pratique, même si elle ne rend pas parfait, nous améliore. Voyez moi et le piano.

De toute évidence, ce sont les muscles, l'intellect et le cœur qui doivent être exercés. Ils doivent tous apprendre la patience, vertu que je déteste, et la répétition, l'idée que Dieu a judicieusement mise en application chaque jour. Oui, le soleil se lève et le piano attend. Il suffit que je me dise que je dois faire de ma pratique une routine, pas une occasion spéciale. Que je dois apprécier les pianistes virtuoses mais pas me laisser décourager par eux. Ils me montrent ce que les pianistes et un piano peuvent faire. « Piano » en italien ne veut-il pas dire doucement, lentement?

J'ai eu l'occasion de travailler avec une autre personne âgée, l'ancien acteur Max Showalter. À l'âge de quatre-vingt-deux ans, il se rendit jusqu'à Taos pour enseigner dans un atelier de créativité que j'animais. Il accapara le piano et tint une centaine de personnes en haleine pendant plusieurs heures, alors qu'il nous jouait sept décennies de musique dans le monde du spectacle et huit décennies de sa vie. « Vous devez être positive. Ils doivent savoir que la vie est bonne, jusqu'à la moindre parcelle », me dit Max. Et lui vécut totalement chaque parcelle de sa vie. Quand je l'ai connu à Hollywood dans les années 1970, il s'occupait d'un immense et magnifique jardin. Trente ans plus tard, il en avait un semblable dans le Connecticut. Nous avons pris des photos de nous et de notre vision de la vie dans les deux jardins. Dans son premier jardin, il prit une photo de moi alors que j'étais une jeune femme en plein épanouissement. Dans son deuxième jardin, j'ai des mèches argentées dans ma chevelure dorée. C'est à cette occasion que nous avons discuté des jeunes pousses talentueuses dont il s'occupait, avec de bons amis, au Goodspeed Theatre et dans le cadre de projets communautaires, mettant sa version à l'ancienne du théâtre à contribution pour former de jeunes talents. « Un endroit prometteur où nous pouvons tous devenir plus grands que nature. Non ! Je veux dire aussi grands que la vie nous le permet ! Et c'est beaucoup ! »

EXERCICE

La communion des saints

Avez-vous déjà envisagé de demander à vos artistes vénérés, ceux que vous admirez et qui sont déjà au ciel, de vous aider ? Loin d'être sacrilège, cette pratique fait honneur au fait que l'art est de lignée spirituelle. Nos ancêtres artistes *sont* des

* * *

Le devoir de l'âme est d'être loyale envers ses propres désirs et de céder à sa passion maîtresse.

REBECCA WEST

sources d'inspiration qui se perpétuent non seulement par leur œuvre, mais aussi par leur esprit créatif. En les invoquant directement, nous faisons honneur à la contribution qu'ils apportent à notre vie et nous permettons à de beaux fruits créatifs de voir le jour. Avez-vous quelque résistance que ce soit à faire cela?

Dans notre société, nous faisons preuve d'arrogance et d'esprit vieux jeu à refuser d'honorer et de reconnaître l'apport fait et la marque laissée par nos ancêtres.

À votre tour d'essayer. Choisissez un artiste qui est décédé et demandez-lui de l'aide pour un problème que vous affrontez. Écoutez et transcrivez rapidement ce que vous l'entendez vous répondre. Haydn vous dira peut-être de vous servir de classeurs appropriés pour ranger vos compositions musicales et d'organiser votre salle de travail.

Je connais un jeune compositeur qui a pris l'habitude de se fier à ce genre d'aide pour conduire ses affaires quotidiennes : « Arrête-toi dans ce magasin de musique. » « Appelle ton vieux professeur. » Comme ces petites « recommandations » semblaient s'avérer payantes sur le plan créatif, l'idée de demander de l'inspiration à des ancêtres artistes semblait intéressante, même si elle paraissait farfelue. Ayant une solide formation classique et une connaissance rudimentaire de la vie et du caractère des ancêtres artistes en question, notre jeune compositeur, une femme, se mit à demander de l'aide précise. Ce faisant, elle constata qu'Haydn était strict et brillant, Mozart, inspirant mais loufoque, Beethoven, aimable, concentré et passionné, et que ses propres compositions s'amélioraient énormément. En

* * *

Et si le « péché originel » c'était de nier votre originalité au lieu de la célébrer ? Chacun de nous possède le fabuleux et extraordinaire talent d'exprimer le divin sur terre par le truchement de sa vie quotidienne. Lorsque nous choisissons de faire honneur à ce talent inestimable, nous participons activement à la création du monde.

SARAH BAN BREATHNACH

demandant à être inspirée, elle sentit qu'elle l'était effectivement.

Un jour, en rédigeant ses Pages du matin, elle se demanda si cette inspiration était juste le fruit de son imagination. Elle entendit immédiatement fuser la réponse à cette question : « Il y a un grand nombre d'âmes par ici qui s'intéressent beaucoup à ce que nous avons fait et à ce que vous faites. Nous aimons vous aider lorsque nous le pouvons. »

AU SERVICE DE LA COLLECTIVITÉ

Au cours des siècles passés, on faisait de l'art en l'honneur et à la gloire de Dieu. Considérée sous cet angle-là, une carrière artistique en était une de service, pas d'égotisme. Voilà une clé importante pour nous.

La consécration de notre travail à une cause plus noble que celle de notre propre petite personne élimine toute préciosité de notre travail. Ce faisant, il n'est plus question d'excellence personnelle, mais plutôt d'exceller à servir quelque chose de plus grand que nous. Parfois, nous dédions un livre à une personne que nous souhaitons toucher. Par exemple, par les lettres qu'il adressa à un jeune poète, Rainer Maria Rilke put accéder à sa propre sagesse et sa propre générosité.

Les artistes portent en eux des talents, dons spirituels gratuits qui ne demandent qu'à être utilisés. Un don pour la musique veut avoir voix au chapitre. Un don pour la photographie veut s'exprimer par la lentille. Nous avons une responsabilité envers nos talents, en ce sens que nous devons les employer.

Certaines des plus grandes pièces de théâtre, y compris celles de Shakespeare, ont été écrites par leurs auteurs pour

* * *

Si vous n'avez rien à créer, vous pouvez peut-être vous créer vous-même.

CARL JUNG

créer de grands rôles et mettre le talent de leurs amis à contribution. Chaque fois que nous choisissons de servir les autres, nous ouvrons grandes les portes de l'inspiration divine. Par exemple, quand nous destinons une œuvre à quelqu'un ou à quelque chose qui, nous le sentons, en vaut la peine, notre travail perd la contrainte le caractérisant lorsqu'il tourne uniquement autour de nous et de notre brillante carrière. Nous choisissons un chemin plus humble. Alors, nous serons peut-être brillants, sans pour cela chercher à briller à tout prix. Quand nous nous mettons au service des autres et sommes ouverts à l'inspiration juste pour les servir par le truchement de notre travail, nous apprenons et notre travail s'améliore sans cesse.

Lorsque nous mettons notre travail uniquement au service de la célébrité ou de la notoriété publique, ce dernier en est gêné. Quand nous réussissons à mettre de côté ces aspects, notre travail gagne en liberté et en totalité. Notre ego s'efface et ne contraint plus la visée et le flot créatifs. Nous pensons moins à nous et plus au travail comme tel.

Je me souviens m'être assise sous des arbres ondulant sous le vent, près d'un kiosque à musique, pour écouter un brillant pianiste livrer une magnifique performance, aussi percutante que l'orage à venir. J'étais assise entre deux hommes d'âge mûr qui écoutaient les cascades de notes avec l'émerveillement de jeunes enfants à l'approche de Noël. Il y avait de la magie dans l'air. J'appris plus tard que ce musicien magique que nous avions tant admiré avait joué toute la soirée à la dure, se battant contre son critique intérieur qui ramenait sans cesse sur le tapis une note manquée. Avec la dévotion d'un moine, il avait continué à jouer au cours de cette soirée, supporté uniquement par sa foi.

« Je dois me rappeler qu'il existe quelque chose de plus grand que moi et mon talent, quelque chose de plus important que la perception de mon ego », me confia le pianiste. Ce quelque chose est dans l'art lui-même ; c'est le courant créatif qui passe en nous et transforme et guérit ceux qui le croisent.

« C'était comme regarder Magic Johnson jouer », me chuchota un des hommes assis sur le banc. La remarque était pertinente avec, une fois de plus, le qualificatif « magique » et l'allusion à l'excellence. Même les soirs où Magic Johnson n'est pas en forme, il marque plus de points que tous les autres joueurs. Ses déplacements furtifs avec le ballon sont surprenants d'aisance. C'est souvent vrai également pour les artistes. Ce que les autres perçoivent comme ce qu'il y a de mieux, nous le ressentons peut-être en silence comme le pire. Nous ne devons donc pas laisser nos perceptions faire chavirer notre professionnalisme. Les romanciers qui ont une longue carrière littéraire derrière eux rapportent de façon désabusée que les livres qu'ils aiment le moins sont justement ceux qui ont obtenu les critiques les plus élogieuses, alors que ceux qu'ils adorent sont ceux qui ont reçu les critiques les plus mitigées. Dans un sens, l'accueil que nous-mêmes ou les autres réservent à notre travail ne nous regarde pas. Notre boulot, c'est de le faire. Nous travaillons et quelque chose œuvre à travers nous.

Les acteurs racontent de façon désabusée avoir personnellement connu des soirées désastreuses, accueillies triomphalement par le public et des soirées magnifiques, accueillies plus que tièdement par ce dernier. Dans un sens, un chanteur n'est que le véhicule d'une chanson et cette dernière, le véhicule de la musique à proprement parler. Peu importe notre expérience et notre célébrité, il existe toujours au cœur du geste créatif un anonymat essentiel qui veut que nous soyons au service de quelque chose de plus grand que nous.

Dans notre société, nous entretenons d'étranges notions sur l'art. Nous en avons fait un culte de l'individu plutôt que de le considérer comme ce qu'il a toujours été, c'est-à-dire une inspiration humaine dédiée à la communication et la collectivité. Nous « communions » par l'art, aussi bien grâce aux forces de l'inspiration quand nous travaillons, que grâce aux autres humains que nous rencontrons et qui éprouvent ces forces à travers notre

* * *

Nous ne pouvons nous attribuer aucun mérite pour notre talent. Ce qui compte, c'est la façon dont nous l'employons.

MADELEINE L'ENGLE

travail. Communier aux autres, c'est se syntoniser sur le monde avec le cœur ouvert, chose qui est impossible si nous ne pensons qu'à nous.

On trouve à Manhattan des myriades de musiciens et d'écoles de musique. C'est dans les rues bordées de gratte-ciel de cette minuscule île surpeuplée que l'on trouve la crème des deux. Un des meilleurs professeurs de musique de Manhattan dispense son enseignement avec un immense degré d'innovation et un grand esprit de service aux autres.

« Les partitions de piano pour débutants sont horribles, dit-il. Certains des meilleurs étudiants détestent s'en servir. Ils ne répondent pas à la musique qu'elles contiennent et s'ennuient à mourir. » Bien entendu, l'ennui est l'ennemi de l'apprentissage. C'est ce qui a conduit ce professeur à mettre au point toute une série de leçons de musique pour débutants avec de la musique qu'il a lui-même composée et des contes de fée entrant en résonance avec celle-ci. Qui n'aimerait pas apprendre la valse que l'on dansait lorsque la Belle au bois dormant fut réveillée par un baiser ? Qui ne voudrait pas jouer la chanson qu'un puissant orgue jouait lorsqu'il tomba amoureux d'un jeune élève de talent ? Partition après partition, leçon après leçon, ne cherchant qu'à aider ses élèves doués mais désabusés, ce professeur émérite créa un programme dynamique, novateur et éminemment jouable.

« Laissez-moi écrire quelque chose pour vous », dira-t-il en traçant à la main des portées sur une feuille de papier. « Ce serait amusant d'apprendre ça, non ? » Et, sous sa main, les grosses notes noires courent sur les portées, toutes tordues mais séduisantes.

Mettant absolument de côté l'ego, le snobisme et la façon dont la musique « devrait » être enseignée, ce grand professeur

* * *

L'amour est l'esprit qui donne une motivation au périple de l'artiste. Il est un puissant moteur dans la vie de l'artiste.

ERIC MAISEL

enseigne dans un esprit d'amour et de service aux autres. Il n'y a donc pas de quoi s'étonner si, chez ses étudiants, naît un amour de la musique qui, à leur tour, les sert bien.

Les artistes sont destinés à être des canaux d'inspiration recevant des pensées et des intentions élevées qui proviennent de dimensions élevées, pour peu qu'ils laissent faire. Lorsque nous laissons notre ego et les peurs qu'il invente prendre le haut du pavé en ce qui concerne notre art, nous empêchons notre carrière de se dérouler librement. Nous devons redoubler d'intensité et de rapidité artificielles, comme le fait une rivière qui doit contourner un gros rocher bloquant sa trajectoire. De tels rapides sont traîtres, dans les rivières en général et dans la vie d'un artiste, en particulier. Le service aux autres nous rend bien davantage service que l'ego.

Quand nous sommes sur le point de créer, il vaut mieux nous demander à qui notre œuvre est destinée et qui elle pourra servir, plutôt que de nous demander de quelle façon elle pourrait nous servir, nous. Une fois que nous avons découvert comment notre travail pourra servir les autres, ne serait-ce qu'en créant un merveilleux rôle pour un ami dans la pièce que nous écrivons, notre travail peut avancer sans anicroche. Nous ne sommes plus concernés, nous ne sommes plus la personne qui sait qu'elle crée, mais celle qui s'est syntonisée sur la création tout entière, un ouvrier parmi les ouvriers, un ami parmi les amis. Ce faisant, notre travail ne bute pas autant sur nos peurs. Nous pouvons les mettre de côté en nous demandant simplement toujours et encore : « Comment puis-je mettre davantage mon travail au service des autres ? »

Le réalisateur Steven Spielberg fit un jour la remarque à quelqu'un qui l'interviewait qu'il espérait que, une fois rendu aux portes du paradis, Dieu le remercierait en lui disant : « Merci

* * *

Croire en votre propre pensée, croire que ce qui est vrai pour vous l'est pour tous les hommes, c'est cela le génie.

RALPH WALDO EMERSON

d'avoir écouté, Steven. » Être à l'écoute de l'inspiration, être disposé à syntoniser notre volonté créatrice sur l'aide spirituelle, n'est pas en contradiction avec nos objectifs de carrière. C'est même une bien meilleure et plus solide façon d'en édifier une. En effet, une carrière fondée uniquement sur la notion de l'édification personnelle ne l'est pas suffisamment sur celle de l'édification des idées. Malgré tout leur savoir-faire précieux, les artistes qui ne réussissent pas à approfondir leurs objectifs et leurs idées voient leur carrière se maintenir dans une certaine superficialité.

Tchekhov disait la chose suivante aux acteurs : « Si vous voulez travaillez sur votre carrière, travaillez sur vous-mêmes. » On pourrait également dire que si vous voulez travailler sur vous, vous devez mettre votre carrière au service de quelque chose ou de quelqu'un de plus grand que vous. Par cette expansion, vous serez non seulement plus grand personnellement, mais aussi artistiquement.

Autrefois, nous avions l'habitude d'appeler Dieu « Le Créateur » et nous avions conscience du fait que notre propre créativité était un don divin, que nous étions l'instrument de Dieu. Lorsque nous avons fait de notre individualité et de notre personnalité le centre de l'attention de notre conscience aux dépens de notre part d'humanité – un glissement pour lequel la thérapie peut être accusée d'avoir causé beaucoup de narcissisme inutile ainsi que la conviction désagréable que l'art servait de compensation –, nous avons perdu de vue la notion que l'art était au service à l'humanité. Nous avons renoncé à notre droit inné de créateurs ainsi qu'à la notion profonde que l'art était la force agissante de l'âme, pas celle de l'ego. Chaque fois que nous ramenons l'art sur le plan du sacré, chaque fois que nous en faisons un geste de service à l'humanité sous quelque

* * *

Tout ce que vous pouvez faire ou rêver de faire, faites-le.
L'audace comporte génie, pouvoir et magie.

GOETHE

forme que ce soit, ne serait-ce que sous celle de la beauté ou de la vérité ou encore mieux sous celle d'une contribution plus personnelle, nous retrouvons une fluidité créative et un amoindrissement de nos doutes. Quand nous écoutons, nous créons des œuvres qui vaudront la peine d'être entendues. Par la même occasion, nous entendons battre le cœur de notre humanité partagée, qui trouve ses racines dans le divin.

Nous créons une œuvre d'art pour intensifier la conscience sur la planète. Nous créons de la belle musique pour la gloire et au service de la musique elle-même. Nous écrivons une pièce pour que des femmes alcooliques reprennent courage. Nous peignons afin d'exprimer notre gratitude au Créateur pour la beauté de la dentelle de Bruges. Lorsque nous faisons de l'art dans un esprit de service, notre ego s'en trouve allégé, notre centre d'attention, clarifié et notre pureté d'intention, accentuée. Nous empruntons une voie spirituelle qui pourrait se résumer à la maxime suivante: «La forme suit la fonction.» Lorsque la forme de notre travail s'ouvre à une conscience supérieure, sa fonction en est élevée à un plan supérieur tout autant.

L'art passe par nous. Il est teinté par notre individualité, mais nous n'en sommes pas la source. Ou, pour dire les choses autrement, si une œuvre d'art voit le jour sous nos mains, nous provenons nous-mêmes d'une dimension plus vaste. Nous sommes tous et chacun beaucoup plus que ce que les apparences laissent entendre, beaucoup plus que la somme de nos composantes purement humaines. Une étincelle divine anime chacun de nous, qui par ricochet anime aussi notre art. Lorsque nous cherchons à mettre notre art au service de l'humanité, nous ouvrons toutes grandes les portes de la créativité, et le monde de l'inspiration supérieure peut se frayer un passage jusqu'à nous. Un de mes amis qui est peintre dit que l'art a besoin d'un «trou pour l'imagination». En ce qui me concerne, je formulerais la chose de la façon suivante: «Lorsque nous dédions une œuvre d'art à quelque chose de plus grand que notre ego, ce quelque chose devient une "présence ressentie"». Une grande peinture, un grand poème, une grande pièce de théâtre ou un grand morceau de musique possèdent tous ce quelque chose de plus d'indéfinissable. Nous le sentons et, même si nous essayons de le définir et de le nommer, il échappe à toute définition. Un souffle divin passe à travers nous et à travers notre art également. Quand vous entrez dans une cathédrale, vous sentez quelque chose qui dépasse les artisans et les artistes qui l'ont érigée. Leurs mains ont été secondées par une main divine. Prenons Bach par exemple, qui avait été engagé pour composer de la musique afin que son église ait quelque chose à jouer aux services religieux (une fois de plus le mot service !). Et ce que Bach a composé était beaucoup plus qu'un simple élément d'utilité. C'est inspiré par un esprit de service qu'il composa ses cantates, ces « petites chansons » que nous aimons et apprécions tant des siècles plus tard.

On pourrait soutenir que nous sommes tous au service d'un artiste plus grand que le nôtre. La vie elle-même œuvre à travers nous. Nous portons des rêves et des désirs qui sont peut-être nés il y a des générations. La musique se perpétue dans les familles, tout comme le fait le talent pour le théâtre et l'écriture. Lorsque nous choisissons de faire de l'art à partir d'un état d'esprit de service à l'humanité, nous devenons tout bonnement vrais. Nous faisons tous partie d'une réalité plus vaste et quand nous reconnaissons cela en toute sincérité, nous nous rapprochons de l'humilité, de la clarté toute simple qui laisse entrevoir la beauté du grand plan à travers nous. Si la beauté est vérité, et vice-versa – ce que je crois réellement –, alors la reconnaissance de notre place dans un ordre plus vaste des choses vient faire résonner une vraie note à partir de laquelle davantage de beauté peut s'exprimer.

* * *

Un talent inexploité qui ne réussit pas à s'accomplir devient un fardeau écrasant, parfois même une sorte de poison. C'est comme si le cours de la vie était refoulé.

MAY SARTON

EXERCICE
La beauté est vérité, et la vérité est beauté

Chacun de nous possède une capacité d'émerveillement. Certains seront frappés d'émerveillement par une séquence musicale. D'autres ressentiront humilité et sérénité à la vue d'une aile de papillon. Toutes ces portes d'accès au divin sont à notre disposition. Certaines choses nous rendent tout simplement heureux : ce sont celles que nous aimons pour aucune raison. C'est pour cette raison que nous disons que « Dieu est dans les détails ». Nous faisons tous l'expérience du souffle divin lorsque nous nous laissons toucher par quelque chose que nous aimons.

Vu que la partie de nous qui crée est jeune et innocente, l'endroit idéal pour trouver des « jouets d'artiste » est une librairie pour enfants. Allez dans une telle librairie. Si vous aimez les dinosaures, procurez-vous un livre sur les dinosaures. Si ce sont les chiens qui font votre bonheur, trouvez-vous un livre sur les chiens. Assurez-vous d'avoir sur votre table de chevet au moins un livre sur un sujet qui vous ravit. Le ravissement ouvre la porte par laquelle le souffle du Créateur peut entrer pour nous toucher et nous faire vibrer de bien-être. Que votre cœur aille vers les pinsons ou les zèbres, laissez-vous aller à célébrer ce que vous aimez et ce que vous êtes. Quand vous reprenez contact avec la partie enfantine en vous qui aime et apprécie le monde matériel, vous reprenez aussi contact avec le sentiment qu'Aristote éprouvait quand il faisait remarquer que « dans toutes les choses de la nature, il y a une parcelle de merveilleux. »

Alors, permettez-vous de vous émerveiller.

* * *

Seul le cœur sait comment découvrir ce qui est précieux.

DOSTOÏEVSKI

VÉRIFICATION

1. **Combien de fois cette semaine avez-vous rédigé vos Pages du matin?** Si vous avez sauté un matin, pour quelle raison l'avez-vous fait? Quel genre d'expérience avez-vous vécu en écrivant ces pages? Sentez-vous plus de clarté? Une plus vaste palette d'émotions? Une plus grande impression de détachement, de finalité et de calme? Quelque chose vous a-t-il surpris? Voyez-vous un scénario répétitif qui demande à être examiné?

2. **Avez-vous été à votre Rendez-vous d'artiste cette semaine?** Avez-vous ressenti une amélioration de votre bien-être? Qu'avez-vous fait et qu'est-ce que cela vous a fait? Rappelez-vous que les Rendez-vous d'artiste sont difficiles et qu'il faudra peut-être vous pousser un peu pour les respecter.

3. **Avez-vous fait votre Promenade hebdomadaire?** Quelle impression cela vous a-t-il fait? Quelles émotions ou intuitions ont fait surface en vous? Avez-vous pu aller vous promener plus d'une fois? De quelle façon cette promenade a-t-elle modifié votre optimisme et votre perspective des choses?

4. **Y a-t-il eu d'autres questions cette semaine qui vous ont paru significatives dans la découverte de ce que vous êtes?** Décrivez-les.

ÉPILOGUE

J'aimerais terminer ce livre sur une note gracieuse. Je voudrais reconnaître la place qu'a la grâce dans l'art et dans la vie des artistes. Nous avons l'immense grâce d'être venus au monde en tant qu'êtres créatifs et d'avoir accès à cette créativité. Bien que vous puissiez le formuler différemment, tous les créateurs sentent le souffle du Grand Créateur les toucher à travers leur travail. L'art est une pratique spirituelle. Il se peut qu'il ne soit pas parfait, chose qu'il n'a pas besoin d'être non plus. Par contre, nous avons besoin de faire de l'art. Je crois fermement que faire de l'art nous rend plus totalement humains. En devenant plus totalement humains, nous devenons plus totalement divins et touchons à notre façon finie l'étincelle divine infinie en nous. Concentrés sur notre art, nous sommes en contact avec la vie dans son essence. La pulsion créative qui se déploie en nous se déploie également dans la création tout entière. On pourrait dire que la créativité est une forme de prière, une forme de remerciement et de reconnaissance pour toutes les choses pour lesquelles nous devons éprouver de la gratitude, tout en marchant en ce monde.

BIBLIOGRAPHIE

Aftel, Mandy, *The Story of Your Life – Becoming the Author of Your Experience*, New York, Simon & Schuster, 1996.

Ban Breathnach, Sarah, *Simple Abundance*, New York, Warner Books, 1995. (Édition en français: *L'abondance dans la simplicité*, Montréal, Éd. du Roseau, 1999.)

Berendt, Joachim-Ernst, *The World Is Sound: Nada Brahma*, Rochester, Vt., Destiny Books, 1991.

Bolles, Richard Nelson, *What Color Is Your Parachute?*, Berkeley, Ten Speed Press, 1970. (Édition en français: *De quelle couleur est votre parachute?*, Repentigny, Québec, Éd. Reynald Goulet, 2003.)

Bonny, Helen. *Music and Your Mind*, Barrytown, N.Y., Helen A. Bonny & Louis M. Savary, 1973, 1970.

Bradley, Marion Zimmer, *The Mists of Avalon*, New York, Ballantine Books, 1982. (Édition en français: *Les brumes d'Avalon*, Paris, Livre de poche, 1989.)

Brande, Dorothea, *Becoming a Writer*, Los Angeles, Jeremy P. Tarcher, 1981.

Burnham, Sophy, *A Book of Angels*, New York, Ballantine Books, 1991. (Édition en français: *Le livre des anges*, Bruxelles, Marabout, 1995.)

Bush, Carol, A. *Healing Imagery and Music*, Portland, Oregon, Rudra Press, 1995.

Came to Believe, New York, Alcoholics Anonymous World Services, 1973.

Campbell, Don G., *The Roar of Silence*, Wheaton, Illinois, The Theosophical Publishing House, 1994.

Cassou, Michelle, & Steward Cubley, *Life, Paint, and Passion : Reclaiming the Magic of Spontaneous Expression*, New York, Jeremy P. Tarcher/Putnam, 1996.

Chatwin, Bruce, *Songlines*, New York, Penguin Books, 1987.

Choquette, Sonia, *The Psychic Pathway*, New York, Random House/Crown Trade Paperbacks, 1994, 1995.

Choquette, Sonia, *Your Heart's Desire*, New York, Random House/Crown Trade Paperbacks, 1997. (Édition en français : *Les vrais désirs*, Montréal, Éd. du Roseau, 1998.)

Eisler, Raine, *The Chalice and the Blade*, San Francisco, Harper & Row Publishers, 1987.

Fassel, Diane, *Working Ourselves to Death*, San Francisco, HarperCollins, 1990.

Fox, Matthew, *Original Blessing*, Santa Fe, N. Mex., Bear & Company, 1983. (Édition en français : *La grâce originelle*, Paris, Desclée de Brouwer, 1995.)

Franck, Frederick, *Zen Seeing, Zen Drawing*, New York, Bantam Books, 1993.

Gawain, Shakti, *Creative Visualization*, Mill Valley, Calif., Whatever Publishing, 1986. (Édition en français : *Techniques de visualisation créatrice*, Paris, J'ai lu, 2001.)

Goldberg, Bonni, *Room to Write : Daily Invitations to a Writer's Life*, New York, Jeremy P. Tarcher/Putnam, 1996.

Goldberg, Natalie, *Writing Down the Bones*, Boston, Mass., Shambhala Publications, 1986.

Goldman, Jonathan, *Healing Sounds : The Power of Harmonics*, Rockport, Mass., Element Books, Inc., 1992.

Grof, Christina, & Stanislav Grof, *The Stormy Search for the Self*, Los Angeles, Jeremy P. Tarcher, 1990. (Édition en français : *À la recherche de soi*, Monaco, Éd. du Rocher, 1996.)

Harmon, Willis, & Howard Rheingold, *Higher Creativity*, Los Angeles, Jeremy P. Tarcher, 1984.

Hart, Mickey, *Drumming at the Edge of Magic*, San Francisco, HarperCollins, 1990. (Édition en français: *Voyage dans la magie des rythmes: un batteur de rock chez les maîtres tambour*, Paris, Robert Laffont, 1992.)

Heywood, Rosalind, *ESP: A Personal Memoir*, New York, E. P. Dutton & Co., Inc., 1964.

Holmes, Ernest, *Creative Ideas*, Los Angeles, Science of Mind Communications, 1973.

James, William, *The Varieties of Religious Experience*, Boston, Mentor Books, 1902. (Édition en français: *Les formes multiples de l'expérience religieuse*, St-Just-la-Pendue, Loire, Exergue, 2001.)

Jeffers, Susan, *Feel the Fear and Do It Anyway*, New York, Fawcett Columbine, 1987. (Édition en français: *Tremblez mais osez!*, Bruxelles, Marabout, 2001.)

Leonard, Jim, *Your Fondest Dream*, Cincinnati, Vivation, 1989. (Édition en français: *Le rêve de ma vie*, Barret-le-Bas, Hautes-Alpes, Souffle d'or, 1997.)

Lewis, C. S., *Miracles*, New York, Macmillan, 1947.

Lingerman, Hal A., *The Healing Energies of Music*, Wheaton, Ill., The Theosophical Publishing House, 1983.

London, Peter, *No More Secondhand Art: Awakening the Artist Within*, Boston, Shambhala Publications, Inc., 1989.

McClellan, Randall, Ph.D., *The Healing Sources of Music*, Rockport, Mass., Element Books, Inc., 1994.

Maclean, Dorothy, *To Hear the Angels Sing*, Hudson, N.Y., Lindisfarne Press, 1990. (Édition en français: *La voix des anges*, Barret-le-Bas, Hautes-Alpes, Souffle d'or, 1997.)

Mathieu, W. A., *The Listening Book: Discovering Your Own Music*, Boston, Shambhala Publications, Inc., 1991.

Matthews, Caitlin, *Singing the Soul Back Home: Shamanism in Daily Life*, Rockport, Mass., Element Books, Inc., 1995.

Miller, Alice, *The Drama of the Gifted Child*, New York, Basic Books, 1981. (Édition en français: *L'avenir du drame de l'enfant doué*, Paris, PUF, 2003.)

Nachmanovitch, Stephen, *Free Play*, Los Angeles, Jeremy P. Tarcher, 1991.

Noble, Vicki, *Motherpeace – A Way to the Goddess Through Myth, Art, and Tarot*, San Francisco, Harper & Row Publishers, 1983.

Norwood, Robin, *Women Who Love Too Much*, Los Angeles, Jeremy P. Tarcher, 1985. (Édition en français: *Ces femmes qui aiment trop*, Paris, J'ai lu, 2003.)

Peck, M. Scott, *The Road Less Traveled*, New York, Simon & Schuster, 1978. (Édition en français: *Le chemin le moins fréquenté*, Paris, Robert Laffont, 1987.)

Shaughnessy, Susan, *Walking on Alligators*, New York, HarperCollins, 1993.

Sher, Barbara, en coll. avec Annie Gottleib, *Wishcraft: How to Get What You Really Want*, New York, Ballantine Books, 1979. (Édition en français: *Qui veut peut*, Montréal, Le Jour, 1992.)

Starhawk, *The Fifth Sacred Thing*, New York, Bantam Books, 1994.

Starhawk, *The Spiritual Dance*, New York, Harper & Row, 1979.

Tame, David, *The Secret Power of Music*, New York, Destiny Books, 1984.

Ueland, Brenda, *If You Want to Write*, St. Paul, Minn., Schubert, 1983.

W., Bill, *Alcoholics Anonymous: The Story of How More Than One Hundred Men Have Recovered from Alcoholism*, Akron, Ohio, Carry the Message, 1985.

Wegscheider-Cruse, Sharon, *Choicemaking: For Co-dependents, Adult Children and Spirituality Seekers*, Pompano Beach, Fla., Health Communications, 1985.

Woititz, Janet, *Home Away from Home: The Art of Self-Sabotage*, Pompano Beach, Fla., Health Communications, 1987.

Wright, Machaelle Small, *Behaving As If the God in All Life Mattered*, Jeffersonton, Va., Perelandra. Ltd., 1987.

LIVRES D'INTÉRÊT SPÉCIFIQUE

Ces livres sont conçus comme une aide spécifique pour résoudre les problèmes qui font obstacle à la créativité.

Alcoholics Anonymous, *The Big Book*, New York, Alcoholics Anonymous World Services.

Alcoholics Anonymous, *Came to Believe*, New York, Alcoholics Anonymous World Services, 1973.

The Augustine Fellowship, *Sex and Love Addicts Anonymous*, Boston, The Augustine Fellowship, Sex and Love Addicts Anonymous Fellowship-Wide Services, 1986.

Beattie, Melody, *Codependent No More*, San Francisco, Harper & Row, 1987. (Édition en français : *Vaincre la codépendance*, Montréal, Science et Culture, 1992.)

Cameron, Julia, & Mark Bryan, *Money Drunk, Money Sober*, New York, Ballantine Books, 1992. (Édition en français : *L'argent apprivoisé*, St-Jean-de-Braye, France, Dangles, 1994.)

Hallowell, Edward M., M.D., & John J. Ratey, M.D. *Driven to Distraction*, New York, Touchstone Books/Simon & Schuster, 1994.

Louden, Jennifer, *The Women's Comfort Book (A Self-Nurturing Guide for Restoring Balance in Your Life)*, San Francisco, HarperSanFrancisco, 1992.

Orsborn, Carol, *Enough Is Enough, Exploding the Myth of Having It All*, New York, G. P. Putnam's Sons, 1986.

TABLE DES MATIÈRES